2ND EDITION
Español Mundial 2
SOL GARSON & ANNA VALENTINE
Hodder & Stoughton
A MEMBER OF THE HODDER HEADLINE GROUP

ACKNOWLEDGEMENTS

The authors would like to make the following acknowledgement: "A million thanks, as ever to our consultant Isabel Pineda for her expertise and commitment, to Sonia Asli for her invaluable time, devotion and patience in assisting in many aspects of this book. The neglect that Mrs Krook, Dick, Beli, Kaggi, Tina, Joshua and Avi have suffered cannot be rectified with an apology."

The authors and publishers are grateful to the following for material reproduced in this book: ¡Hola!, p.129; ABC, pp.122-3; Abtei, p.61; Aerolíneas Argentinas, p.160; Aeropuerto de Madrid/Barajas, p.135; Agencia Efe, p.129; Alcatel, p.135; Alcer, p.71; Aldeas Infantiles SOS de España, p.190; Athena Seguros, p.65; Autoescuela Yona, p.97; Àutomóviles Portillo, pp.33,211; AVE, p.104; Aviaco, p.101; Avianca, p.106; Ayuntamiento de Segovia, p.72; Bar Jomar, p.80; Bar Ricordo, p.24; Bayer, p.58; Biodés, p.69; Caja de Madrid, p.104; Cambio 16, p.129; CanalSur, p.122; Caritas, p.42; Catabocata, p.171; Cebra, p.44; Centro de Enseñanzas Informáticas, p.43; Centro Juguete, p.188; Correos y Telégrafos, pp.27,127; Dia, p.183; Discoteca Dados, p.25; Domino's Pizza, pp.32,92; Ediciones Tiempo, p.158; El Corte Inglés, pp.21,105,129,141,174-5; El Mundo, pp.76,128; El País, pp.57,128-9; El Semanal, p.123; Epoca, p.129; Escuela Madrileña de Alta Montaña, p.141; Euskal Telebista, p.122; Gimnasio Madrid-91, p.75; Gimnasio Acropolis, p.69; Gimnasio Feijoo, p.75; Gimnasio Gym 50, p.44; Globus, p.129; Grupo Zeta, p.69; Herbalife, p.69; Hotel Club Pinomar, p.143; Hotel Las Palomas, p.137; Hotel Rincón Andaluz, p.143; Hotel Serit, p.146; Hoteles Catalonia, p.147; Ibatur, p.105; Iberia, p.101; Inter FM, p.121; J.J. Seguridad, p.57; KU Madrid, p.25; Laboratorios Puerto Galliano, p.65; Lecturas, p.129; Manos Unidas, p.191; McDonalds, p.59; Meritem, p.185; Ministerio de Defensa, p.44; Ministerio de Educación y Cultura, p.55; Ministerio de Medio Ambiente, p.130; Multauto, p.104; Museo Arqueológico de Jerez, p.148; Muy Interesante, p.129; Parque Nacional Doñana, p.49; Patronato Provincial de Turismo del Costa del Sol, p.33; Plaza de Toros de Mijas, pp.73,84-5; Principado de Asturias Consejería de Economía, p.157; Pronto, pp.129,184; Real Escuela Andaluza del Arte Ecuestre, pp.149,156; Recoletos, p.128; RENFE, p.162; Restaurante José María, p.168; Restaurante La Carboná, p.32; Restaurante Las Vegas, p.32; Revista Mia, p.129; Revista Natura, pp.85,129; Romerijo, p.173; Royal Albert Hall and Joaquín Cortés, p.27; Sea Life (Benalmadena), p.112; SEUR, p.104; Simago, pp.92,135; Supertele, pp.120-1,123; Telefónica, p.127; Telemadrid, p.122; Telepizza, p.185; Televisió de Catalunya, p.122; Televisió Valenciana, p.122; Television de Galicia, p.122; Tivoli World, pp.146,148; Torrevieja, pp.17,146; Tren de la Costa, p.161; Tu Salud, p.129; Turespaña, p.157; Universidad Complutense de Madrid, p.43; Vaqueros El Dorado, p.181.

The authors and publishers would like to thank the following for permission to reproduce photographs: Redferns Photographic Library, p.28; Brittany Ferries, p.159.

A catalogue record for this title is available from The British Library

ISBN 0 340 67396 6

First published	1998
Impression number	10 9 8 7 6 5 4 3 2 1
Year	2002 2001 2000 1999 1998

Typeset by Liz Rowe.
Printed in Great Britain for Hodder & Stoughton Educational, a division of Hodder Headline Plc, 338 Euston Road, London NW1 3BH by Scotprint Ltd, Musselburgh, Scotland.

CONTENTS

INSTRUCTIONS

The following are the most common instructions that you will find in ESPAÑOL MUNDIAL 2.

Anota los detalles *take down the details*
Añade la puntuación *add up the score/points*
Aprende *learn*
¿A quién se refiere lo siguiente? *to whom does the following refer?*
¿A qué se refiere lo siguiente? *to what does the following refer?*
¿A qué respuesta pertenece cada una de estas expresiones o frases? *to which answer does each of the following phrases or sentences belong?*
Busca *search, look for*
Busca en tu diccionario *look up in your dictionary*
Cambia el texto de los dibujos *change the text in the drawings*
¿Cómo se dice ...? *how do you say ...?*
Completa *finish/fill in*
Con la ayuda de ... *with the help of ...*
Contesta con todos los detalles que puedas *answer with as much detail as possible*
Contesta las preguntas *answer the questions*
Continúa *continue*
Corrige *correct*
Decide si estas frases son verdaderas o falsas *decide whether the sentences are true or false*
Definiciones *definitions/descriptions*
De la lista ..., ¿qué/cuál ...? *from the list ... what/which?*
Di *say*
Elige *choose*
Empareja *match*
Entérate de la información que nos dan *find out what information is being given*
Escoge la opción que refleja lo que tú haces *choose the option which best reflects what you do*
Escribe *write down*
Escucha *listen*
Estudia el dibujo *study the illustration/drawing*
Estudia el programa *study the programme/timetable*
Estudia los titulares *study the headings*
Forma frases *make up sentences*
Infórmate de ... *find out about*
Intenta reproducir *try to reproduce*
Lee lo que dicen ... y decide quién dijo qué *read what [they] say ... and decide who said what*
Lee los titulares *read the headings*
Lee lo que nos cuenta *read what we are told*
Oral/Escrito: Con tu compañero/a *a speaking/writing exercise with your partner*
Mira el dibujo *look at the illustration/drawing*
Mira el resultado *look at the result*
Pon los detalles *put down the details*
¿Qué preguntas hizo ...? *what questions were asked by ...?*
¿Quién es quién? *who is who?*
¿Quién/Quiénes? *who (is) ... who (are)?*
¿Quién probablemente dijo ...? *who probably (most likely) said ...?*
Rellena en tu cuaderno *fill in (the gaps) in your exercise book*
Según lo que dice(n) ... *according to what he says/they say ...*
Une las preguntas con sus respuestas *match the questions with the correct answers*
Utiliza el mapa/la tabla *use the map/table*
Vuelve al Libro de Ejercicios *return/go back to the LDE*

CAPÍTULO UNO

Tú y yo

«Me llamo Kypros Quirantes. Tengo diecisiete años y soy cubano. Nací en La Habana, capital de Cuba, y ahora estoy en Londres porque mi madre trabaja en la Embajada de Cuba.»

«Me llamo Sonia Asli. Nací en París el 25 de mayo de 1979. Llevo catorce años en Londres, soy británica y hablo árabe, inglés, francés, español e italiano.»

«Me llamo Morena Botelho. Tengo diecinueve años y nací en Alemania. Tengo nacionalidad francesa. Viví quince años en Brasil pero ahora estudio en Londres. Hablo portugués, francés, español e inglés.»

A ¿QUIÉN?

Contesta:

1. ¿Quién nació en Cuba?
2. ¿Quién nació en París pero no es francesa?
3. ¿Quién no nació en Francia pero habla francés?
4. ¿Quiénes conocen países latinoamericanos?
5. ¿Quién, crees tú, habla inglés mejor?
6. ¿Quiénes no llevan mucho tiempo en Londres?

AYUDA

barrio	*district*
cumplo 16 hoy	*I am 16 today*
un poco apartado	*a little distance away from*
cumplo 16 mañana	*I will be 16 tomorrow*
soy de Madrid	*I'm from Madrid*
cerca de	*near*
lejos de	*far*
el mes de	*in the month of*
pueblecito	*small town*
no ... sino	*but*

Aprende 56

el 30 de octubre	**on** the 30th of October
el mes de diciembre	**in** (the month) of December
en diciembre	in December

Bruce
«Me llamo Bruce Mellado García. Tengo dieciséis años y vivo en Madrid.»

Ana Plans
«Me llamo Ana, Ana Plans. Tengo diecinueve años, cumplo veinte el mes de diciembre. Normalmente vivo en Barcelona porque estoy estudiando allí, pero soy de un pueblecito de Cataluña.»

Plaza del Correo, Madrid

Miguel Guzmán Ibáñez
«Me llamo Miguel Guzmán Ibáñez. Hoy, 30 de octubre, cumplo dieciséis años. Soy de Madrid y vivo en Argüelles, zona de Moncloa, cerca del centro.»

Eva Suárez
«Me llamo Eva Suárez. Tengo quince años y yo también vivo en Madrid, en el barrio de Salamanca, no en el centro por donde está la Puerta del Sol, sino un poco más apartado.»

B ¿QUIÉN? ¿QUIÉNES?

Contesta:
1 ¿Quién no vive en Madrid?
2 ¿Quién no tiene dieciséis años todavía?
3 ¿Quiénes no dicen en qué zona de su ciudad viven?
4 ¿Quién cumple años poco antes de Navidad?
5 ¿Quiénes dicen que no viven exactamente en el centro?
6 ¿Quién no vive en su pueblo?

Aprende 57

no ... sino — not ... but / not ... rather

'but' is normally 'pero' except when it follows a negative statement.

Ejemplo:
No vivo en Buenos Aires **sino** en Montevideo.
I don't live in Buenos Aires but in Montevideo.

No tengo hermanos **sino** hermanas.
I don't have any brothers but I do have sisters.

LIBRO DE EJERCICIOS A B

AYUDA

somos	*we are*
el/la mayor	*the eldest*
el/la menor	*the youngest*
hij**a** únic**a**	*only daughter*
el ama de casa (f.)	*housewife*
nací	*I was born*
nacío	*he/she was born*
un año menos que yo	*a year younger than me*
casado/a	*married*
el marido	*husband*
la mujer	*wife*
el varón	*male*
la hembra	*female*

C LEE

¿Quién es quién?
Read the descriptions of their families given by Bruce, Eva, Miguel and Ana. Find out which person made each statement.

Clue 1 El/la mayor/menor; hija única.
Clue 2 El chico que cumple años el 30 de octubre; no tiene hermanos sino hermanas.
Clue 3 La chica catalana; no es hija única.

D CONTESTA

¿A quién de Eva, Bruce, Miguel o Ana se refiere lo siguiente?

1 Tengo una hermana que vive con nosotros y otra que vive con su marido.
2 La madre de mi madre vive conmigo.
3 Mi madre no es ama de casa.
4 Somos tres en casa.
5 Mi hermano tiene cinco años más que yo.

Aprende 58

Soy **el** segundo/**la** segunda	I am the second (brother/sister)
Ejemplo: María es la mayor y yo soy la segunda. María is the eldest and I am the second.	
also: tercero/a, cuarto/a, quinto/a, sexto/a	
NB	el **primer** hijo **de** la familia the first son **in** the family
and	el **tercer** hijo **de** la familia
Remember: el/la mayor	el/la menor

1 Kypros

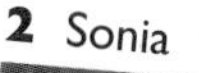

2 Sonia

3 Morena

E Lee lo que dicen Kypros, Sonia y Morena y decide quién dijo qué.

a Soy la mayor de tres. Tengo una hermana y un hermanito de cinco años. Todos somos británicos.
b Ahora estoy en Londres, pero normalmente vivo en Brasilia, que es la capital de Brasil.
c No llevo mucho tiempo en Londres. Aquí estoy aprendiendo inglés pero no es fácil porque en casa siempre hablamos español.
d Nací en una isla del Caribe.
e Nací en Europa pero viví muchos años en el país más grande de Latinoamérica.
f Sí, nací en la capital de Francia pero no tengo nacionalidad francesa.

LIBRO DE EJERCICIOS C D E F

Ana Plans

«En Barcelona vivo con mi tío, el hermano de mi padre, en una casa con dos plantas, bastante grande.»

Miguel

«Vivo en el tercer piso. Mi casa tiene cuatro dormitorios, dos salas de estar, cocina y dos cuartos de baño. Sí, está muy bien. Está cerca del instituto. Estudio en el Joaquín Turina.»

Helena Tellechea Sánchez

«Mi piso, para cuatro personas está muy bien. Tiene una entrada muy grande, un salón, un comedor, cuatro habitaciones. Luego también tiene la cocina, dos cuartos de baño y una terraza bastante grande.»

María José

«Yo vivo en el centro, cerca de una avenida con muchos árboles donde está uno de los cafés más antiguos de Granada. Y la casa en que vivo es una casa que tiene dos cuartos de baño, tres dormitorios, la cocina, un salón y un cuarto de estar.»

Maribel Solanes González

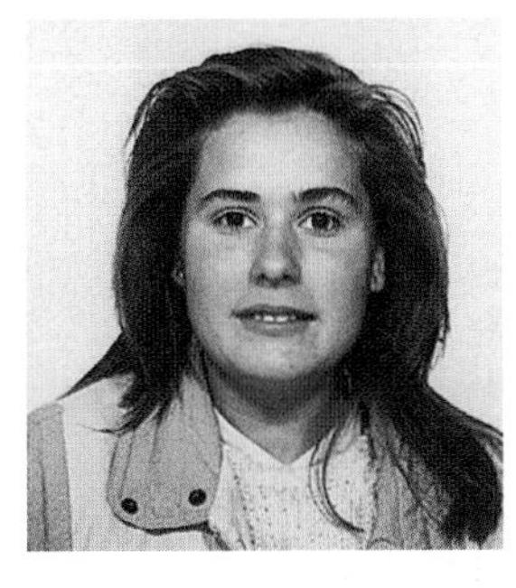

«Mi piso es más bien pequeño, está en una pequeña calle y es un primero con una terraza. Se ve bastante bien toda la calle, toda la gente que pasa, y tiene una cocina, un cuarto de baño, tres dormitorios y un comedor.»

Cristina

«Yo vivo en las afueras de Zaragoza, en la carretera de Logroño, a unos dos kilómetros de Zaragoza.

Mi casa está en una urbanización, en una zona residencial, y en una especie de bloque para cuatro vecinos. Tiene un jardín alrededor y, en conjunto, en la urbanización habrá como unos quinientos vecinos, y la mayor parte de la gente vive allí y trabaja en Zaragoza.»

AYUDA

un primero	*a flat on the first floor*
se ve	*you can see*
toda la gente	*all the people, everyone*
el cuarto	*room* or *fourth*
cuatro	*four*
el piso	*flat* or *floor*
bastante	*quite/fairly/enough*
la avenida	*avenue*
el cuarto de estar	*living-room*
dos plantas	*two floors*
la planta baja	*ground floor*
en casa	*at home*
la entrada	*hall*
antiguo/a	*old*
la terraza	*terrace*
las afueras	*the outskirts*
la carretera	*main road*
la urbanización	*housing development*
la especie	*kind/type*
alrededor	*around*
en conjunto	*altogether*
habrá unos 500	*there will be about 500*

F LEE Y ESCRIBE

Use the descriptions of homes above to help you. Imagine you lived in the homes below and describe them in Spanish.

1 2 bedroomed flat
2nd floor
kitchen, sitting-room
bathroom and terrace
can't see the street

2 house
3 bedrooms, 2 bathrooms
kitchen
avenue near the centre
fine for 5 people

3 flat on first floor of 3 storey house, outskirts of town
small garden
2 bedrooms, bathroom
kitchen, dining-room
neighbours work in the city

RECUERDA

el piso es pequeñ**o** y cómod**o**
la casa es pequeñ**a** y cómod**a**

G

Estudia el dibujo del apartamento y decide si las siguientes frases son **verdaderas** o **falsas**.

1 La cocina-comedor tiene dos puertas.
2 El cuarto de estar es más grande que el dormitorio.
3 La terraza tiene tres entradas.
4 Es posible pasar directamente del dormitorio al aseo.
5 No hay cuarto de baño.
6 El dormitorio es más pequeño que la cocina-comedor.

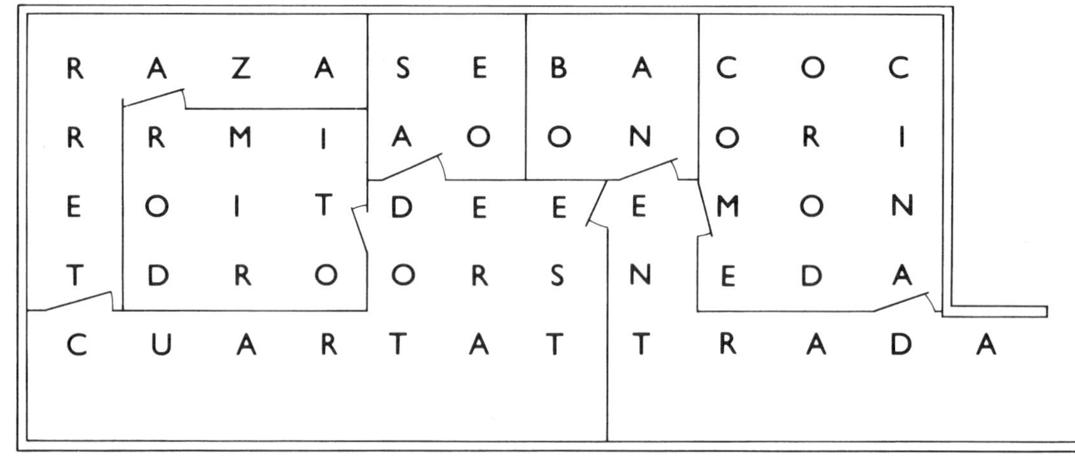

H

Une las preguntas con sus respuestas:

1 ¿Cómo te llamas?
2 ¿Cuántos años tienes?
3 ¿Dónde vives?
4 ¿Con quién vives?
5 ¿Cómo es tu casa/piso?
6 ¿A qué instituto vas?

a Tengo quince años.
b Vivo con mis padres y mis dos hermanas.
c Me llamo Inés González Heredia.
d Vivo en Salamanca.
e Voy al Instituto Zorrilla.
f Mi casa/piso tiene tres dormitorios, sala-comedor, cuarto de baño y cocina.

I

Decide a qué respuesta de las que hay en H pertenece cada una de estas expresiones o frases.

— en un piso en la calle San Julián
— somos cinco en casa
— pero cumplo dieciséis el once de mayo
— pero en casa me llaman 'Nené'
— no es muy grande pero es cómodo
— donde tengo muchos amigos y amigas

Aprende 59

1	¿Cómo te llamas?	*or*	¿Cuál es tu nombre?
2	¿Cuántos años tienes?	*or*	¿Qué edad tienes?
3	¿Dónde vives?	*or*	¿Cuál es tu dirección?
4	¿Con quién vives?	*or*	¿Cuántas personas hay en tu familia?
		or	¿Cuántos sois en casa?
5	¿Cómo es tu casa?	*or*	Describe tu casa.
6	¿A qué instituto vas?	*or*	¿Dónde estudias?

J ESCRIBE

Contesta las preguntas de Aprende 59.

K CON TU COMPAÑERO/A

Entrevista a tu compañero utilizando todas las preguntas de Aprende 59.

Miguel
«Mi habitación pues tiene . . . mi cama, un armario ropero, una estantería, una mesa para estudiar y algunos pósters colgados en la pared.»

L ¿Miguel o Maribel?

¿Quién tiene . . .

1 tres hermanas?
2 dos pósters en la pared?
3 un guardarropa?
4 una cama en la habitación?
5 dieciséis años?
6 una cama litera?

¡OCASIÓN IRREPETIBLE!
VENDO o ALQUILO CASA en URBANIZACIÓN
130 vecinos y Zona Comercial con: banco, supermercado, Residencia de Ancianos, panadería-pastelería, clínica, club social, peluquería, Restaurante Chino, guardería.
¡LLAME HOY MISMO! (91) 340 78 99

Maribel
«Somos tres hermanas de cuatro, doce y yo, de dieciséis años. Soy la mayor y comparto mi habitación con mi hermana la mediana. Tiene camas literas, algunos cuadros, algunos pósters, fotos y cosas así.»

AYUDA

la estantería	*set of shelves*
el armario	*cupboard/wardrobe*
el armario ropero	*wardrobe*
algunos cuadros	*some pictures*
colgado/a	*hanging*
compartir	*to share*
la median**a**	*the middle (one)*
cosas así	*things like that*
demasiado	*too/too much*
el vestíbulo	*entrance hall*
así que	*so*
residencia de ancianos	*old people's home*
guardería	*nursery school*

LIBRO DE EJERCICIOS G H

Eva va a pasar quince días con la familia de Juan en Valencia. Lee la segunda página de la carta que escribe Juan, donde describe su habitación.

Voy a describirte mi habitación. Pues tengo una cama individual y a un lado de la cama está mi armario y al otro hay una mesilla de noche con una lámpara para leer y un despertador. Sobre la cama, en la pared, tengo un póster del Real Madrid y dos banderas: una de España y otra de Méjico. La mesa donde hago los deberes y estudio tiene otra lámpara, un ordenador, libros y cuadernos.

Siempre dejo mis zapatos debajo de la cama y mi maleta sobre el armario. La estantería está llena de libros y debajo tengo un espejo. Tengo un equipo de música y pongo mis cintas en el armario donde también guardo tus fotos.

Bueno, nada más, Eva.
Buen viaje y hasta pronto. Recibe un fuerte abrazo de

Juan

AYUDA

poner	*to put*
pone	*she/he puts*
pongo	*I put*
tener	*to have*
tiene	*he/she/it has*
tengo	*I have*
la cama de matrimonio	*double bed*
el matrimonio	*married couple*
la cama individual	*single bed*
el espejo	*mirror*
los muebles	*furniture*
un poco desviado de	*a little way away from*
el televisor	*television*
el radio cassette	*radio-cassette player*
el equipo de música	*stereo*
las cintas	*tapes*
la lámpara para leer	*reading lamp*
el despertador	*alarm clock*
el ordenador	*computer*

¡Qué mentiroso, Juan!
¡Si Eva supiera la verdad!

M COMPARA Y ANOTA

Lee la carta de Juan, estudia el dibujo y escribe una lista de las cosas que no están donde Juan dice que están.

 N ORAL/ESCRITO

Mira el dibujo y contesta estas preguntas:

1 ¿Dónde está el despertador?
2 ¿Dónde está la mesilla de noche?
3 ¿Dónde están los zapatos?
4 ¿Dónde está el póster?
5 Y las banderas, ¿dónde están?
6 ¿Está la maleta sobre el armario?
7 ¿Hay muchos libros en la estantería?
8 ¿Dónde pone las fotos de Eva?

AYUDA

dar a	*to look onto*
creer	*to believe*
la calefacción	*central heating*
la ducha	*shower*
oscuro/a	*dark*
la alfombra	*carpet*

O ORAL/ESCRITO: Con tu compañero/a.

Tú y tu habitación. Contesta las siguientes preguntas:

1 ¿Compartes tu habitación?
2 ¿Qué muebles tienes en tu habitación?
3 ¿Qué tienes en las paredes?
4 ¿Haces los deberes en tu habitación?
5 ¿Dónde pones tus zapatos?
6 Y tus libros, ¿dónde están?
7 ¿Tienes espejo en tu habitación?
8 ¿Cuántas ventanas hay?
9 La ventana, ¿da a la calle, al jardín o a un patio?
10 ¿Crees que tu habitación es cómoda?

A

MIJAS
GRAN OPORTUNIDAD
Alquilo casa/chalet julio y agosto. Tres dormitorios, salón, comedor, cocina, cuarto de baño. Piscina, jardín. Playa a diez minutos.
Tfno. Málaga (952) 542611. Sr. Andrés.

B

CAMBIO: TRES SEMANAS
Navidades 1998
Piso centro Londres, 4 dormitorios, cocina, baño, sala-comedor . . . igual en Barcelona. Matrimonio, tres hijos, 9 y 7 años, y 8 meses.
Tfno. Londres (171) 789 8593. Mrs Ballantyre

C

ESCALONA del Alberche. Vendo chalet, 2 plantas, 3 habitaciones arriba, comedor, cocina y baño en la planta de abajo. Tres terrazas, garaje. A 200 m. del río. 8.500.000 ptas.
Apartado de Correos 907

P CONTESTA

1 Which advertisement is
a selling **b** exchanging **c** renting?
2 Which is a Christmas offer?
3 Which is for a period in the summer?
4 How many people are there in the family that wants to exchange?
5 Which is near the beach?
6 Which is near a river?
7 Describe the house in Escalona.
8 Describe the London flat.
9 Describe the house in Mijas.
10 What accommodation does the English family want in Barcelona?

Aprende 60

dar = *to give*
doy
das
da
damos
dais
dan
Remember:
La ventana **da a** la calle
The window overlooks the street

LIBRO DE EJERCICIOS I J K L

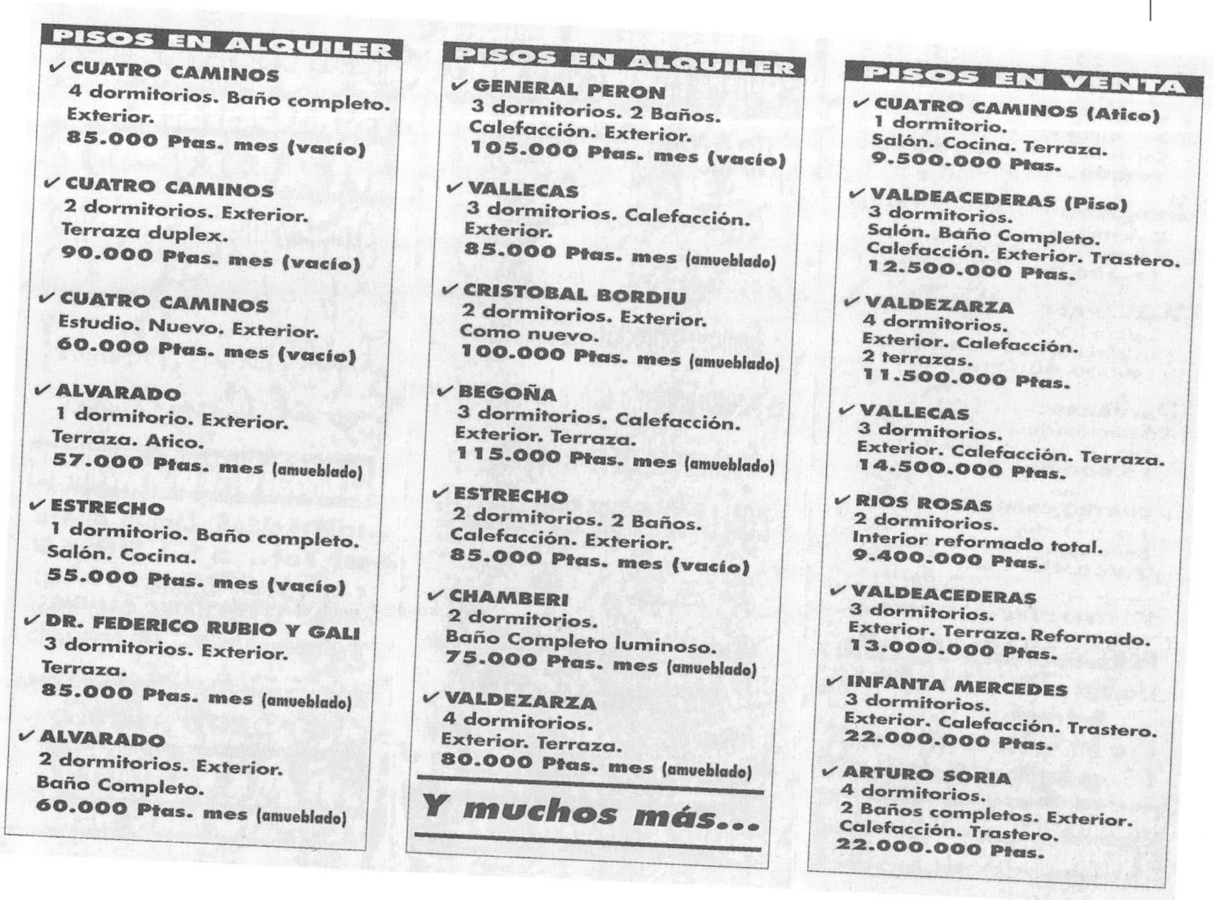

PISOS EN ALQUILER

✔ CUATRO CAMINOS
4 dormitorios. Baño completo.
Exterior.
85.000 Ptas. mes (vacío)

✔ CUATRO CAMINOS
2 dormitorios. Exterior.
Terraza duplex.
90.000 Ptas. mes (vacío)

✔ CUATRO CAMINOS
Estudio. Nuevo. Exterior.
60.000 Ptas. mes (vacío)

✔ ALVARADO
1 dormitorio. Exterior.
Terraza. Atico.
57.000 Ptas. mes (amueblado)

✔ ESTRECHO
1 dormitorio. Baño completo.
Salón. Cocina.
55.000 Ptas. mes (vacío)

✔ DR. FEDERICO RUBIO Y GALI
3 dormitorios. Exterior.
Terraza.
85.000 Ptas. mes (amueblado)

✔ ALVARADO
2 dormitorios. Exterior.
Baño Completo.
60.000 Ptas. mes (amueblado)

PISOS EN ALQUILER

✔ GENERAL PERON
3 dormitorios. 2 Baños.
Calefacción. Exterior.
105.000 Ptas. mes (vacío)

✔ VALLECAS
3 dormitorios. Calefacción.
Exterior.
85.000 Ptas. mes (amueblado)

✔ CRISTOBAL BORDIU
2 dormitorios. Exterior.
Como nuevo.
100.000 Ptas. mes (amueblado)

✔ BEGOÑA
3 dormitorios. Calefacción.
Exterior. Terraza.
115.000 Ptas. mes (amueblado)

✔ ESTRECHO
2 dormitorios. 2 Baños.
Calefacción. Exterior.
85.000 Ptas. mes (vacío)

✔ CHAMBERI
2 dormitorios.
Baño Completo luminoso.
75.000 Ptas. mes (amueblado)

✔ VALDEZARZA
4 dormitorios.
Exterior. Terraza.
80.000 Ptas. mes (amueblado)

Y muchos más...

PISOS EN VENTA

✔ CUATRO CAMINOS (Atico)
1 dormitorio.
Salón. Cocina. Terraza.
9.500.000 Ptas.

✔ VALDEACEDERAS (Piso)
3 dormitorios.
Salón. Baño Completo.
Calefacción. Exterior. Trastero.
12.500.000 Ptas.

✔ VALDEZARZA
4 dormitorios.
Exterior. Calefacción.
2 terrazas.
11.500.000 Ptas.

✔ VALLECAS
3 dormitorios.
Exterior. Calefacción. Terraza.
14.500.000 Ptas.

✔ RIOS ROSAS
2 dormitorios.
Interior reformado total.
9.400.000 Ptas.

✔ VALDEACEDERAS
3 dormitorios.
Exterior. Terraza. Reformado.
13.000.000 Ptas.

✔ INFANTA MERCEDES
3 dormitorios.
Exterior. Calefacción. Trastero.
22.000.000 Ptas.

✔ ARTURO SORIA
4 dormitorios.
2 Baños completos. Exterior.
Calefacción. Trastero.
22.000.000 Ptas.

Q CONTESTA

PISOS EN ALQUILER
1 ¿Cuál es el piso más caro y por qué?
2 ¿Cuál es el piso más barato y por qué?
3 ¿Cuántos pisos vienen con muebles?
4 ¿Cuántos pisos no vienen con muebles?
5 ¿En qué zonas de Madrid están los pisos con más de un baño?
6 ¿Cuántos pisos tienen cuatro habitaciones?

PISOS EN VENTA
7 ¿Cuántos pisos hay en venta?
8 ¿Cuáles son los más caros?
9 ¿Qué puedes comprar por trece millones?
10 ¿Qué piso prefieres y por qué?

AYUDA

calefacción	*central heating*
en alquiler	*to let*
en venta	*for sale*
ático	*attic*
duplex	*maisonette*

Sonia
«Mi apartamento es un duplex; está en dos plantas y tiene cocina, un salón bastante grande, tres dormitorios, cuarto de baño, otro aseo separado, y un comedor.

Y tu casa o tu piso, ¿cómo es?»

R LEE

Aquí tenemos dos fotos de Barcelona y dos fotos de Gualchos, un pueblecito en la provincia de Granada, cerca de la costa.

a ¿A qué fotos se refieren estas descripciones?

está en la capital
la familia es bastante rica
tiene dos plantas
es para las vacaciones
está en el centro de la ciudad
es un comedor
esta noche hay invitados
la compró una señora inglesa
es muy típica de la zona
las escaleras parecen peligrosas

b ¿En cuál te gustaría vivir y por qué?

A

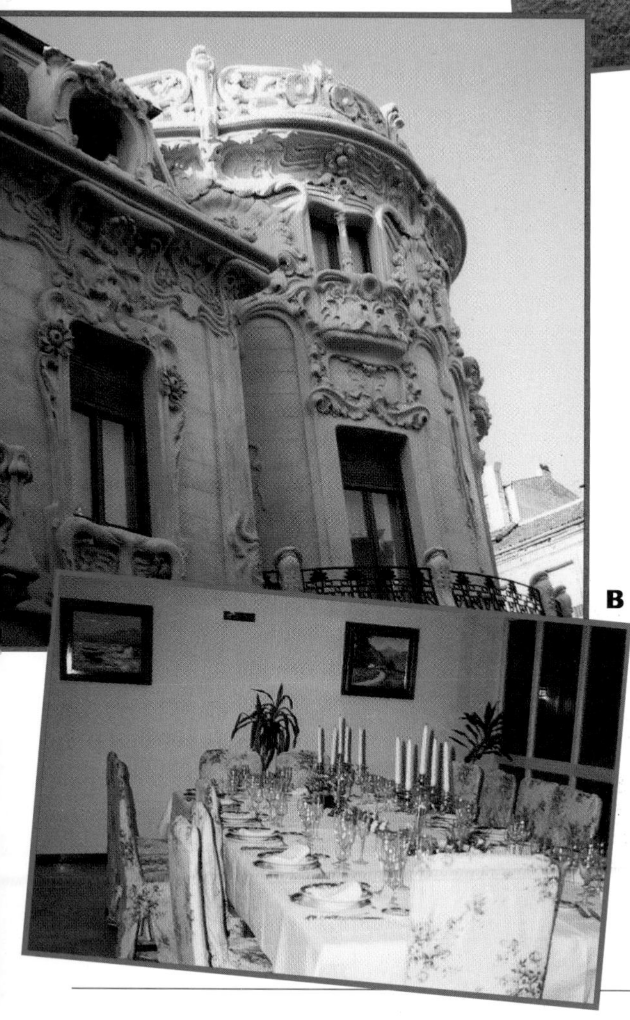

B

TELENOTICIAS

El Ministro de Hacienda alemán piensa que España recibe demasiado dinero para la construcción de casas. Piensa que no debe recibir más fondos que Portugal, Grecia e Irlanda.

AYUDA

invitados	*guests*
escaleras	*stairs*
la compañía constructora	*building firm*
Ministro de Hacienda	*Minister of Finance*
fondos	*funds*
oferta	*offer*
la fuente	*fountain*

S LEE y decide si lo que sigue es cierto:

1 La oferta continúa hasta el quince de diciembre.
2 Los apartamentos están cerca del mar.
3 Los apartamentos tienen piscinas.
4 Cuestan más de cinco millones de pesetas.

Contesta en inglés.

5 ¿Qué regalos recibes de la compañía constructora si compras un apartamento o un bungalow?
6 ¿Prefieres los apartamentos o los bungalows?

T Estudia las dos fotos y decide a cuál de ellas se refiere lo siguiente:

no hay mucho ruido
estamos cerca del centro
las casas son muy antiguas
estamos mucho más tranquilos
no conocemos a los vecinos
el tráfico molesta mucho
la fuente no está mal

D

C

TELENOTICIAS

El Ayuntamiento de Málaga prometió fabricar mil casas cada año pero desde agosto 1995 hasta noviembre 1996 solo ha entregado las llaves de viviendas nuevas a 136 familias.

BROMA O ROBO

Al volver a casa a las seis de la tarde después de estar todo el día de compras, una señora de nuestro pueblo se da cuenta de que no tiene la llave de su casa en el bolso. Con la ayuda de una vecina consigue entrar por una ventana y recibe la sorpresa más grande de su vida:

Encuentra el cuarto de estar totalmente cambiado. En vez de los muebles halla el horno eléctrico, la nevera, la lavadora automática, el lavaplatos y toda clase de platos y trastos de la cocina. El sofá, los sillones, el televisor y la alfombra se encuentran en la cocina, y el piano en el cuarto de baño. En el pasillo están amontonadas las camas y todos los cuadros y pósters permanecen aún en las paredes pero en diferentes lugares.

Tanto los familiares como la policía continúan sin saber quién es el autor de tal hecho. Tampoco se saben los motivos del responsable del hecho ya que no falta nada en absoluto.

AYUDA

la broma	*joke*
el robo	*theft*
de compras	*shopping*
lugar	*place*
todo el día	*all day*
tanto como	*as well as*
se da cuenta	*she realises*
el autor	*perpetrator*
consigue	*she manages*
el hecho	*deed*
la sorpresa	*surprise*
tampoco	*neither*
cambiado	*altered*
no falta nada	*nothing is missing*
se encuentran	*are now*
en absoluto	*at all*
permanecen	*are still*
trastos	*paraphernalia*

el lavaplatos
dishwasher

el horno eléctrico
electric oven

la lavadora
washing machine

los cuadros
pictures

el sofá
sofa

el sillón
armchair

la nevera
fridge

el microondas
microwave

U LEE Y CONTESTA

1. When did the lady arrive home?
2. What had she been doing all day?
3. Her name is not given. How is she described?
4. What was missing from her bag?
5. Who assisted her and how?
6. How had the front room been changed?
7. What had been transferred to the kitchen?
8. What had happened to the piano?
9. Where had the beds been piled up?
10. All paintings and posters were still on the walls, but what had happened to them?
11. What two things are as yet unknown?
12. How can we rule out theft?

Aprende 61

AL + INFINITIVE	
Al entrar	*on entering*
Al llegar	*on arrival*
Al salir de la casa	*on leaving home*
Al acostarse nota que son más de las once.	*On going to bed she/he notices that it is past eleven o'clock.*
DESPUÉS DE + INFINITIVE	
ANTES DE + INFINITIVE	
Después de terminar los deberes lee un rato.	*After finishing her/his homework she/he reads for a while.*
Nunca se lava las manos antes de comer.	*She/he never washes her/his hands before eating.*
Antes de peinarme me lavo y me visto.	*I wash and get dressed before combing my hair.*

 **V** Escoge la opción que refleja lo que tú haces:

1. Al llegar a casa del colegio me siento (a ver la tele/a hacer los deberes).
2. Estudio (antes/después) de cenar.
3. Por la mañana me despierto (antes/después) de las siete.
4. Por la noche me acuesto (antes/después) de las once.
5. Me lavo (antes/después) de desayunar.
6. Me visto (antes/después) de desayunar.
7. Llego al colegio (antes/después) de las nueve menos cuarto.
8. Al llegar al colegio hablo con (mis amigos/mis profesores).

 **W** Escribe en el orden en que tú haces lo siguiente por la mañana:

me afeito   me maquillo   me despierto
digo adiós a mi familia   recojo mis libros   me visto
me levanto   me lavo   me peino
preparo el desayuno   salgo de casa   bebo algo caliente   tomo tostadas o cereales
me limpio los dientes

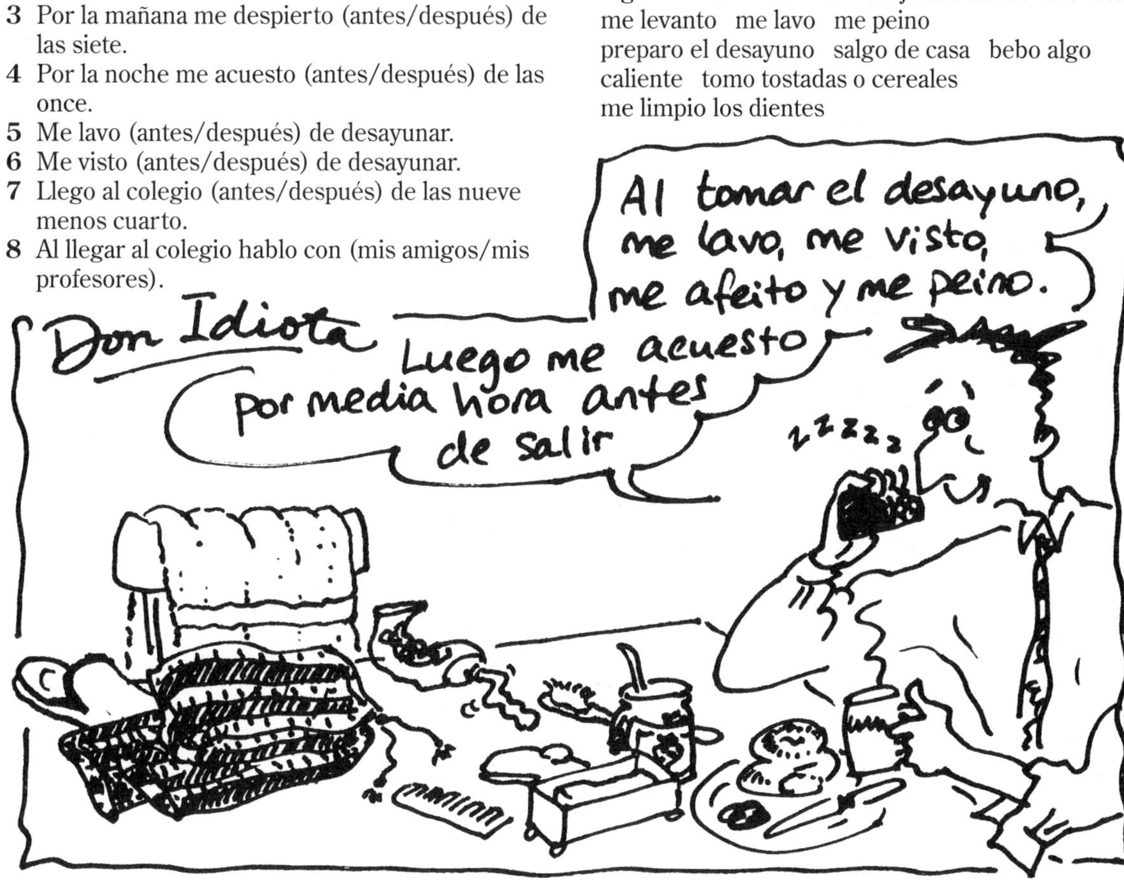

LIBRO DE EJERCICIOS ▷ M N ORAL

2
CAPÍTULO DOS
Pasándolo bien
Nuevo Récord Mundial: Un español se come cuarenta tortillas en una hora.
Noventa mil personas asisten al concierto de U2.
España recibe más turistas este verano que el anterior.
Un estadounidense se casa por octava vez.
El 'Gordo' en Lugo. Seis familias millonarias.
CUMPLE CIEN AÑOS Y LO CELEBRA CON UN PASEO.
Fiestas
Exposiciones
Conciertos
Bares
Música
Ballet
Ópera
Teatro
Ferias
Cine
Tapas
Deportes

Me gusta mucho viajar con mis amigos.
Me encantan las fiestas de cumpleaños.
Lo paso muy bien en casa cuando no están mis padres.
Me aburro mucho en los museos, así que no voy mucho.
Suelo ir a discotecas los sábados por la noche.
Cristina
«Ir al cine es mi hobby principal, también leer, charlar con los amigos, ir a ver exposiciones de arte e ir de compras.»
EXPOSICIÓN COLECTIVA DE PINTURA
Primavera de Color
LIBRA
Dinero: Mucha prosperidad. Vas a recibir una oferta excepcional.
Salud: Excelente. Te vas a encontrar con muchas fuerzas.
Amor: Muy bueno. Una cita importante el viernes. La persona que te gusta va a mostrar gran interés por ti.
CINESTUDIO FANTASIO
JOSE ORTEGA Y GASSET, 63 (Salamanca) 28006 MADRID - TEL. 401 71 71
¡¡SUGERENCIAS!!
¿QUE PROGRAMA LE HA GUSTADO MAS?
¿QUE PELICULA DESEARIA VER?
¿CUAL SERIA SU PROGRAMA FAVORITO?
BUSTER KEATON
FESTIVAL CINE ACTEON
PROGRAMACION DE ESTA SEMANA
• Lunes y martes: LAS TRES EDADES Convicto 13 - Una semana.
• Miércoles y jueves: LA LEY DE LA HOSPITALIDAD. El herrero - Las relaciones de mi mujer.
• Viernes, sábado y domingo: EL COLEGIAL Entre bastidores - La casa encantada.
ALKAZAR
CINE TEATRO
Sesión continua desde las 11 h. de la mañana
• 4 sesiones diarias: 5, 7, 9 y 11 en sesión continua. Todos los públicos.
Sonia
«Paso mucho tiempo estudiando pero también me gusta dormir, no hacer nada, y volver a casa muy tarde por la noche cuando estoy de vacaciones.»
Kypros
«En Londres puedo pasarlo muy bien, pero necesito mucho dinero porque todo es muy caro.»

Eva
«Lo que más me gusta es leer. Leo todo tipo de libros: de intriga, de animales. . . . También me gusta mucho la música, sobre todo la clásica. El deporte no lo practico porque no tengo tiempo. También me gusta dar paseos.»

A VERDADERO O FALSO

Cristina
1 Su hobby principal es leer
2 No tiene amigos.
3 Estudia arte en el colegio.

Eva
4 Le gusta mucho leer.
5 Odia la música clásica.
6 Le encantan los deportes.

Miguel
7 Tiene una moto muy grande.
8 Le gustan las fiestas.
9 No le interesan los ordenadores.

Sonia
10 Le gusta estudiar.
11 Nunca sale de noche.
12 No le gusta descansar.

Miguel
«Me gustan los ordenadores y las motos. No tengo moto ahora pero espero tenerla pronto. En España depende de la cilindrada, pero normalmente se puede conducir una moto media a los dieciséis años.

Pues amigos tengo muchos, nos llevamos todos muy bien y lo pasamos muy bien. Solemos ir a tomar algo a una discoteca o hay veces que organizamos una fiesta.»

Aprende 62

SOLER (UE) + INFINITIVE = to usually . . .
Suelo visitar a mis abuelos los domingos.
I usually visit my grandparents on Sundays.

¿**Sue**les salir sola de noche?
Do you usually go out alone at night?

No **sue**le viajar mucho al extranjero.
He doesn't usually go abroad.

Solemos salir en grupo. *We usually go out in groups.*
¿**Soléis** volver en taxi? *Do you normally come back by taxi?*

Los tíos **sue**len regalarnos ropa. *Our uncles usually give us clothes.*

NB Usted (Vd.) is used for 'you' (polite) } 3rd person endings
Ustedes (Vds.) for the plural.

¿Suel**e Vd.** ir a la iglesia los domingos?
Do you usually go to church on Sundays?

¿Suel**en Vds.** pasar el verano en la costa?
Do you usually spend your summers on the coast?

C Contesta en español:

1. A Cristina le gusta hacer cinco cosas. ¿Cuáles?
2. ¿Qué tipo de música y qué libros le gustan a Eva?
3. ¿A quién le gusta dar paseos?
4. ¿Cuáles son los intereses principales de Miguel?
5. ¿Qué dice Miguel de sus amigos?
6. ¿Cuándo le gusta a Sonia volver tarde a casa?
7. ¿Piensa Kypros que Londres es barato?
8. ¿Tú crees que Sonia es muy perezosa?

B ¿QUIÉN?

¿Quién piensa lo siguiente – **Cristina**, **Sonia**, **Eva**, **Kypros** o **Miguel**?

1. Me gustan mucho los libros de Gerald Durrell.
2. Me encantan las clases de informática.
3. Mis estudios son importantes pero también me gusta pasar el tiempo sin trabajar.
4. Cuando estoy en Madrid suelo ir al Prado.
5. Voy con mis amigos a andar por el parque dos o tres veces por semana.
6. En la capital cuesta mucho salir y pasarlo bien.
7. La música 'pop' no está mal pero prefiero Beethoven.
8. Suelo ver unas cuatro películas por semana.
9. Las noches de agosto suelo llegar a casa a las tres de la madrugada.
10. Me gusta ir de tienda en tienda.
11. Quisiera una 'Yamaha' para mi cumpleaños.
12. Suelo leer los libros de Sherlock Holmes en versión castellana.

TELENOTICIAS

El cine, especialmente en las capitales, continúa teniendo mucho éxito en España. Hay muchos multicines y todos reservan un día a la semana, «El Día del Espectador», cuando las entradas son más baratas.

1. ¿Tiene éxito el cine en tu país?
2. ¿Vas mucho al cine?
3. ¿Hay días cuando las entradas son más baratas?

D

Escoge por lo menos doce frases de las que dicen Eva, Sonia, Miguel, Kypros y Cristina para expresar cómo lo pasas bien tú.

LIBRO DE EJERCICIOS A

Ana

«En Barcelona lo que solemos hacer es ir al cine; algunas veces al teatro, pero no mucho. Es realmente muy caro. Es un lujo.

También nos reunimos en un pub donde hay un ambiente familiar e incluso hay muchos instrumentos. Yo toco la guitarra y canto. Tengo una amiga que toca el piano. Ya no voy a discotecas. Me gusta mucho bailar pero en la discoteca hay tanta gente. . . . Y tampoco se ve casi a la persona con quien bailas.»

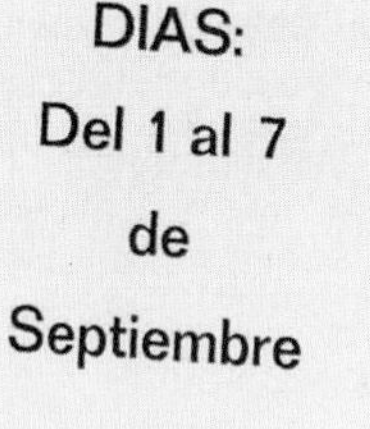

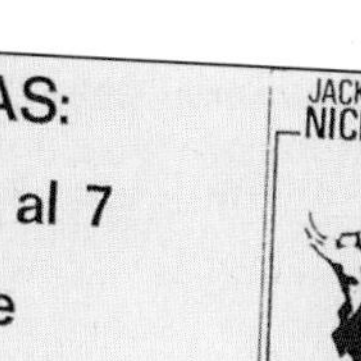

E Lee lo que dice Ana.

¿Cómo expresa Ana lo siguiente?

a los precios son muy altos
b mucho público
c está tan oscuro que no sé con quién estoy
d nos conocemos todos
e vamos sólo de vez en cuando

María José

«Hay una vida nocturna como en toda España, pero en Granada es especialmente fuerte. Los bares están abiertos hasta las dos de la mañana. Y para la gente que todavía quiere seguir en la calle hay una discoteca, 'La Chumbera', que está cerca de Sacromonte, la zona tradicional donde viven las comunidades gitanas, y empieza a llenarse, me parece, a las seis de la mañana. Cuando sales de allí es para desayunar.»

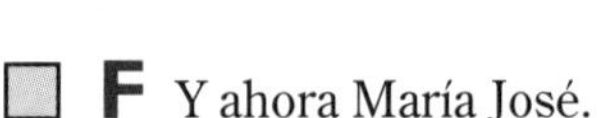

F Y ahora María José.

Escoge:

1 La vida nocturna para los jóvenes es (fuerte/floja).
2 Después de las dos pueden ir (a la calle/a bailar).
3 En 'La Chumbera' se puede (vivir con los gitanos/escuchar música).
4 'La Chumbera' está llena (a medianoche/por la madrugada).
5 Después (salen con sus amigos/van a comer algo).

1er PREMIO NACIONAL DE TAPAS

Teresa

«Aquí en Murcia lo más importante para pasarlo bien son lo que llaman las tascas. En el centro hay una serie de callecitas estrechas en la parte antigua de la ciudad con una serie de bares cuyos dueños normalmente son también jóvenes y donde ponen música a todo volumen y allí es donde toman vino, cerveza y tapas, las clásicas tapas que son muy baratas. Las bebidas son también baratas, entonces cualquier estudiante puede perfectamente salir casi todas las noches. Además el ambiente empieza a partir de las nueve o las diez de la noche y cuando ya están un poco más animados entonces deciden lo que van a hacer, si se van a ir a una discoteca, por ejemplo.»

☐ **G** Escoge y escribe las cosas que te gustan de esta lista:

callecitas estrechas   la parte antigua de la ciudad   pasarlo bien   bares   música a todo volumen   vino   cerveza   tapas   ser estudiante   salir casi todas las noches   ir a una discoteca

☐ **H** Copia y rellena lo que dijo Morena con las siguientes palabras:

brasileñas   bares   Londres   música   la samba   me encanta

«Aquí en ______, como me gusta mucho la salsa, ______ y la quisomba, voy mucho a discotecas ______, angoleñas o portuguesas. Pero también voy a ______ de tapas, y en muchos, como el Bar Madrid, hay ______ española que también ______.»

AYUDA

algunas veces	*sometimes*
un lujo	*a luxury*
ambiente familiar	*friendly relaxed atmosphere*
toco	*I play (musical instruments)*
vida nocturna	*night-life*
seguir	*to remain/carry on*
el/la gitano/a	*gypsy*
llenarse	*to fill up*
la tasca	*small typical bar*
la callecita	*little street*
estrecho/a	*narrow*
antiguo/a	*old*
a todo volumen	*at full pitch*
a partir de	*starting at*
animados	*lively*
nos reunimos	*we get together*
incluso hay	*there are even*
cuyos dueños	*whose owners*
además	*moreover*

VEN A DISFRUTAR DE LA MEJOR MUSICA DE SALSA EN DIRECTO CON EL GRUPO CUBANO

DOMINO

BONO COPA
JUEVES Y DOMINGO: 2 X 1.400 PTS.
VIERNES Y SABADO: 2 X 1.500 PTS.
(Imprescindible invitación)
KU Madrid • Princesa, 1 • Teléfono 547 27 00
COORDINACION: JOSE ANTONIO VEIGA

Todos los días excepto Domingos
de 9 noche a 5/6 madrugada

Aprende 63

Repasa el presente

-AR	*-ER*	*-IR*
o	*o*	*o*
as	*es*	*es*
a	*e*	*e*
amos	*emos*	*imos*
áis	*éis*	*ís*
an	*en*	*en*

Cuidado con:

hacer	hago	*I do or I make*
poner	pongo	*I put*
salir	salgo	*I go out/leave*
tener(ie)	tengo	*I have*
traer	traigo	*I bring*
venir(ie)	vengo	*I come*

NB	Salir **a** la calle	*to go out into the street*
	Salir **de** casa	*to go out of the house* *to leave the house*
	Salir **con** los amigos	*to go out with your friends*
	Salgo los lunes	*I go out on Mondays*
	Salgo dos veces por semana	*I go out twice a week*

I UNE

1 Hago los deberes . . .
2 Pongo la mesa . . .
3 Cuando salgo con mis amigos . . .
4 Vengo a casa en autobús . . .
5 Traigo la compra del mercado . . .

a siempre vuelvo a casa en taxi.
b pero voy al instituto en metro.
c cuando no cocino.
d en mi habitación.
e en dos o tres bolsas.

LIBRO DE EJERCICIOS B C D

«Para mí, la ropa, la moda, yo diría, es uno de mis hobbies principales. Esto quiere decir que paso mucho tiempo leyendo revistas de moda, y cuando voy de compras, sea aquí en Londres, o cuando estoy de viaje de estudios en España o Francia, dedico muchas horas a ver lo que hay en las tiendas. Claro, no puedo comprar todo lo que me gusta, así que miro mucho antes de escoger algo nuevo para mi vestuario.»

J Une las preguntas con las contestaciones de Sonia según lo escrito arriba.

1 ¿Te interesa la ropa y la moda?
2 ¿Para qué lees tantas revistas?
3 ¿Vas de compras en el extranjero?
4 ¿Compras lo primero que ves?

a Porque me dan ideas.
b Sí, siempre.
c Muchísimo.
d No, nunca, todo lo contrario.

Helena	La música para mí es lo principal.
Sonia	Para mí, sí, la música y también el baile.
Helena	¿No te gusta U2? Es mi grupo favorito. Lo llevo siguiendo desde hace años. Para mí es como una religión, como lo son los Beatles y Elvis Presley para otros.
Sonia	¿U2? Sí, no está mal. Pero yo prefiero el espectáculo de Joaquín Cortés. Es español. ¿A ti no te gusta?
Helena	A mí sólo me gusta U2. Tengo todos sus discos, muchas camisetas, los vídeos de sus conciertos, pósters . . .
Sonia	Pues hija, ¡qué obsesión!
Helena	Sí, lo admito. Pero mira, aquí tienes un artículo de cuando vinieron a España hace unos años. Pasamos una noche fabulosa.

K Lee la conversación entre Sonia y Helena y decide si estas frases son **verdaderas** o **falsas**:

1. Helena dice que le gusta el baile.
2. La religión de Helena es Elvis Presley.
3. A Sonia le encanta U2.
4. U2 es un interés muy reciente de Helena.
5. Joaquín Cortés es británico.
6. Sonia tiene muchas camisetas de los Beatles.
7. Sonia piensa que Helena está obsesionada con U2.
8. Helena piensa que no está obsesionada con U2.
9. U2 fue a España hace poco tiempo.
10. Helena fue al concierto de U2.

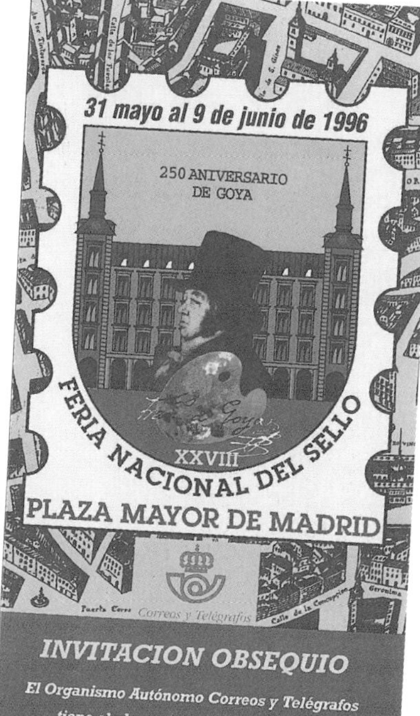

AYUDA

(lo) llevo siguiendo	*I have been following them/it*
desde hace	*for (time)*
el espectáculo	*show*
dedicar	*to give time to/concentrate on*
la numismática	*coin collecting*
la filatelia	*stamp collecting*
el/la mismo/a	*the same*
la lectura	*reading*

Bruce

«Me gusta leer, hacer mucho deporte, el tenis, correr y también la numismática y la filatelia. Me dedico a leer autores de una época, autores de una misma nacionalidad. En el invierno dedico más tiempo a la lectura que al deporte pero me gusta practicar el tenis, el atletismo y alguna vez, el baloncesto.

Me gusta coleccionar sellos de todo el mundo y, respecto a la numismática, también las monedas que están circulando por todo el mundo. Tengo monedas de todos los países, de todos los continentes, monedas muy raras, de muchas formas.»

L De la lista siguiente, ¿cuáles no forman parte de los intereses o hobbies de Bruce?

el atletismo el fútbol las cartas la lectura leer sellos el golf correr los caballos las monedas la numismática el arte la filatelia la música clásica las chicas la geografía

Aprende 64

Estudio español **desde hace** cuatro años.
Estoy estudiando español **desde hace** cuatro años. *I have been studying Spanish for four years.*
NB Use of *present* and *present continuous* with **desde hace.**

¿**Desde hace** cuanto tiempo estudias el español? **Desde hace** tres años.

U2: Rock pacifista para miles de españoles

Madrid 15 de julio

La música de fondo que suena en ese instante es 'All you need is love' de los Beatles. Entonces aparecen U2. Entra Bono corriendo por un lateral del escenario y chuta un balón de fútbol al público. Bono habla a las noventa mil personas en castellano. Refiriéndose al estadio dice:

«Este lugar es grande pero vosotros y U2 lo son (somos) mucho más.»

Comienza la guitarra de The Edge, la batería de Larry Mullen y el bajo de Adam Clayton. Si sus discos son magníficos la presencia en directo es aún mejor.

Bono lleva una bandera blanca. Después de canción tras canción, a las dos menos diez, Bono dice:

«Gracias. Buenas noches» y desaparecen.

Todo el mundo grita, canta y pide que vuelvan a salir. Vuelven y cantan 'With or without you'. Desaparecen otra vez pero todo el estadio a una voz pide «otra, otra». Terminan con 'I will follow'.

Presenciamos el concierto del año y Bono mismo dijo que no comprendía por qué no habían venido antes a España.

■ M LEE Y CORRIGE

Below are the notes made by John A. List, a reporter for an English newspaper. He couldn't get to the concert himself, so he relied on a Spanish friend's account, but between them it seems to have got a bit muddled. Can you correct his mistakes to help him write an accurate story?

U2 CONCERT A FLOP
80,000 SPECTATORS.
BONO COMES ON CENTRE STAGE, WAVING SPANISH FLAG. THROWS FLOWERS TO AUDIENCE. INTRODUCES BAND IN ENGLISH.
SAYS STAGE IS TOO BIG.
THE EDGE ON DRUMS.
CONCERT FINISHES JUST BEFORE MIDNIGHT.
ONE ENCORE. MANAGER INSISTS U2's RECORDS MUCH BETTER THAN THEIR LIVE PERFORMANCE.
BONO DISAPPOINTED IN RECEPTION IN SPAIN.

AYUDA

la música de ambiente	*background music*
un lateral	*a side entrance*
el escenario	*stage*
chutar	*to kick (ball)*
en directo	*live*

LIBRO DE EJERCICIOS E F G

Aprende 65

With singular and/or infinitive(s)		
(a mí)	me gusta	el fútbol
	me gusta mucho	la filatelia
(a mí)	no me gusta	la lectura
	no me gusta mucho	la moda
(a mí)	me interesa	la poesía
	no me interesa	la música moderna
		clásica
		de U2
(a mí)	me encanta	bailar
		salir (con)
		charlar
		coleccionar sellos
With singular, plural and/or infinitive(s)		
prefiero		leer
		dar paseos
dedico	mucho tiempo a	hacer deporte
	poco tiempo a	
		estudiar
		ir de compras
		viajar
		visitar
		comer
		cocinar
With plural only		
me gustan		los deportes
no me gustan		los toros
me gustan mucho		las motos
no me gustan mucho		los idiomas
me interesan		mis estudios
no me interesan		las fiestas
me encantan		los libros de intriga
		animales
		ciencia ficción

NB Me gust**a** bail**ar** y charl**ar** con mis amigos
No me gust**an** **ni** los toros **ni** el fútbol

O 1 CON TU COMPAÑERO/A

Entrevista a tu compañero/a sobre sus pasatiempos y hobbies, los deportes que le gustan y las cosas que no le interesan. Inventa 10 preguntas, escríbelas y entrevista a tu compañero/a.

2 ¡Y AHORA TÚ!

Escribe las cosas que te gustan o que te interesa hacer durante tu tiempo libre.

N ORAL/ESCRITO

1. ¿Te gustan mucho los deportes?
2. ¿Te interesan tus estudios?
3. ¿Qué prefieres, el deporte o la lectura?
4. ¿Dedicas mucho tiempo a la lectura?
5. Te encanta ir de compras, ¿verdad?
6. ¿Qué libros te gusta leer?
7. ¿Qué prefieres, música clásica o música moderna?
8. ¿Te interesan los toros?
9. ¿Dedicas mucho tiempo a tus estudios?
10. ¿Te interesa la moda?

Aprende 66

cuyo(s) cuya(s) = whose

NB The agreement is with what is 'owned' and not with the 'owner'.

Ejemplo:

El señor cuy**a** hij**a** vive en Toledo ...	*The man whose daughter lives in Toledo ...*
Las chicas cuy**os** cuadern**os** están en la mesa ...	*The girls whose exercise books are on the table ...*

P UNE

1 Cuando vamos a la costa
2 Son los chicos cuyos
3 Cuando viaja Vd. al extranjero,
4 Mi profesor de español es el hombre cuya
5 A veces hago mis deberes en el comedor
6 No suelo utilizar el equipo de música mucho
7 Mi profesora de inglés es la señora cuyo
8 Cuando sales de Inglaterra,
9 Son los chicos cuyas
10 Cuando salgo de noche

a suelo volver a casa antes de las once.
b pero a veces pongo música clásica.
c ¿a qué países vas?
d bicicleta está a la entrada.
e suelo pasar mucho tiempo tomando el sol.
f padres nunca salen de casa.
g ¿qué países suele visitar?
h pero suelo estudiar en mi habitación.
i madres trabajan en el Ayuntamiento.
j coche está aparcado fuera del colegio.

Aprende 67

PRETERITE

-ar	*-er/-ir*	**ir** (a) *irregular*
é	í	fui
aste	iste	fuiste
ó	ió	fue
amos	imos	fuimos
asteis	isteis	fuisteis
aron	ieron	fueron

NB **(i)** Salir is regular in the preterite.
(ii) Llegar has lleg**ué**, llegaste, llegó etc.

Similarly all verbs ending in **-gar**, e.g. pagar
(iii) (me) gusta → (me) gustó
(iv) (me) gustan → (me) gustaron

Similarly: (me) encanta(n) (me) interesa(n)

Q ESCRIBE

Write the following in the preterite and add one of the phrases you have learnt in Aprende 68.

Example: Voy al teatro → Anoche fui al teatro

1 Voy al cine.
2 Como mucho.
3 Me encanta la película.
4 Hablo con sus padres.
5 Compro mucha ropa.
6 No voy a la discoteca.
7 No me gustan los toros.
8 Llego al colegio temprano.
9 Bebo dos cafés.
10 Tomo un taxi.
11 Salgo con mis padres.
12 Lo paso muy bien en España.

Aprende 68

ayer	*yesterday*	el mes pasado	*last month*
anteayer	*the day before*	el verano pasado	*last summer*
anoche	*last night*	el lunes (pasado)	*last Monday*
a las seis	*at six o'clock*	hace cinco minutos	*5 minutes ago*
esta mañana	*this morning*	hace dos días	*2 days ago*
la semana pasada	*last week*		

R ESCRIBE EN EL PRETÉRITO

Write the following in the preterite:

1. (Va) al cine con sus hermanos.
2. (Salimos) juntas muchas veces.
3. ¿(Te gusta) Andalucía?
4. ¿(No hablas) con Fernando?
5. (Voy) sólo al teatro.
6. Sólo (estudio) cinco minutos.
7. ¿(Llegas) a tiempo?
8. ¿(Vais) en metro?
9. (Sale) de casa a las ocho.
10. (Van) con su familia.
11. (Va) al baile con Javier porque no (le gusta) cuando (va) con Ernesto.
12. (Me encantan) las ciudades del sur pero no (me gusta) el norte.

LIBRO DE EJERCICIOS H I J

Aprende 69

WEATHER: THE PRESENT		THE PRETERITE
hace (frío, calor, viento)	Ayer	hizo (frío, calor, viento)
llueve (está lloviendo)		llovió
llovizna (está lloviznando)		lloviznó
hay (niebla, neblina, tormenta)		hubo (niebla, neblina, tormenta)
nieva (está nevando)		nevó

The forecast for the future:

Se esperan vientos fuertes, precipitaciones, temperaturas altas, etc.
Mañana va a llover y en los Pirineos va a nevar mucho.

S ¿QUÉ HICISTE AYER?

Luisa

«Ayer, como hizo tanto calor, fui a la piscina con unas amigas de mi clase, porque nos gusta mucho ir una vez a la semana.»

a ¿Qué dijo Luisa? Corrige lo subrayado:
... que ayer hizo frío;
... que fue a la piscina sola;
... que les gusta ir todos los días.

Jorge

«Ayer salimos a comer a un restaurante chino toda la familia porque celebramos el cumpleaños de mi hermana. Cumplió quince años y fuimos a un restaurante chino porque ésta es su comida favorita. Le encanta.»

b ¿Qué dijo Jorge? Corrige lo subrayado:
... que ayer fue a un restaurante italiano;
... que fue con sus amigos;
... que era el cumpleaños de su hermano;
... que la comida italiana es la preferida de su hermano.

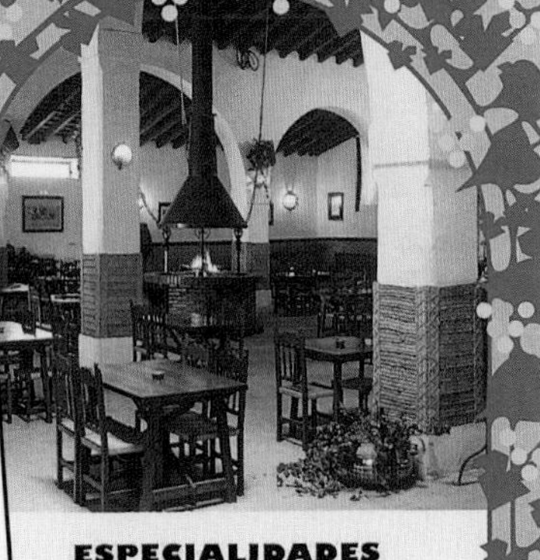

Manuel

«Ayer, domingo, como llovió mucho por la mañana no salí pero por la tarde fuimos a casa de Eduardo, porque sus padres fueron a visitar a los abuelos el fin de semana, y aprovechamos para jugar una partida de mus tras otra. Tengo que admitir que gané y me pagaron una cena entre todos.»

c ¿Qué dijo Manuel? Corrige:

... que ayer era martes e hizo mucho calor;
... que no salió por la tarde;
... que fue a casa de los abuelos de Eduardo;
... que jugó al ajedrez con sus amigos;
... que ganó y le invitaron a una fiesta.

Diego

«¿Ayer? Bueno, pasé toda la mañana en casa y después de prepararme un bocadillo salí al parque. Allí pasé toda la tarde, sentado en un banco charlando con unos amigos, también del barrio. La verdad es que hizo una tarde estupenda. Lo pasamos bastante bien y aprovechamos la ocasión para completar nuestros planes para las vacaciones de verano.»

■ **d** ¿Qué dijo Diego? Corrige:
... que por la tarde se preparó una tortilla y fue al museo;
... que fue al banco para cambiar dinero;
... que hizo mal tiempo y lo pasó muy mal.

VACACIONES TODO EL AÑO

COSTA DEL SOL
ANDALUCÍA

OCIO

Sea Life, El Retiro, La Concepción, Aqua Park, Tívoli World, Parque acuatico de Mijas...
Ocio pensado para pasarlo bien y en familia

DEPORTES

Rafting, parapente, golf, vela, esquí,senderismo, tenis, squash, hípica, pesca, submarinismo...
Tantos deportes que costará trabajo decidirte.

COMUNICACIONES

Y puedes venir en barco, en Talgo 200, por autovía, por avión,en globo, en moto, andando...

Maribel

«Anoche fuimos a la discoteca universitaria, porque no es cara, ¿sabes? y el 'disc-jockey' es amiguete mío. Además siempre van muchas chicas de mi clase, todas muy simpáticas. Siempre lo pasamos muy bien y hay mucha 'marcha'.»

■ **e** ¿Qué dijo Maribel? Corrige:
... que por la tarde fue a clase en la universidad;
... que la discoteca no es barata y que la disc-jockey es su amiga;
... que siempre van muchos chicos de su barrio.

AYUDA

aprovechar	*to take advantage*
el mus	*Spanish card game*
ganar	*to win*
sentado/a	*sitting*
climatizada	*heated*
el ajedrez	*chess*
perder	*to lose*
uno/a tras otro/a	*one after the other*

La Salida Triunfal

Eugenia Baptista Sánchez, residente en Valldemosa (Mallorca) cumplió cien años la semana pasada. Celebró la ocasión saliendo a la calle en compañía de sus once nietos y veinticinco bisnietos. Confesó que había permanecido en casa cinco años sin salir debido a su estado de salud pero que esta excursión para celebrar su cumpleaños iba a ser «la primera de muchas».

T Lee el artículo y completa esta segunda versión.

sale con vive semana decidió cinco piensa cumpleaños

Eugenia Baptista Sánchez, que ______ en Mallorca, celebró su ______ hace una ______. No ______ a la calle desde hace ______ años pero ahora, a la edad de cien años, ______ salir ______ sus nietos y bisnietos y ______ celebrar muchos cumpleaños más con más paseos.

AYUDA

debido a	*owing to, because of*
el/la nieto/a	*grandchild*
había permanecido	*had remained*
el/la bisnieto/a	*great grandchild*
el estado de salud	*state of health*
iba a ser	*was going to be*

¡QUÉ BIEN LO PASÉ!

VEINTISÉIS VIAJES PARA JUBILADOS

El Ayuntamiento de Madrid está organizando veintiséis viajes para jubilados o pensionistas vecinos de la ciudad. Tienen una duración de quince días y los pensionistas afortunados pueden escoger entre los siguientes destinos: Salou en Tarragona, Palma de Mallorca, Gandía en Valencia y Fuengirola en la Costa del Sol. El alojamiento será en hoteles de dos o tres estrellas con pensión completa y habrá una serie de actividades, distracciones y visitas a lugares de interés en las cercanías. Estas vacaciones tendrán lugar durante los meses de septiembre y octubre.

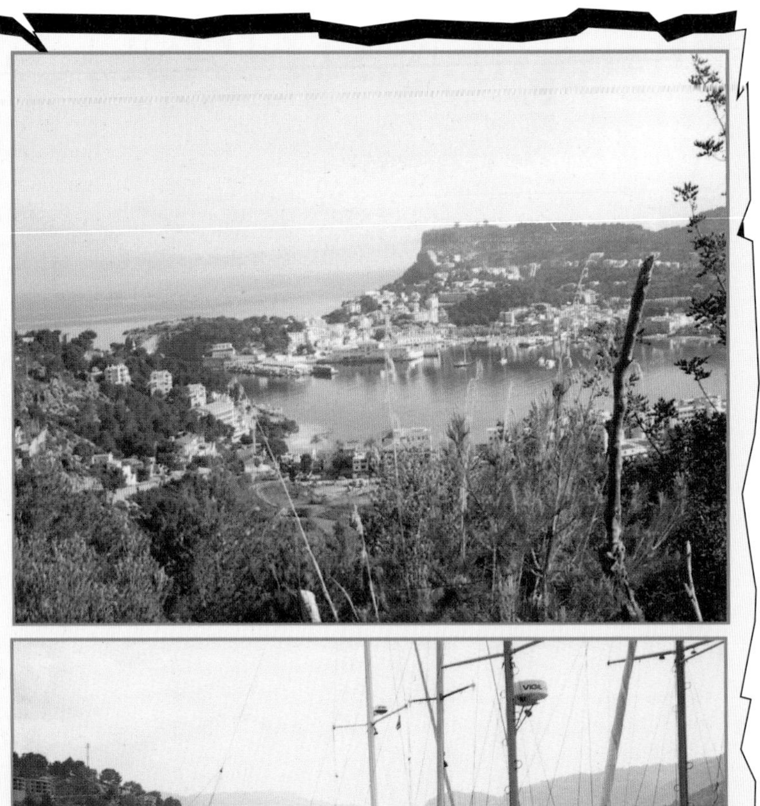

AYUDA

jubilado/a	*retired*
escoger	*to choose*
siguiente	*following*
el alojamiento	*lodging*
habrá	*there will be*
el lugar	*place*
tomar lugar	*to take place*
en las cercanías	*in the surrounding area*

U Corrige estas frases sobre el artículo.

1 Los viajes son para jóvenes.
2 Están organizados por un colegio.
3 Son para veintisiete personas.
4 Van a pasar un mes de vacaciones.
5 El alojamiento es en pensiones.
6 Los viajes van a ser durante Navidades.

A

V ELIGE

¿A qué foto se refieren estas descripciones, **A** o **B**?

1 Javier está de pie con un vaso en la mano.
2 Están bebiendo vino.
3 Hay muchos niños.
4 Son cuatro o cinco familias.
5 Es un grupo de amigos.
6 Están en el campo.
7 Hay alguien en bañador.
8 Están todos en la sombra.
9 Hay muchos mirando al fotógrafo.
10 Hay alguien cantando y tocando un instrumento.

B

W LEE

Here are the memoranda left for Señorita Valbuena, who has been abroad for a week on a business trip, by her secretary. Read them and then turn to the work in the LIBRO DE EJERCICIOS.

Lunes:
1) Llamaron de la Telefónica para instalar los aparatos nuevos. No tienen modelos azules. ¿Los queremos en gris?
2) El Señor Villalba no llegó hasta las doce. Su mujer telefoneó para decir que fueron a visitar a su hija a la clínica.
Martes:
Fui a Correos a comprar sellos. Pagué la cuenta de la electricidad.
Miércoles:
Nevó toda la noche. Llegué a la oficina a la una y media pero no había nadie. Volví a casa a las tres.
Jueves:
Por la tarde llegaron los clientes suecos. Fui a Barajas. Pasaron la tarde en el Prado y por la noche salimos a cenar. Pagué con tarjeta de crédito.
Viernes:
Asistí a la reunión con los escandinavos, nuestro abogado y el contable. No hubo grandes problemas. Vendimos el material por treinta millones. La reunión terminó a las tres y media. Celebramos el éxito con champán.

LIBRO DE EJERCICIOS O P Q R

PASÁNDOLO BIEN Y DIVERSIONES

F	E	X	P	O	S	I	C	I	O	N
D	I	V	E	R	T	I	R	S	E	E
I	U	L	E	C	T	U	R	A	X	I
S	Q	R	A	T	N	I	P	M	C	B
C	S	A	L	T	A	R	A	U	U	O
O	E	R	E	B	E	B	R	S	R	L
T	R	A	O	N	N	L	R	I	S	R
E	A	P	D	N	I	A	I	C	I	A
C	P	E	L	I	C	U	L	A	O	S
A	R	R	S	E	R	O	L	F	N	A
S	O	P	M	E	I	T	A	S	A	P

■ **X** BUSCA Y COMPLETA

Con las palabras indicadas en la 'Sopa de Letras' rellena este ejercicio.

1 *The film buff*/El aficionado a la pantalla

Voy al ______ cuando ponen una ______ buena.

2 *The intellectual*/El intelectual

______ mucho. Sí, me encanta la ______. También me gusta la ______ clásica y voy a una ______ a veces porque es muy importante el ______.

3 *The nature-lover*/El amante de la naturaleza

Me gusta ir de ______. Cuando hace buen ______ voy al campo a ______ las ______ y el paisaje en general.

4 *The hobbyist*/El de los pasatiempos

Los ______ son muy importantes para ______ cosas. Tengo muchos sellos, me encanta la ______.

5 *The active type*/El activo

Tengo suerte porque mis ______ viven en Granada y allí en invierno practico el ______. Me gusta ______ por las montañas y de noche ir a la ______. A veces vuelvo constipado y ______ de allí.

6 *The lover of good living*/Señorita Buena Vida

Para mí, el estómago es muy importante. Para ______ ______ me gusta ______ carne a la ______, de postre ______ y ______ un ______ de botellas de vino.

CAPÍTULO TRES

De ahora en adelante

Aprende 70

EL FUTURO

-AR -ER -IR	+ IRREGULAR FUTURES	
trabajar**é**	salir	saldré, saldrás, etc.
com**erás**	tener	tendré, tandrás,
entr**ará**	poner	pondré, pondrás,
pas**aremos**	venir	vendré, vendrás,
viv**iréis**	saber	sabré, sabrás
decid**irán**	hacer	haré, harás,
	decir	diré, dirás,

Horóscopo

CAPRICORNIO

¡CUIDADO! NO OBTENDRÁS LO QUE QUIERES EN TU PRIMER EMPLEO.

ACUARIO

TRABAJARÁS PARA TU FAMILIA.

PISCIS

DECIDIRÁN TUS PADRES Y NO TÚ.

ARIES

NO SABRÁS QUÉ HACER HASTA LOS VEINTE AÑOS.

TAURO

BUSCARÁS EN TU PUEBLO PERO LO ENCONTRARÁS EN EL EXTRANJERO.

GÉMINIS

CONTINUARÁS CON TUS ESTUDIOS HASTA LA EDAD DE VEINTICUATRO.

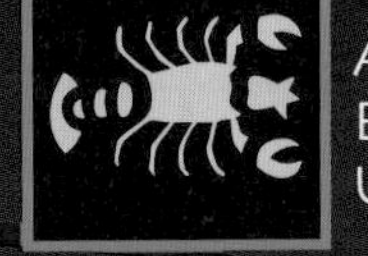

CÁNCER

APROBARÁS TODOS TUS EXÁMENES. IRÁS A LA UNIVERSIDAD.

LEO

TE CASARÁS A MITAD DE LA CARRERA Y TRABAJARÁS EN OTRA CIUDAD.

VIRGO

DEDICARÁS TU VIDA A LOS ORDENADORES.

LIBRA

DEJARÁS TUS ESTUDIOS PRONTO PERO VOLVERÁS A ELLOS.

ESCORPIO

NO DEPENDERÁS DE NADIE. DARÁS TRABAJO A MUCHOS.

SAGITARIO

NO TENDRÁS QUE TRABAJAR. LO HARÁS PARA MATAR EL TIEMPO.

A ¿Qué signo?

1 ¿Quién tendrá mucho dinero?
2 ¿Quién seguirá los consejos de su familia?
3 ¿Quién tendrá muchos empleados?
4 ¿Quién trabajará con sus parientes?
5 ¿Quién buscará otro trabajo pronto?
6 ¿Quién tendrá éxito en sus estudios?
7 ¿Quién no estará seguro de su futuro a la edad de diecinueve?
8 ¿Quién viajará fuera de su país?
9 ¿Quién tendrá marido/mujer antes de terminar sus estudios universitarios?
10 ¿Quién decidirá estudiar de nuevo?
11 ¿Quién no trabajará hasta los veinticinco años?
12 ¿Quién será programador, probablemente?

Helena
«Me gustaría hacer la carrera de mi padre, que es periodista. Creo que los idiomas son muy importantes para el periodismo.»

Eva
«No sé si estudiaré matemáticas, como mi padre, o física. Una de las dos, algo de ciencias.»

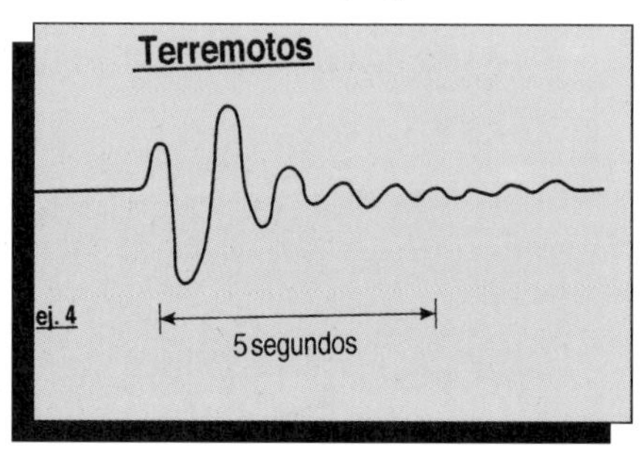

Maribel
«Mi padre es comerciante y mi madre es ama de casa. Yo pienso estudiar matemáticas en la universidad.»

Un 40% de jóvenes españoles no encuentra trabajo. Del 60% que tiene empleo, muchos trabajan con parientes, otros encuentran trabajo 'por enchufe'.

Miguel
«Me gusta mucho la ingeniería y la informática . . . programación.»

Bruce
«Quiero hacer ingeniería pero no tengo claro de qué tipo.»

Javier
«Las asignaturas que tengo que estudiar para esta carrera son matemáticas, economía, contabilidad, derecho e idiomas. Hay posibilidades de trabajar luego, sea en un banco, empresas públicas o privadas o, si tienes bastante dinero, puedes trabajar por tu cuenta.»

DIRECCION DE EMPRESAS	ESTUDIOS EMPRESARIALES	MARKETING
Estudios: Director de Empresas. **Duración:** 3 cursos de 3 meses cada uno. **Materias:** Economía, Organización, Personal, Marketing, Compras, Producción, Administración.		**Estudios:** Técnico en Marketing. **Duración:** 3 cursos de 3 meses cada uno. **Materias:** Mercados, Información, Distribución, Comunicación, Publicidad, Planificación Comercial, Productos, Marcas, Precios, etc.

AYUDA

enchufe	*personal contacts*
la informática	*computer studies*
no lo tengo claro	*I'm not sure*
la contabilidad	*accounting*
el derecho	*law*
la empresa	*firm/company*
por tu cuenta	*on your own account*

B LEE

¿Quién (Helena, Maribel, Eva, Miguel, Bruce o Javier) también dijo lo siguiente?

1 Tengo un ordenador nuevo en casa.
2 Me gusta la química, y la biología también.
3 Me interesa la contabilidad.
4 No sé, de carreteras, de puentes, . . .
5 Tendré ocasión de viajar.
6 No sé, hay tantas posibilidades . . .

C Y AHORA TÚ

Escoge una expresión de cada columna para formar frases sobre lo que te gustaría hacer/ser/estudiar en el futuro.

Column 1	Column 2	Column 3	Column 4
me gusta(n)	la enseñanza	quiero ser	actor/actriz
me gustaría	la medicina	quisiera ser	médico
me interesa(n)	el teatro	quiero estudiar para	profesor/a
me fascina(n)	los coches	voy a estudiar para	maestro/a
me encanta(n)	sacar fotos	pienso estudiar para	fotógrafo/a
	los ordenadores	tengo la intención de estudiar para	periodista
	la ingeniería	voy a hacer la carrera de	cura/monja
	escribir artículos		dependiente/a
	cocinar		secretario/a
	la religión		programador/a
	trabajar en una tienda		cocinero/a
	escribir a máquina		mecánico
	la informática		

 **D** Lee lo que dicen estas personas y escoge la profesión a la que se refieren.

«Me gustaría trabajar al aire libre, en contacto con la tierra y con los animales.»

«Todavía no sé lo que me gusta hacer pero me encanta la moda y me parece que dibujo bastante bien.»

«Siempre he peinado a mi madre, a mis hermanas y a mis amigas de clase, y bien podría seguir con esto.»

«Me gustaría trabajar en un hotel, quizás en recepción porque me entiendo bien con la gente.»

«Me gustan mucho los deportes y siempre llevo una vida activa. Me apetece hacer algo arriesgado y con bastante acción, con ocasiones para viajar.»

«Me encantan los niños. Bueno, no los niños muy pequeños pero sí los de cinco a diez años. Creo que tengo bastante paciencia.»

«Me gustaría ayudar a la gente, quizás algo relacionado con la medicina.»

«En el instituto siempre me han gustado más las clases prácticas y me gusta mucho trabajar con las manos, arreglar cosas y hacer reparaciones.»

«Todavía no lo he decidido pero mi fuerte son las matemáticas.»

«Me gustaría viajar mucho, sobre todo en avión, y creo que soy bastante independiente.»

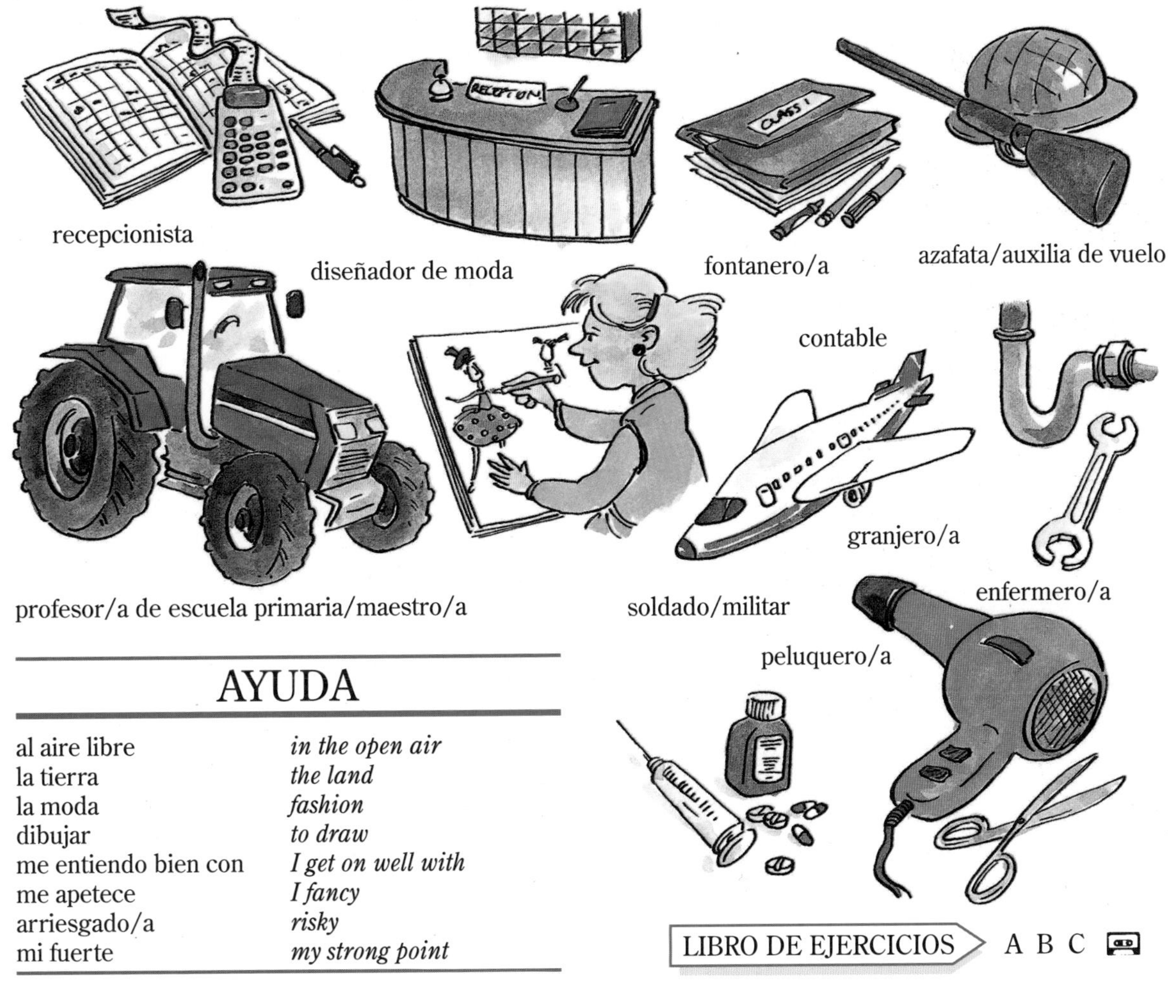

AYUDA

al aire libre	*in the open air*
la tierra	*the land*
la moda	*fashion*
dibujar	*to draw*
me entiendo bien con	*I get on well with*
me apetece	*I fancy*
arriesgado/a	*risky*
mi fuerte	*my strong point*

LIBRO DE EJERCICIOS A B C

A

Se necesitan 2 carniceros con experiencia. Edad entre 20 y 26 años. Servicio militar cumplido. Interesados escribir apartado 66, o llamar Tfno. 4414828

B

Necesito camarero/a barra, julio–agosto, buen sueldo, clientela inglesa, buena propina. Tlfo: 273143 o escribe a Bar Reino Unido, c/Tomás Urquijo. ALICANTE

C

Buscamos ingenieros de caminos (Area Gran Bilbao) Apartado de Correos 6.044. Referencia Ingeniero

D

Gane dinero sin salir de casa. Envíe 60 pts. en sellos y recibirá nuestra revista gratis. Solicítela.
APARTADO 1.823
BARCELONA

E

Pintor: Necesito empapelador, pintor rápido y económico. Llamar 9 noche. Medina. 442 55 82

F

Se necesita técnico reparador de frigoríficos, Tel. 403 84 48

G

Peluquería necesita aprendiza. 16 años. Tel. 436 47 95

H

Necesitamos albañiles, carpinteros y pintores. Tel. 401 45 28

I

Para cuidar de dos niños de corta edad se requiere NURSE INTERNA. Dominio del inglés. Edad 23/40 años. Dispuesta a viajar. Buen salario más seguros. Enviar 'curriculum vitae' y fotografía al APARTADO DE CORREOS 60. 186 de Madrid.

J

SOLICITAMOS REPRESENTANTE.

Somos fabricantes de calefacción doméstica, tostadoras y aparatos contra insectos. Deberá estar introducido en los sectores del ramo eléctrico y de electrodomésticos. Escribir con referencias a: COMERCIAL DURÁN, S L. Apartado de Correos 34, Alboraya (Valencia)

K

EMPRESA INMOBILIARIA necesita SECRETARIA con tres años de experiencia en el área administrativo-comercial. Interesados escribir con historial manuscrito y fotografía reciente al Apartado de Correos 61. 097 de Barcelona.

L

MULTINACIONAL ALEMANA. LÍDER EN LA COMUNIDAD ECONÓMICA EUROPEA

necesita 4 mujeres para cubrir puestos en la sección de informática.
Edad entre 25 y 30 años. Alto nivel cultural.
Capacidad de trabajo y ambición profesional.
Dedicación plena.
Ingresos del orden de 225.000 pesetas.
Tfnos. 431 78 62 y 431 75 19. Señor Puentes

M

JÓVENES
15 a 24 años
Convocadas plazas
Guardia Real
Requisitos:
Altura mínima: 1,70 metros
Graduado escolar
OBTENDRÁS: sueldo mensual
destino Madrid
posibilidades de promoción
INFORMACIÓN: Gran Vía 68–4°D
o Apartado 65.001 MADRID.

E Lee los anuncios del periódico.

¿A qué teléfono llamas o a qué apartado de correos escribes si . . .

1 quieres trabajar con niños?
2 te gusta vender electrodomésticos?
3 quieres trabajar desde tu casa?
4 eres ingeniero?
5 te gustaría trabajar para una compañía de Berlín?
6 quieres volver a trabajar en una carnicería después de la 'mili'?
7 quieres trabajar este verano y conocer a mucha gente?
8 pronto vas a terminar tus estudios en el instituto?
9 quieres trabajar en el nordeste de España?
10 te gusta reparar electrodomésticos?

AYUDA

el apartado de correos	*PO Box*
ganar	*to earn*
enviar	*to send*
gratis	*free*
solicitar	*apply for*
el albañil	*bricklayer*
dispuesto/a	*prepared to*
la calefacción	*heating*
el sueldo mensual	*monthly salary*

F Contesta en español:

1 **¿Te gustaría** trabajar en Nueva York?
2 **¿Te gustaría** trabajar en una carnicería?
3 **¿Te gustaría** ser astronauta?
4 **¿Te gustaría** trabajar de noche?
5 **¿Te gustaría** ganar dinero trabajando en casa?
6 **¿Te gustaría** ser piloto?

□ **Carlos Gálvez**
«Actualmente mi puesto es de jefe de bar en el Hotel Las Palomas. Llevo veinticinco años trabajando en este hotel.»

□ **Mónica**
«Trabajo para una multinacional holandesa que vende estufas. Tenemos compañías en Bélgica, Francia e Italia. En Madrid somos cinco personas. Soy contable y me encanta trabajar con números.»

□ **Abelardo Pineda**
«Trabajé unos treinta años en la Casa de Socorro como médico. Es un sitio donde se atienden urgencias; casi siempre accidentes, y cuando son muy graves pasan al hospital.»

◩ **Concepción**
«Anteayer fui a una entrevista en el centro de la ciudad para un trabajo en la oficina de turismo. Como sabes, hablo francés bastante bien y un poco de inglés. Pero el resultado todavía no lo sé. Me han dicho que me llamarán pasado mañana.»

■ **Jorge**

«Bueno, ahora mismo estoy en el paro. Llevo ya así cuatro meses y, claro, me gustaría encontrar un trabajo lo antes posible. Antes he trabajado varias veces como camarero o recepcionista pero son trabajos que no abundan mucho donde yo estoy. En verano o, bueno, en Semana Santa también hay bastantes posibilidades, pero aquí, donde vivo, muchos de los hoteles y restaurantes cierran durante el invierno ya que llueve mucho y no vienen turistas.»

◩ **Carmen**
«Ayer fui otra vez a la oficina de empleo. Pero no encontré nada. La verdad es que no tengo ningún título y así resulta dificilísimo encontrar trabajo.»

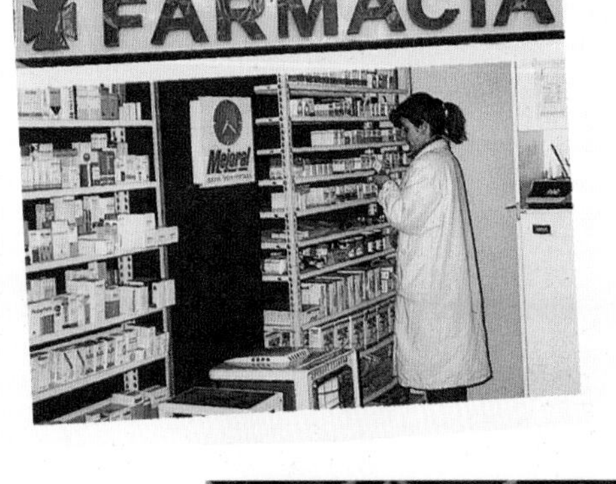

Mari Carmen

«Mi marido trabaja en el ejército como especialista en helicópteros y yo trabajo en una oficina de farmacia desde hace varios años. Me gusta mucho mi trabajo y el contacto con los clientes. Por la mañana traigo a mi hija conmigo a la farmacia, y por la tarde se queda en casa de mi madre que vive muy cerca. Pienso pedir un año de excedencia, es decir, un año sin trabajar, para quedarme en casa cuidando de la niña porque creo que me necesita mucho y a la vez a mí también me apetece.»

Ana

«Mis padres tienen un restaurante en la costa y estoy con ellos todo el verano y llevo la contabilidad. También doy clases de ballet y de jazz. Me encanta todo tipo de baile y realmente me gusta enseñar.

Me gustaría hacer relaciones públicas o turismo porque me gusta mucho la relación con el público. Me llevo muy bien con la gente y luego también me gustan mucho los idiomas. Siempre me ha gustado la traducción. Pero ser traductora es muy difícil. Yo tengo una amiga que es traductora y está ganando un sueldo impresionante pero hay que conocer la lengua perfectamente.

Creo que trabajando es como más aprendes. Hay una posibilidad de trabajo de verano en unas oficinas en el Parque de Doñana. Hay un parque natural allí. Quisiera un poco de experiencia en ese campo para ayudarme luego a encontrar un trabajo más serio.»

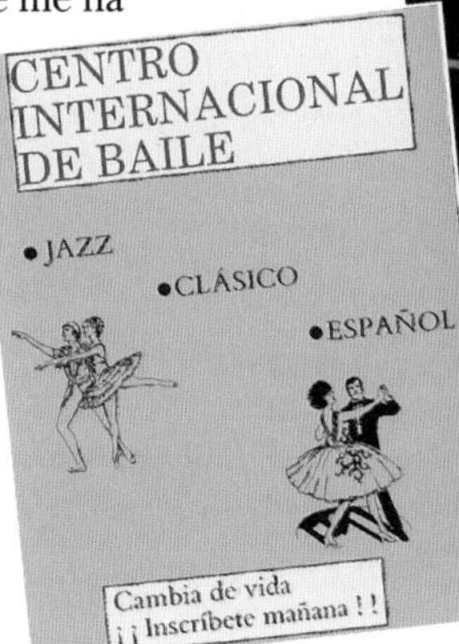

¡A Sonia también le gusta muchísimo bailar!

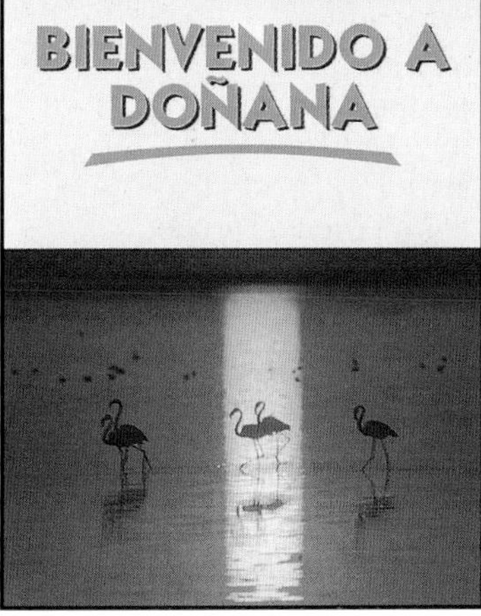

AYUDA

estufas	*heaters*
Casa de Socorro	*first-aid clinic*
se atienden urgencias	*we deal with emergencies*
pasado mañana	*the day after tomorrow*
la oficina de empleo	*employment office*
el título	*degree*
llevo 4 meses	*I have been 4 months*
así	*so/like this*
La Semana Santa	*Holy Week (up to and including the Easter weekend)*
ya que	*since/because*
traer (traigo)	*to bring*
es decir	*that is to say*
impresionante	*impressive*
el campo	*field/countryside*

G ESCOGE

Carlos Gálvez

a Trabaja en el Hotel (Las Palomas/Marbella).
b Es jefe de (cocina/bar).
c Lleva (más de/menos de) veinte años en el hotel.

H Decide si estas frases son **verdaderas** o **falsas**:

Mónica

a Trabaja para una compañía española.
b La compañía vende ordenadores.
c Mónica va mucho a otros países europeos.
d Trabaja con cuatro personas más en Madrid.
e Las matemáticas no son el fuerte de Mónica.

Abelardo Pineda

f Don Abelardo es doctor.
g No trabajó muchos años en la Casa de Socorro.
h A la Casa de Socorro va gente con heridas.
i Allí curan casos más graves que en los hospitales.

I Escoge y escribe en tu cuaderno.

Concepción

Concepción fue a una (entrevista/fiesta) en la (catedral/oficina de turismo) (ayer/hace dos días). Habla (dos/tres) idiomas. (No sabe si/Está segura de que) le van a dar el puesto. Van a llamarla (mañana/dentro de dos días).

J Escribe en tu cuaderno y rellena.

Carmen

Ayer Carmen fue a la oficina de ______ pero no encontró ______.
Para Carmen es muy ______ encontrar trabajo ______ no tiene ningún ______.

K Escribe en tu cuaderno, y traduce al español lo escrito en inglés.

Jorge

Jorge lleva (4 months on the dole). Antes ha trabajado como (receptionist) o (waiter). Hay muchas posibilidades de trabajo en (Easter Week) y (summer), pero en (winter), donde Jorge (lives) muchos (restaurants and hotels shut down) porque (it rains a lot).

L Contesta en español.

Mari Carmen

a ¿Quién trabaja en el ejército, Mari Carmen o su marido?
b ¿A Mari Carmen le gusta(n) los helicópteros o el contacto con los clientes?
c Por la mañana, ¿lleva a su hijo o a su hija al trabajo?
d ¿Quién le ayuda por las tardes, su madre o su padre?
e ¿Cuánto tiempo quiere pasar sin trabajar, seis o doce meses?

M ESCOGE

Ana

a Ana ayuda a sus padres en (la caja/la cocina) del restaurante.
b Ana da clases de (baile/piano).
c Ana quiere trabajar (sola/con el público).
d Ana (detesta/tiene afición por) las lenguas.
e Los traductores, según Ana, ganan (poco/mucho) dinero.
f El verano quiere trabajar en (la ciudad/el campo).

N ¡Y ahora tú! Completa estas expresiones o frases:

1 Mi asignatura preferida . . .
2 Llevo cinco años estudiando . . .
3 Quisiera ser . . .
4 No sé si quiero ser . . .
5 Quiero trabajar por mi cuenta porque . . .
6 Los estudios son importantes porque . . .
7 Como trabajo de verano me gustaría . . .
8 Decidiré . . .

LIBRO DE EJERCICIOS E F G

Necesito camarero/a barra, julio–agosto, buen sueldo, clientela inglesa, buena propina. Tlfo: 273143 o escribe a Bar Reino Unido, c/ Tomás Urquijo. ALICANTE

Estimado Sr: Birmingham, 24 de mayo 1997

Le escribo porque leí su anuncio en el diario del lunes, en el que busca un camarero de barra. Soy un chico inglés de diecisiete años y como estoy estudiando español en el instituto quisiera pasar dos meses en España practicando el idioma.

Tengo tíos que tienen una casa en Alicante así que no tengo problemas de alojamiento. Aquí en mi instituto cuando organizamos bailes yo mismo me encargo siempre del bar, ya que mis padres tienen un pub, y sé muy bien a lo que voy. Creo que soy simpático, sé manejar el dinero y llevar la caja, y claros hablo inglés y sé defenderme en español. Con el sueldo y la propina tendré para mis gastos.

Si no es mucha molestia pienso llamar por teléfono la semana que viene y espero que su respuesta sea positiva.

Quedo muy agradecido.

Le saluda atentamente,

John Baker

John Baker

AYUDA

el idioma	*language*
el alojamiento	*place to stay/lodgings*
encargarse de	*to take charge of*
manejar	*to handle*
llevar la caja	*to man the till*
defenderse en	*to get by in (a language)*
los gastos	*expenses*

☐ **O** ORAL/ESCRITO

1. ¿Dónde vive John Baker?
2. ¿En qué ciudad viven sus tíos?
3. ¿Cuántos años tiene?
4. ¿Cuánto tiempo quiere quedarse en España?
5. ¿Qué estudia en el instituto?
6. ¿Dónde trabajan sus padres?
7. ¿Qué idiomas habla?
8. ¿Cómo describe John su propio carácter?

P Escribe estos anuncios en inglés:

CAMARERAS (dos) se ofrecen para trabajar en bar, cafeterías. Experiencia y seriedad. Llamar mañanas.
☏ **4769122**

RECEPCIONISTA (28 años) mucha experiencia, referencias excelentes. Busco trabajo sept-abril. Llamar después de las 16.00.
☏ **Jaime Germán 4153634**

Necesito camarero/a barra, julio–agosto, buen sueldo, clientela inglesa, buena propina. Tlfo: 273143 o escribe a Bar Reino Unido, c/ Tomás Urquijo. ALICANTE

Avenida de América 18
Alicante
18 de mayo

Estimado Sr:

Quiero solicitar el puesto de camarera de barra que se anunció ayer en el diario. Tengo veintitrés años y llevo cinco años trabajando en el Bar Guatemala, pero, no obstante, quisiera trabajar en su local durante los dos meses de verano antes de irme a Toronto en septiembre.

Como mi marido es canadiense domino el inglés bastante bien.

El propietario del Bar Guatemala, estoy segura, le dará buenas referencias de mí.
Espero su respuesta y quedo a su disposición,

Marisol Hughes

Marisol Hughes

Cuesta de la Playa, 17
BENIDORM
17 de mayo de 1997

Muy Sr mío:

Me interesa mucho el puesto de camarero de barra que ofrece Vd. en el bar Reino Unido. Tengo tres años de experiencia como camarero de mesa en un restaurante en Benidorm pero como vivo en Alicante quisiera trabajar allí. Tengo treinta y ocho años y estoy casado con dos hijas. Comprendo el inglés bastante bien.

Le saluda atentamente,

Esteban Pelayo

AYUDA

no obstante *nonetheless*

Q Lee la carta de **Marisol** e infórmate de

a la fecha de la carta
b la fecha del anuncio
c la edad de Marisol
d la experiencia que tiene
e el tiempo que desea trabajar
f por qué habla inglés
g quién puede darle buenas referencias
h su apellido

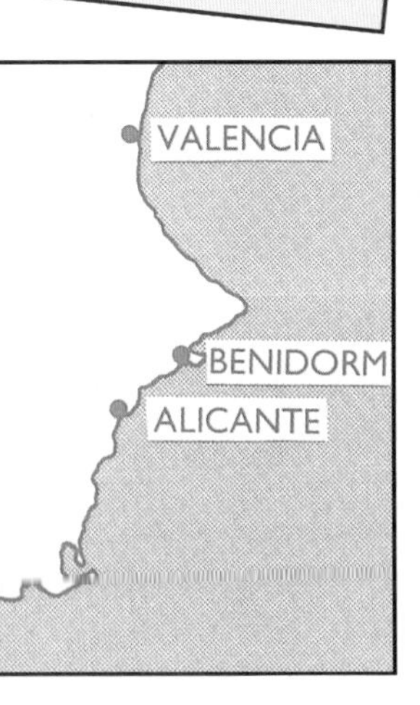

R ¿VERDADERO O FALSO?

Esteban Pelayo . . .
quiere trabajar en el Bar Reino Unido.
prefiere trabajar en Alicante.
vive en Alicante.
vive en Benidorm.
prefiere trabajar en Benidorm.
tiene más de 40 años.
tiene menos de 40 años.
entiende bien el inglés.
tiene experiencia como camarero de barra.
trabaja ahora en un bar.

S ¿A quién se refieren las siguientes frases, a **John Baker**, a **Marisol Hughes** o a **Esteban Pelayo**?

En la Plaza de España, Sevilla

solamente quiere trabajar durante el verano
habla inglés muy bien
tiene que mantener a su familia
necesita el trabajo más que los otros
necesita el trabajo para sus estudios
tiene buenas referencias
no es muy joven
no tiene problemas de alojamiento
conoce mejor a los ingleses

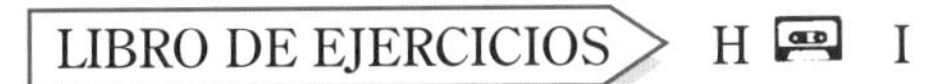

LIBRO DE EJERCICIOS H I

Gibraltar

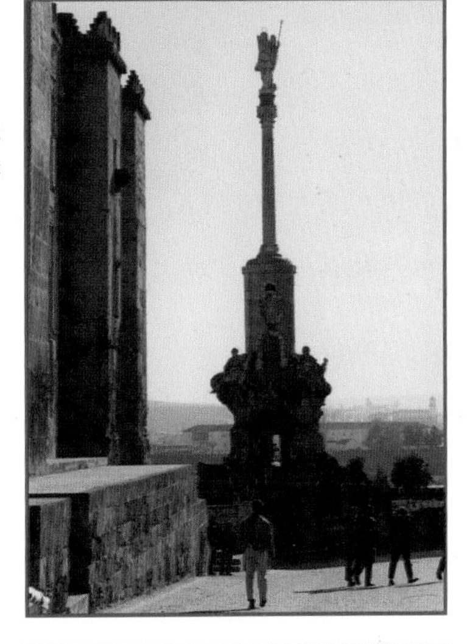

Triunfo de San Rafael, Córdoba

Conchita

«Soy guía turística y llevo cinco años en esta profesión. Aunque sigo bastante contenta con lo que hago, hay días en que acabo muy cansada. Por ejemplo, este año estoy en una compañía internacional, así que paso un día en Amsterdam, otro día en Copenhague, otro día en París y cada 'tour' dura dos semanas. Siempre me ha gustado ver otros países y conocer a otra gente pero, claro, después de unas cuantas visitas ya te conoces de memoria los hoteles, los sitios turísticos, los datos históricos y en este tipo de viajes en autocar no hay mucha posibilidad de cambiar de itinerario. Por otra parte, pueden presentarse muchos problemas y la guía es la que tiene que solucionarlos. Por ejemplo, enfermedades, pérdidas de equipaje o de dinero, disputas en el grupo. Todo tengo que arreglarlo yo. Voy a seguir como guía durante unos años más y después me gustaría trabajar en una agencia de viajes en mi ciudad natal, Sevilla, en Andalucía.»

AYUDA

acabo	*I finish up*
los datos	*facts*
la pérdida	*loss*
el equipaje	*luggage*
mi ciudad natal	*the city I was born in*

T Escoge cuáles de las razones aquí escritas son las que Conchita da para no continuar trabajando de guía turística.

a ... porque lleva cinco años trabajando.
b ... porque a veces está muy cansada.
c ... porque pasa poco tiempo en cada ciudad que visita.
d ... porque vuelve mucho a las mismas ciudades.
e ... porque Europa no es muy interesante.
f ... porque los hoteles son muy caros.
g ... porque la guía tiene mucha responsabilidad.
h ... porque a veces los turistas están enfermos.
i ... porque los turistas no tienen dinero.
j ... porque los turistas pierden sus maletas.
k ... porque quiere trabajar en la ciudad donde nació.

VERANO '98

Necesitamos chico o chica inglés/inglesa cuatro tardes por semana en recepción de camping británico. Escriba a Camping Británico, Ayamonte.

U Rellena la carta de solicitud para el puesto en el Camping Británico con el vocabulario adjunto.

trabajar dieciocho español soy tarde flamenco Sonia británica inglés julio Ayamonte señor

Estimado ______:
Soy ______ y estaré en ______ durante los meses de ______ y agosto. Quisiera ______ en el Camping Británico. Hablo ______ y un poco de ______. Tengo ______ años y ______ honesta y seria.
Como no trabajaré por la ______ quisiera ir a clases de ______.

Le saluda atentamente,

______

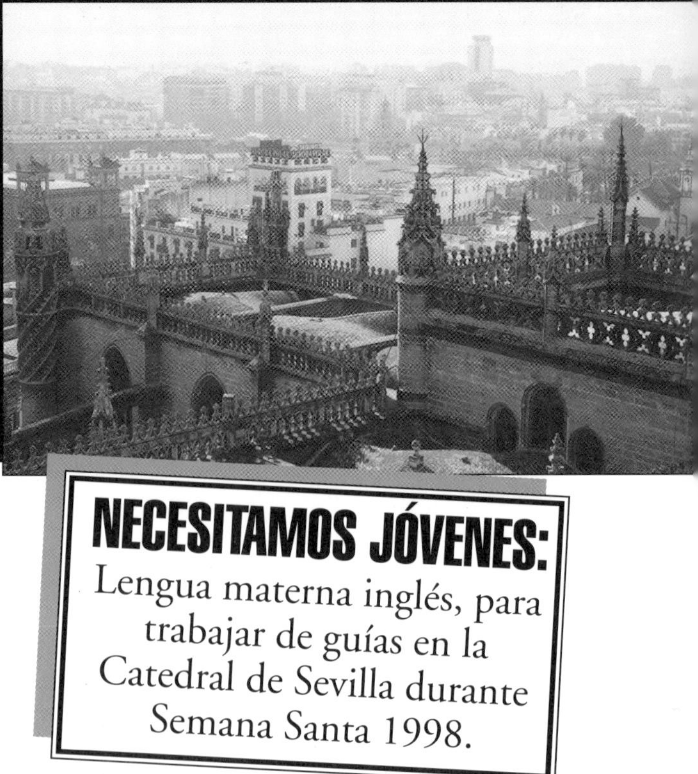

NECESITAMOS JÓVENES:

Lengua materna inglés, para trabajar de guías en la Catedral de Sevilla durante Semana Santa 1998.

V Escribe solicitando el puesto de guía en la Catedral de Sevilla. Pon los detalles de tu edad, nacionalidad, nivel de español y tus notas en las asignaturas de arte e historia. Di también que tienes buenas referencias de tus profesores.

Aprende 71

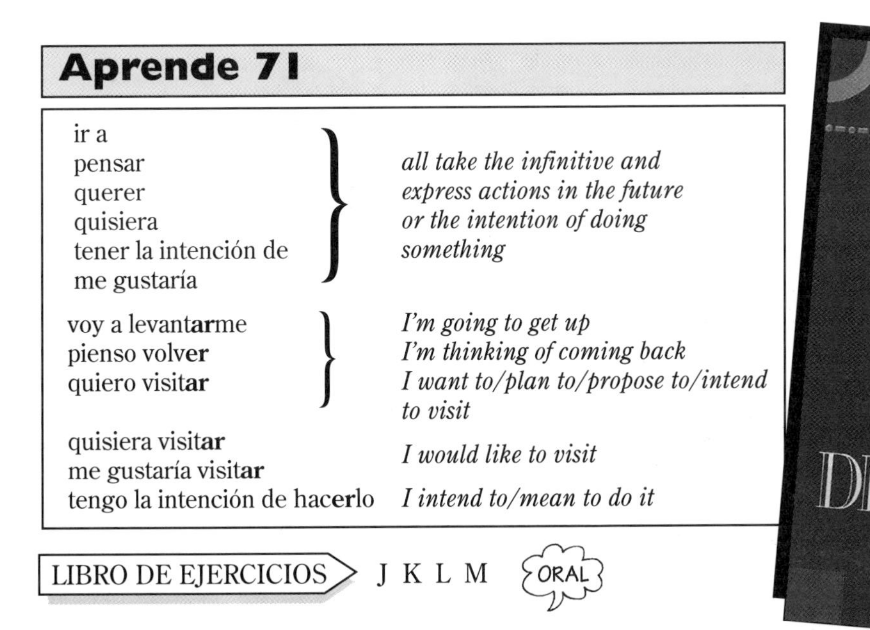

ir a pensar querer quisiera tener la intención de me gustaría	*all take the infinitive and express actions in the future or the intention of doing something*
voy a levant**ar**me	*I'm going to get up*
pienso volv**er**	*I'm thinking of coming back*
quiero visit**ar**	*I want to/plan to/propose to/intend to visit*
quisiera visit**ar** me gustaría visit**ar**	*I would like to visit*
tengo la intención de hac**er**lo	*I intend to/mean to do it*

LIBRO DE EJERCICIOS J K L M ORAL

W TEST: Y TU FUTURO, ¿CÓMO SERÁ? ... ¿ERES BUEN(A) ESTUDIANTE?

Contesta, añade la puntuación y mira el resultado.

1 Cuando entra el profesor en clase
- **a** ¿te levantas?
- **b** ¿sacas tus libros?
- **c** ¿gritas?
- **d** ¿hablas con tus compañeros?

2 ¿Olvidas tus libros de texto en casa?
- **a** A veces.
- **b** Nunca.
- **c** No sé leer.
- **d** Siempre.

3 ¿Cuándo haces los deberes?
- **a** A las once de la noche.
- **b** Cuando llego a casa.
- **c** En la ducha.
- **d** Nunca.

4 Cuando el profesor falta porque está enfermo
- **a** ¿trabajas un poco menos?
- **b** ¿te da pena?
- **c** ¿te alegras?
- **d** ¿faltas tú también?

5 Los días antes de un exámen
- **a** ¿repasas un poco tus notas?
- **b** ¿estudias mucho?
- **c** ¿te vas de excursión?
- **d** ¿te pones enfermo(a)?

6 ¿Tus padres reciben quejas del colegio?
- **a** Casi nunca.
- **b** Nunca.
- **c** Todos los días.
- **d** No importa, porque van a expulsarme.

7 Cuando el profesor te regaña
- **a** ¿lloras?
- **b** ¿le pides perdón?
- **c** ¿te escapas del colegio?
- **d** ¿le contestas mal?

8 En las clases de español
- **a** ¿charlas un poco en español con tus compañeros?
- **b** ¿procuras no hablar inglés en absoluto?
- **c** ¿no dices ni una palabra de español?
- **d** ¿te da igual un idioma que otro?

Añade tu puntuación. Add up the score using the points system below

a = 3 puntos   b = 4 puntos   c = 1 punto   d = 0 puntos

Puntuación	Resultado
0–12	Te queda poco tiempo en este colegio. Tu futuro está en el paro.
13–23	No vas a tener mucho éxito en tus exámenes. Probablemente tendrás que repetir el curso.
24–32	Tendrás la base para estudiar en la universidad y acabar la carrera con éxito.

CAPÍTULO CUATRO

Problemas

LEE Y ESCUCHA

Sonia, ¿cuáles son tus problemas?

1 Bueno, en el instituto tengo varios. No siempre hago los deberes. No me gustan las clases de matemáticas. A veces llego tarde por la mañana.

2 En casa, los mismos problemas que tienen todas las chicas de diecisiete o dieciocho años. No puedo salir sin decir adónde voy. No puedo volver muy tarde por la noche. Tengo que hacer las tareas de la casa – lavar la ropa, planchar, quitar el polvo, ordenar mi habitación . . .

3 Pero, para mí, los peores problemas son cuando estoy enferma o tengo dolor de muelas y tengo que ir al médico o al dentista. La salud es lo más importante, y vale más que nada.

☐ **A** ¿Por qué tiene Sonia problemas **en el instituto**? ESCOGE

1 . . . porque no tiene buenos compañeros de estudios.
2 . . . porque no siempre llega a casa temprano.
3 . . . porque no le gustan los idiomas.
4 . . . porque a veces no hace su trabajo.

¿Y en casa?

5 . . . porque su familia quiere saber adónde va.
6 . . . porque de noche tiene que volver en taxi.
7 . . . porque cuando sale tiene que volver a casa a cierta hora.
8 . . . porque tiene que ayudar mucho con los quehaceres del hogar.

Pero los más serios son cuando . . .

9 . . . tiene que ir a la farmacia.
10 . . . tiene problemas de salud.
11 . . . le duelen las muelas.
12 . . . está cansada.

LEE Y ESCUCHA

1 Azafata
«Señores pasajeros: Sentimos mucho informarles que vamos a aterrizar en Caracas con una hora de retraso.»

2 El Sr. Salinas
«Disculpe, señora, pero yo ya llevo 20 minutos en la cola y estoy antes que usted.»

3 Dolores
«Sí, Ricardo, ya sé que tienes las entradas pero mis padres no me dejan salir tan tarde. No hay manera. Lo siento.»

4 La Sra. de Salinas
«Tienes que permanecer en cama todo el fin de semana. Tienes gripe, Carlos, dolor de garganta, y hasta que no vayas al médico el lunes no puedes levantarte.»

5 Dependiente
«No, lo siento, *El País* no me queda ni uno, el último lo vendí hace cinco minutos. ¿Desea usted otro periódico?»

6 Policía
«¿Qué ha pasado?»
«Es un accidente múltiple. Son seis coches en este mismo carril. Las autopistas por aquí suelen ser muy peligrosas. Ya llega la ambulancia.»

7 El Sr. Gómez
«Es que quiero devolver la cafetera. Cuando llegué a casa ya no funcionaba y no quiero otra. Lo que quiero es que me devuelvan el dinero.»

8 Isabel
«Me han robado el bolso con el pasaporte, el dinero, los cheques de viaje, las llaves y una botella de perfume que tenía sin empezar. ¡Ay, Dios mío, qué desastre!»

9 La Sra. Gómez
«Es que llevamos dos noches sin dormir. Sus hijos están hasta las tres de la madrugada con esa música infernal a todo volumen.»

10 Teresa
«No puedo moverme. Me he quemado mucho. Creo que estar tantas horas bajo ese sol ha sido una estupidez.»

AYUDA

aterrizar	*to land*
disculpar	*to forgive*
la cola	*queue*
sentir(ie)	*to be sorry*
permanecer	*to stay*
la gripe	*flu*
la garganta	*throat*
el carril	*lane*
devolver	*to return something*
la cafetera	*coffee pot*
¡Ay, qué desastre!	*Oh, what a disaster!*
la piel	*skin*
quemar(se)	*to get (sun)burnt*
te falta	*you need*
el reposo	*rest*
la pérdida	*loss*
fracasar	*to fall through*
el riesgo	*risk*
tuvo lugar	*happened/ took place*

B Decide, según lo que has escuchado y leído:

1 ¿Quién habla de algo que ocurrió en la playa?
2 ¿Quién va a ir a la Oficina de Objetos Perdidos?
3 ¿Quién estaba hablando con un vecino?
4 ¿Quién estaba en la taquilla del cine?
5 ¿Quién estaba en un avión?
6 ¿Quién estaba enfermo?
7 ¿Quién estaba en un quiosco?
8 ¿Qué conversación tuvo lugar en la carretera?
9 ¿Quién estaba en unos almacenes?
10 ¿Quién está hablando con su novio por teléfono?

AYUDA

las cercanías	*in the vicinity of*
dar(se) cuenta de	*to realise*
broncear(se)	*to get a tan*
corriente	*draught*
abrigado/a	*warm/wrapped up*

C Lee otra vez lo que dicen las diez personas. ¿Quién probablemente dijo lo siguiente también?

a «Mi marido y yo tenemos que empezar a trabajar a las ocho de la mañana.»
b «Hay tres heridos, bastante graves.»
c «No, no importa. Me llevaré una revista.»
d «Hay una tormenta muy fuerte en las cercanías del aeropuerto.»
e «Hay mucha corriente en la casa y vas a empeorar. En tu habitación estás más abrigado.»
f «A la sesión de tarde siempre es más fácil.»
g «Quedan muy pocas entradas y no voy a ser yo quien se quede fuera.»
h «No me di cuenta hasta el momento en que bajé del autobús.»
i «Quiero broncearme pero no tengo mucho cuidado.»
j «La compraré en otros almacenes.»

D ESCRIBE EN ESPAÑOL

1 I am very sorry.
2 We are very sorry.
3 An hour's delay.
4 5 minutes ago.
5 I have been here for 5 minutes.
6 It doesn't matter.
7 It doesn't work.
8 I want to return the coffee pot.
9 The queue
10 Tickets (cinema)

TELENOTICIAS

En España la mayoría de los médicos, después de la carrera, a menudo realiza una especialización. El público más bien acude directamente al especialista y no pasa por el doctor de medicina general.

1 Y en tu país, ¿es fácil tener cita con un especialista?
2 ¿Es bueno/a tu doctor/a?

LIBRO DE EJERCICIOS A B C

E ESCUCHA

Carmen ha quedado con Pablo en la entrada del metro de Callao. Es sábado y son las siete de la tarde.

Carmen Hola, Pablo. ¿Qué tal? ¿Qué hay de nuevo?
Pablo Regular, regular, como siempre.
Carmen Estoy un poco cansada hoy. ¿Adónde quieres ir?
Pablo No sé. ¿Qué quieres hacer tú?
Carmen Primero quiero ir a Macdonalds a cenar y después quiero ir al cine.
Pablo Mira, cuidado, Carmen, yo no soy millonario. Sólo tengo setecientas pesetas.
Carmen Entonces no quiero salir contigo. Me voy a casa. Adiós.
Pablo Bueno, espera un momento, creo que tengo dos mil pesetas en el otro bolsillo.
Carmen ¡Vale! Me quedo. Vamos a Macdonalds, que tengo mucha hambre.

Entran en Macdonalds. Carmen toma tres hamburguesas, un batido de chocolate y dos naranjadas. Pablo no come nada pero paga dos mil pesetas.

Pablo Bueno, vamos a la discoteca. Conozco una donde hay mucho ambiente y no está muy lejos.
Carmen ¡Ni hablar! Lo siento, Pablo, pero yo tengo novio y no puedo ir a bailar contigo. El está trabajando esta noche y no puede salir conmigo. Pero al cine sí voy.
Pablo Entonces, adiós. ¡No estoy loco! ¿Crees que soy idiota? Ve mañana con tu novio. Me voy. Adiós.

Gratis un refresco (mediano) o una cerveza al comprar una hamburguesa con queso. Válido del 8 al 28 de febrero de 1987 en todos los restaurantes McDonald's de Madrid y La Coruña. Sólo un cupón por pedido. No válido con ninguna otra oferta. ¡GRATIS!

Gratis unas patatas grandes al comprar una doble hamburguesa con queso. Válido del 8 al 28 de febrero de 1987 en todos los restaurantes McDonald's de Madrid y La Coruña. Sólo un cupón por pedido. No válido con ninguna otra oferta. ¡GRATIS!

ESCUCHA, LEE Y ESCRIBE

Listen again to the conversation between Carmen and Pablo and then read what they said and use it to help you write the Spanish for the following:

at the tube entrance
I'm a little tired
I have a date
careful
I don't know
let's go

a milk shake
I know a discotheque
I only have
What's new?
I'm off!
I'm very hungry

it's Sunday
How are things?
wait a moment
first of all
Fine, I'll stay

as usual
it's not far
I'm sorry
tonight
I can't go

I think I have
I'm not crazy
Where do you want to go?
What do you want to do?
I don't eat anything

Miguel
«A veces voy al médico, pero nada serio, problemas de garganta.»

Maribel
«Nunca he estado en un hospital, bueno, solamente en la sala de espera.»

Bruce
«Estuve quince días en una clínica. Lo pasé muy mal . . . una mala experiencia . . . no quiero volver otra vez a los hospitales.»

Eva
«Nunca he estado en el hospital. Generalmente voy al médico, pues . . . con constipados, no mucho. Una vez me torcí un tobillo, pero nunca nada grave.»

Helena
«He estado una vez tres semanas en el hospital, porque tenía sinusitis, y no me ha gustado mucho.»

Trini
«Siento un poco de miedo, un poco de pena, de tristeza hacia los hospitales. Al dentista tengo que ir por necesidad. Me da bastante miedo pero suelo ir porque no tengo más remedio.»

María José
«Me quitaron las anginas de pequeña. Sólo estuve un par de horas en el hospital. Ir al dentista no me hace mucha gracia. En Granada hay buenos dentistas pero caros. En general ir a los médicos es algo desagradable porque todo lo que no se controla produce un poco de miedo.»

F ¿QUIÉN? ¿QUIÉNES? ¿A QUIÉN?

1 ¿. . . piensa que los dentistas son caros?
2 ¿. . . va al médico cuando está constipada?
3 ¿. . . siente pena y miedo hacia los hospitales?
4 ¿. . . lo pasó muy mal una vez en el hospital?
5 ¿. . . ha ido al hospital, pero sólo a la sala de espera?
6 ¿A . . . le quitaron las anginas de niña?
7 ¿. . . tiene un hermano que es médico?
8 ¿. . . le tiene miedo a los dentistas?

Marisé
«No he estado nunca hospitalizada. He estado en hospitales por motivos de visitas a alguien, o como tengo un hermano que es cirujano y una hermana que es enfermera he ido para hablar con ellos, pero nada más, afortunadamente.
Los dentistas son los seres más temidos por mí. Me pongo nerviosísima. Tengo un miedo terrible.»

Dra. Nohora C. Pérez Figueroa
MEDICO OCULISTA
CONSULTA DE 5,30 A 8
Plaza de la Iglesia, 12-7º.-A.
TELEFONO 764850
LA LINEA

PREVISION = CENTRO DE SALUD

Dr. GONZALO ANDUIZA
ORTOPEDIA INFANTIL
TRAUMATOLOGIA
(I. M. Q.)
Consulta tardes (pedir hora). Alda. Recalde, 24-1º (clínica).
Tfnos. 4232109-08.

AYUDA

la clínica	*hospital*
torcer	*to twist*
el tobillo	*ankle*
el miedo	*fear*
no tener más remedio	*to have no other option*
las anginas	*tonsils*
no me hace mucha gracia	*I don't particularly enjoy*
no me hace ninguna gracia	*I don't like it at all*

G En tu cuaderno RELLENA según tus experiencias.

1 No me gustan los hospitales porque ______.
2 He estado en el hospital ______.
3 Me quitaron las anginas cuando tenía ______ años.
4 Voy al dentista ______ vez/veces al año.
5 Voy al médico cuando ______.
6 Voy al dentista cuando ______ dolor de muelas.
7 No me hace mucha gracia ______.
8 Cuando estoy enfermo/a no puedo ______ (infin.).
9 Cuando estoy constipado/a ______.
10 Suelo estar enfermo/a ______.

TELENOTICIAS

La drogadicción en España es un problema muy grave. Hasta hace poco estaba aumentando día a día, y había muchos delitos relacionado con la droga. Pero gracias a los muchos centros de rehabilitación, ahora el problema está un poco más bajo control. ¿DROGAS? TÚ TIENES LA ÚLTIMA PALABRA. SIEMPRE DI NO, NO Y NO.

1 Y en tu ciudad/país, ¿es serio el problema de la droga?
2 ¿Te dan información contra la droga en el instituto?

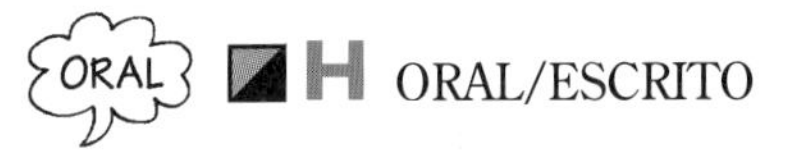

H ORAL/ESCRITO

1 ¿Has estado alguna vez en el hospital? ¿Durante cuánto tiempo?
2 ¿Vas muchas veces al médico?
3 ¿Cuántas veces al año vas al dentista?
4 ¿Tienes miedo de ir al dentista?
5 ¿Te gustaría ser médico o dentista?

Aprende 72

RECUERDA

yo	= *I*
tú	= *you (s)*
él/ella	= *he/she*
nosotros/as	= *we*
vosotros/as	= *you (pl)*
ellos/ellas	= *they*

Jugaba al fútbol todos los días.
I used to play football every day.
Bajaba por la calle cuando vi a mi tío.
I was going down the road when I saw my uncle.
Mis abuelos no tenían mucho dinero.
My grandparents didn't have much money.

NB **(i)** había *there was/were*
(ii) veía, veías, veía . . . VER keeps the 'e'
(iii) veía bien la carretera can mean *I/he/she could see the road well*

IMPERFECT

-AR	-ER/-IR	IR	SER
habl **aba**	beb **ía**	iba	era
compr**abas**	ten **ías**	ibas	eras
lleg **aba**	com **ía**	iba	era
nad **ábamos**	sal **íamos**	íbamos	éramos
and **abais**	sub **íais**	ibais	erais
pag **aban**	ped **ían**	iban	eran

Also

Estar +	**-ando (-AR)**	**-iendo (-ER/-IR)**
estaba	comprando	comiendo
estabas	tratando	construyendo
estaba	nevando	lloviendo
estábamos	pensando	escribiendo
estabais	bailando	corriendo
estaban	hablando	leyendo

1 Escoge una expresión de cada columna y forma frases.

Cuando tenía doce años	jugaba mucho	con mis amigos
El año pasado	salía mucho	con mis primos
Todos los días	hacía muchas cosas	con mis padres
Todos los veranos	ayudaba mucho	solo/sola en casa
Cuando era pequeño/a	hacía los deberes	en autobús
	iba al instituto	dinero
	hablaba mucho	de vacaciones
	no tenía mucho	en casa
	pasaba quince días	

AYUDA

de antelación	*early*
intentar	*to try*
alegrar(se)	*to be glad*
preocupar(se)	*to worry*
acerca de	*on the subject of*

Encarnación
Cuando yo **estaba haciendo** los exámenes mi madre **estaba** bastante enferma.
Mi hermana y yo **íbamos** todos los días a la clínica.
Como la clínica **estaba** en el centro **teníamos** que coger un autobús y luego el metro.
La hora de visita **era** de seis a ocho, así que **salíamos** de casa a las cuatro, con dos horas de antelación.
Si **podía, intentaba** hablar con el especialista todos los días.
Cuando nos **veía** mi madre **se alegraba** mucho aunque **estaba** muy molesta y **sufría** bastante.

Pasábamos dos horas charlando y ella no **hacía** más que preocuparse por nosotras.
Pero, poco a poco, **nos dábamos cuenta de** que **estaba** mejorando.
Yo no **estaba** bien preparada para mis exámenes.
Esas mañanas **eran** desastrosas.
Gracias a Dios, después de cuatro meses, volvió a casa mamá y ahora se ha recuperado totalmente.

J Lee lo que nos cuenta Encarnación y contesta:

1 ¿Cómo estaba su madre cuando Encarnación estaba haciendo sus exámenes?
2 ¿Cómo iban Encarnación y su hermana a la clínica?
3 ¿Con quién intentaba hablar Encarnación todos los días?
4 ¿Cómo reaccionaba la madre cuando veía a sus hijas?
5 ¿Cómo estaba la madre?
6 ¿Cuántas horas pasaban charlando?
7 ¿La madre estaba empeorando o mejorando?
8 ¿Qué pensaba Encarnación acerca de sus exámenes?

¡Y ahora tú!
Contesta estas preguntas utilizando al menos uno de los verbos dados aquí:

9 ¿A qué deporte jugabas cuando tenías once años? (jugaba (al)/practicaba)
10 ¿Qué hacías los domingos el verano pasado? (iba a/salía con)
11 ¿Qué tomabas para desayunar cuando eras pequeño/a? (tomaba/comía/bebía)
12 ¿Cuántos años tenías cuando empezaste a aprender español? (tenía)

Aprende 73

hay → había	Hay 5 personas.	Había 5 personas.
está → estaba	¿Dónde está?	¿Dónde estaba?
es → era	Es la una.	Era la una.
son → eran	Son las dos.	Eran las dos.
hace → hacía	Hace calor.	Hacía calor.
tengo + tiene → tenía	Tengo 8 años.	Tenía 8 años.
puedo + puede → podía	Puedo salir.	No podía salir.
sé + sabe → sabía	No lo sé.	No lo sabía.

K Cambia los verbos del presente al imperfecto.

Ejemplo: Son las tres → Eran las tres.

1 Son las seis y media.
2 Está lloviendo.
3 Hay quince chicas en mi clase.
4 No tengo dinero.
5 Hace mucho frío.
6 No puedo volver tarde.
7 Es martes.
8 No sé nadar.

Es martes, 19 de agosto. Son las nueve y media de la mañana y Don Idiota está en la cama.

Es sabado, 19 de diciembre. Son las ocho y media de la noche. Está lloviendo y Don Idiota está en la playa

L Cambia el texto de los dibujos del presente al imperfecto.

TELENOTICIAS

Se sabe que el ladrón que se escapó de la cárcel ayer, de pequeño ya salía de noche hasta las tantas y entraba por la ventana en todas las casas que podía. No pasaba tiempo con su familia y tenía ocho años cuando lo expulsaron de la escuela.

EN LA FARMACIA

Farmacéutico	Buenas tardes, señora. ¿En qué puedo ayudarle?
Señora	Tengo fiebre, me duele la garganta, y a veces siento frío.
Farmacéutico	Bueno, aquí tiene usted estas pastillas y dentro de dos días se encontrará mejor.
Señora	¿Cuántas tengo que tomar al día? ¿Y cuándo?
Farmacéutico	Una cada cuatro horas, pero no más de seis al día. Y si la fiebre no baja consulte usted a su médico. Son quinientas veinte pesetas.

Chico	¿Tiene usted algo para el dolor de estómago?
Farmacéutico	¡A ver! ¿Qué te pasa?
Chico	Me duele mucho el estómago. A veces me parece que voy a vomitar. Además no tengo ganas de comer nada.
Farmacéutico	Bueno, bueno. Te vamos a dar unas pastillas que . . .
Chico	Prefiero un jarabe . . . no me gustan las pastillas. No las puedo tragar.
Farmacéutico	No hay ningún problema. Mira, este jarabe tienes que tomarlo tres veces al día. Dos cucharitas a las horas de las comidas. Te volverá el apetito y te sentirás mejor.
Chico	Gracias. ¿Cuánto es?
Farmacéutico	Son trescientas noventa.

1 En tu pueblo/ciudad, ¿hay mucho robo?
2 ¿Los jóvenes cometen muchos crímenes?

LIBRO DE EJERCICIOS D E F

☐ **M** Lee las conversaciones y escribe.

Read the conversations in the chemist and find the Spanish for the following. Arrange them into columns for Cliente 1 and Cliente 2.

see your doctor it's 390 pesetas I feel cold
I don't feel like taking pills I don't like pills
How many do I have to take? you will feel better
I have a sore throat I prefer a syrup three times
a day your appetite will come back two teaspoons
to vomit one every four hours no more than four
I can't swallow I have a temperature
it's 520 pesetas stomach-ache you will feel better

N LEE Y CONTESTA

1 What is being advertised in the first advert (¡Qué morena estás!)?
2 Where can you buy it?
3 The product claims to prevent wrinkled skin. What other two advantages does it have?
4 What is the only cautionary note?
5 What question does ATHENA want us all to think about?
6 List the services they offer to the client.
7 How do they sum up their overall service?
8 On what occasions could OKAL bring you relief?
9 How have they made their children's products more appealing?
10 What should you do if you have stomach problems?

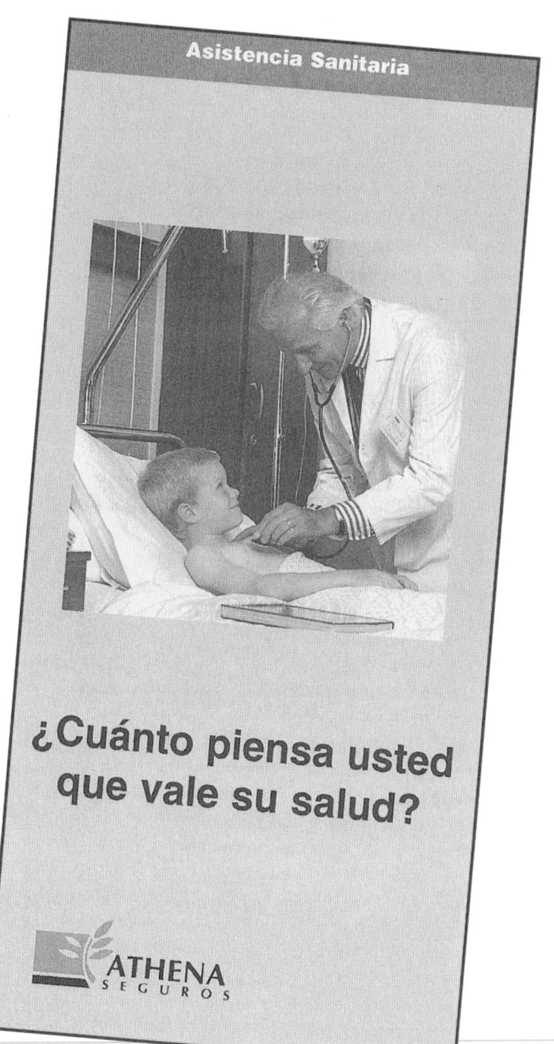

ATHENA SEGUROS
UN SERVICIO PRIVILEGIADO

- Asistencia en consulta y a domicilio.
- Habitación individual en Sanatorio y cama para el acompañante.
- Servicio permanente de urgencias.
- Ambulancias.
- Libre elección de especialistas en la Guía completa de Servicios Sanitarios Athena.
- Los medios y tratamientos más recientes.
- Posibilidad de suplemento dental y de seguro opcional de accidentes.
- Atención médica y quirúrgica de urgencia fuera de su municipio.
- Asistencia Internacional (ver tarjeta de asistencia) en caso de accidente o de urgencia ...

Resumiendo, una medicina avanzada.

LIBRO DE EJERCICIOS G H

NI DUERMO NI ANDO ¡AYÚDAME, TÍA AGONÍA!

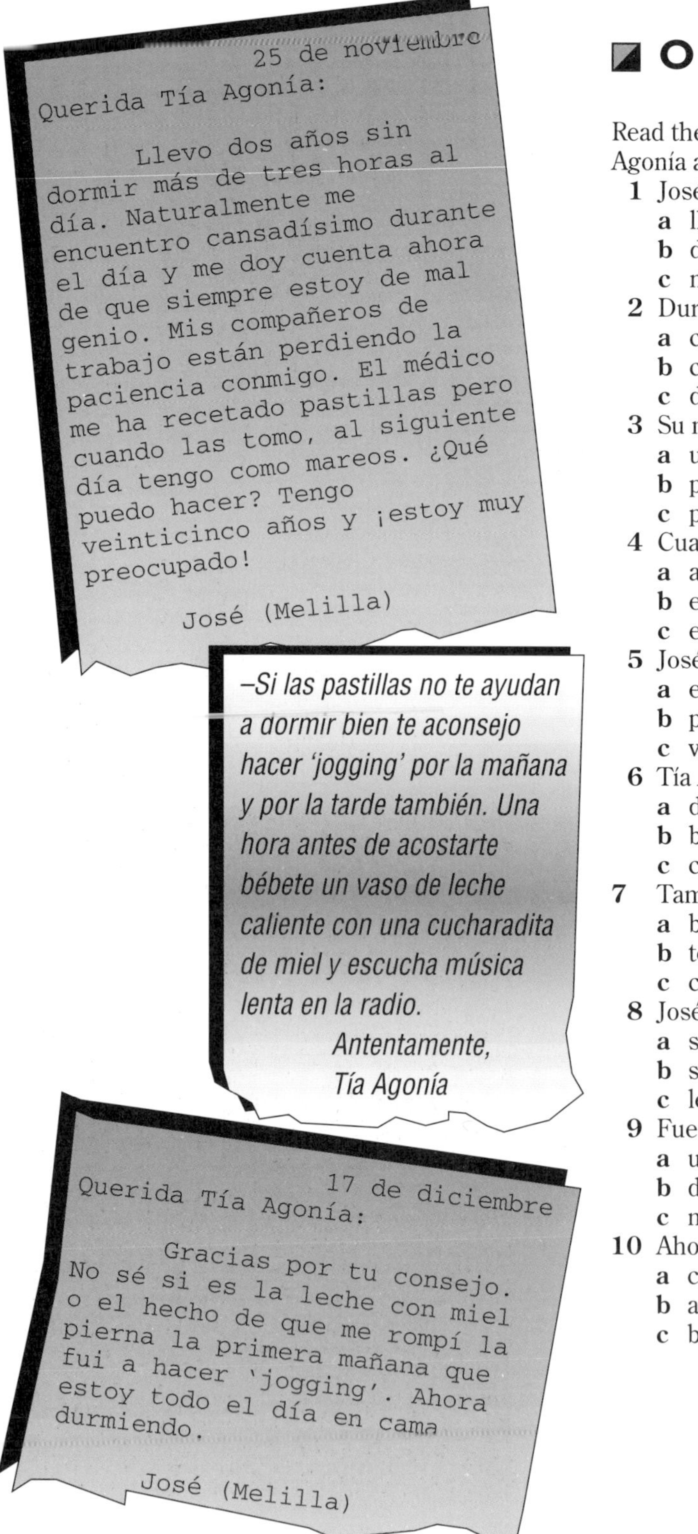

25 de noviembre

Querida Tía Agonía:

Llevo dos años sin dormir más de tres horas al día. Naturalmente me encuentro cansadísimo durante el día y me doy cuenta ahora de que siempre estoy de mal genio. Mis compañeros de trabajo están perdiendo la paciencia conmigo. El médico me ha recetado pastillas pero cuando las tomo, al siguiente día tengo como mareos. ¿Qué puedo hacer? Tengo veinticinco años y ¡estoy muy preocupado!

José (Melilla)

–Si las pastillas no te ayudan a dormir bien te aconsejo hacer 'jogging' por la mañana y por la tarde también. Una hora antes de acostarte bébete un vaso de leche caliente con una cucharadita de miel y escucha música lenta en la radio.

Antentamente,
Tía Agonía

17 de diciembre

Querida Tía Agonía:

Gracias por tu consejo. No sé si es la leche con miel o el hecho de que me rompí la pierna la primera mañana que fui a hacer 'jogging'. Ahora estoy todo el día en cama durmiendo.

José (Melilla)

O LEE Y ELIGE

Read the correspondence between José and Tía Agonía and choose the correct information.

1 José escribió a Tía Agonía porque
   a llevaba dos años en cama.
   b dormía demasiado.
   c no podía dormir.
2 Durante el día se encontraba
   a con mucha energía.
   b con sus compañeros.
   c de mal humor.
3 Su médico le recetó
   a un jarabe.
   b píldoras para dormir.
   c pastillas para el dolor de cabeza.
4 Cuando tomaba las pastillas sentía mareo
   a al día siguiente.
   b en la cama.
   c en seguida.
5 José está preocupado porque
   a es joven para tener tales problemas.
   b pronto cumple veintiséis años.
   c vive en Melilla.
6 Tía Agonía le aconseja
   a dormir bien.
   b bailar el 'rock'.
   c correr un poco.
7 También le aconseja
   a beber leche con una cucharita.
   b tomar algo caliente con miel.
   c comprar una radio.
8 José escribe el 17 de diciembre diciendo que
   a sigue sin poder dormir.
   b sufrió un accidente.
   c le encanta hacer 'jogging'.
9 Fue a hacer 'jogging'
   a una vez.
   b dos veces.
   c muchas veces.
10 Ahora está todo el día
   a corriendo.
   b acostado.
   c bebiendo leche con miel.

¿TE ABURRES?

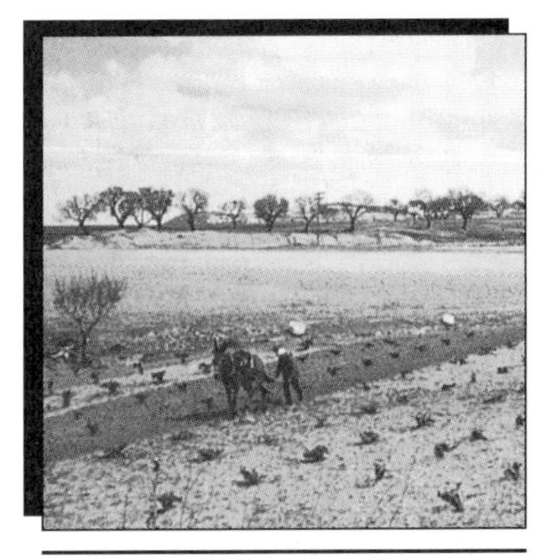

La vida de pueblo
«La vida de pueblo es bastante monótona. No hay mucho que hacer, es un poco aburrida, la verdad. Vamos al cine y estamos en la sesión de tarde a lo mejor seis o siete personas. De noche no hay mucha animación. Pero claro, tenemos mucho más tiempo para leer y hablar con la gente, aunque los grupos son muy reducidos. Alcázar de San Juan es muy tranquilo, demasiado tranquilo.»

La vida de capital
«En la capital tienes más opciones. Te puedes dedicar a salir bastante, ir al teatro, ir a exposiciones, ir de compras. Hay más variedad. La gente sale mucho a tomar vinos, cañas. Claro, es todo mucho más caro y necesitas tiempo para ir de un sitio a otro.»

AYUDA

la capital — *not only Madrid, but* capital de provincia

Aprende 74

no hay mucho que hacer	es muy aburrido
no hay nada que hacer	es muy tranquilo
(no) hay donde ir	es muy interesante
se puede salir	es muy divertido
hay mucha vida nocturna	es demasiado pequeño
(no) hay mucha animación	es muy caro
hay mucha variedad	es muy barato
hay muchas atracciones	

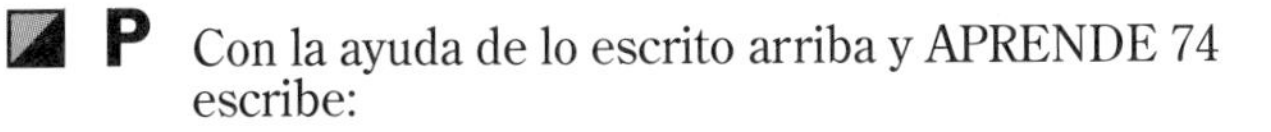

P Con la ayuda de lo escrito arriba y APRENDE 74 escribe:

a En la capital (no) se puede . . .
En el pueblo (no) se puede . . .
b Escribe sobre tu ciudad o pueblo:
En ______, donde vivo, hay ______.
Se puede ______.

Ejemplo:
Sonia
«En Londres, donde vivo, hay mucho que hacer. La capital está llena de teatros, cines, galerías de arte y museos, y tiene mucha vida nocturna. Es una ciudad bastante divertida, con muchas atracciones, donde se puede hacer de todo. Pero necesita uno tener mucho dinero, porque todo es muy caro. Así que solamente es posible salir una vez por semana al West End, donde hay mucha animación, especialmente los fines de semana.»

LEE

Si no quieres tener problemas ... ¡CUÍDATE!
No fumes. No abuses del alcohol. No pruebes las drogas. Aliméntate bien, de forma equilibrada. No comas demasiado picante ni abuses de las bebidas gaseosas. No tomes demasiado azúcar ni dulces. No comas muchas grasas. Haz ejercicio regularmente. Haz una vida sana. Aprende a relajarte y a pasarlo bien. Sé positivo y ayuda a los demás a sentirse bien. No corras riesgos innecesarios. No vuelvas solo/a a casa muy tarde de noche. No vayas en coches de amigos que conducen de forma peligrosa. Lávate los dientes después de cada comida. Ve/acude regularmente al dentista. Cuídate la vista: lee sólamente donde haya buena luz. Si pasas tiempo delante del ordenador, usa una buena silla y adopta una buena postura. Evita situaciones de estrés: haz los deberes y no discutas con tu familia. Debes dormir al menos 8 horas cada noche. Si puedes, descansa un poco al mediodía. Relaciónate con gente buena.

■ **Q** ¿Cómo se dicen estas frases en español?

No
Don't smoke
Don't experiment with drugs
Don't eat too much fat
Don't run unnecessary risks
Don't go home on your own if it's very late
Don't read if the light is insufficient
Don't get into stressful situations
Don't argue with your family
Don't get in with the wrong crowd

Sí
Follow a balanced diet
Exercise regularly
Avoid too many fizzy drinks
Take regular exercise
Be positive and help others to be so
Clean your teeth after meals
Use a suitable chair if you spend a lot of time at your computer
Keep up to date with homework
Sleep for at least 8 hours

¿Qué te impide sonreir?

¿Caries, dolor de muelas, molestias al comer ...?

PELIGRO EN LA CARRETERA

CUATRO HERIDOS EN LA M-30

Cuatro personas resultaron heridas ayer de madrugada en una colisión de tres vehículos en la M-30. Los heridos son tres viajeros de un coche particular y el conductor de un camión. A lo largo de la mañana hubo muchas retenciones debido a que el camión accidentado y uno de los dos coches afectados quedaron cuatro horas atravesados en la calzada.

AVISO

Se ruega a las personas que presenciaron el accidente de circulación el pasado día 18, a las cuatro y cuarto de la madrugada en la M-30 frente a la fábrica Ayalon, S.A. Lo comuniquen por favor al teléfono 5711038.

AYUDA

presenciar	*to witness*
el coche particular	*private car*
la retención	*hold-up*
atravesado/a	*across*
atravesar	*to cross*
la calzada	*carriageway/road*

R LEE Y CONTESTA

1 What is the 'Aviso' asking for?
If you had been a witness, which of the statements below would you choose for a written report?

2 a Eran las dos y cuarto de la madrugada.
  b Eran más o menos las cuatro de la madrugada.

3 a Vi una colisión de dos coches y un camión.
  b Vi una colisión de tres coches y un camión.

4 a En un coche hubo cuatro heridos.
  b En uno de los coches no hubo heridos.

5 a El camionero y dos personas resultaron heridos.
  b El camionero y todos los viajeros de uno de los coches resultaron heridos.

6 a Los tres vehículos quedaron atravesados en la calzada.
  b Dos vehículos quedaron atravesados en la calzada.

CRASH ON N-3
CAR AND LORRY CRASHED YESTERDAY AFTERNOON AT 3.30 PM
4 PASSENGERS IN CAR.
2 SLIGHTLY HURT, BOTH DRIVERS ESCAPED WITHOUT INJURY.
ONE HOUR'S HOLD-UP ON THE MOTORWAY.

S ESCRIBE

Según los datos aquí dados, rellena en tu cuaderno este reportaje:

_____ PERSONAS HERIDAS EN LA M-30

Dos _____ resultaron heridas ayer por la _____ a las tres y _____ en una colisión de _____ vehículos, un _____ y un _____. En el _____ particular había _____ personas. Dos viajeros del _____ resultaron levemente _____. Los _____ conductores están bien pero hubo una _____ de retención en la _____ por causa del _____.

¿ERES DONANTE?

LLEVA CUATRO MESES ESPERANDO UN TRASPLANTE

RAFA, SIETE AÑOS, NECESITA UN CORAZÓN

Rafael Pacheco Gómez, un niño de la Provincia de Huesca de siete años de edad, necesita un corazón. Puede morir en muy poco tiempo si no se le realiza un trasplante con toda urgencia.

Rafa, como le llaman en casa, es un niño guapo, rubio, con enormes ojos negros. Es inteligente y le gusta leer. Ahora pasa mucho tiempo escuchando la radio pero apenas habla, apenas sonríe y nunca se ríe. Se cansa el corazón de Rafa con el más mínimo esfuerzo. El corazón de Rafa no le permite reírse.

Rafa, tercer hijo de María Gómez y Miguel Pacheco, lleva casi cinco meses en el hospital Ramón y Cajal, de Madrid. El médico que le atiende nos explica que requiere un trasplante con toda urgencia pero que todavía no han encontrado un corazón que le convenga.

Su abuela, Juanita, nos cuenta con tristeza: – Es un niño valiente. Nunca se queja. Sabe que está muy enfermo y que necesita un corazón. Llevamos casi cinco meses esperando y esperamos hasta el final. Pero un corazón es la única cosa que puede salvarle la vida.

T Lee la historia de Rafa y contesta las siguientes preguntas:

1. How old is Rafael and what does he look like?
2. What are his interests?
3. How long has he been in hospital and is he in hospital in his home town?
4. What is his medical condition?
5. Give two details that tell us that his condition is extremely serious at present.
6. Is Rafael an only child?
7. Who is Juanita?
8. How is Rafael coping with his condition and does he realise he is seriously ill?
9. Why has he not yet had the operation he needs?
10. From what Juanita says, how optimistic do you think the family is about Rafael's future?

CAPÍTULO CINCO

Deportes, fiestas y costumbres

¿Dónde vas a pasar las Navidades?

José
«Voy a pasarlas con mis abuelos en Ávila porque mis padres se van de vacaciones a Italia.»

AYUDA

el gol	*goal*
la localidad	*ticket (entertainment)*
Pascuas	*Easter*
Tierra Santa	*The Holy Land*
la procesión	*procession*
la Lotería	*lottery (buying numbers)*
si me toca	*if I win*
el gordo	*first prize in lottery*
iría	*I would go*
la Primitiva	*lottery (choosing numbers)*

¿Qué tal el partido?

Carmen

«Muy aburrido. No hubo goles y me fui veinte minutos antes del final.»

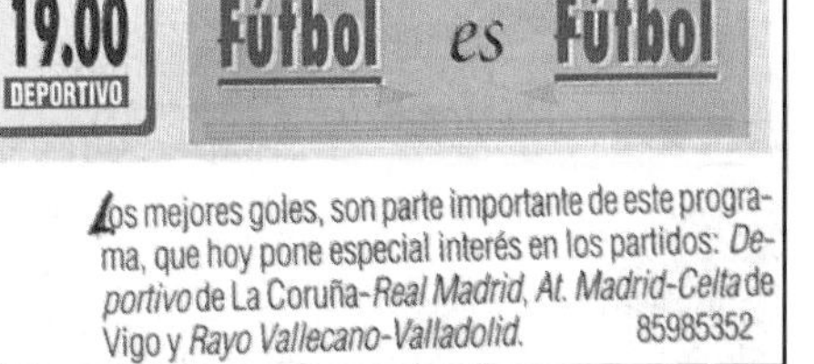

19.00 DEPORTIVO **Fútbol** *es* **Fútbol**

Los mejores goles, son parte importante de este programa, que hoy pone especial interés en los partidos: *Deportivo* de La Coruña-*Real Madrid*, *At. Madrid-Celta* de Vigo y *Rayo Vallecano-Valladolid*. 85985352

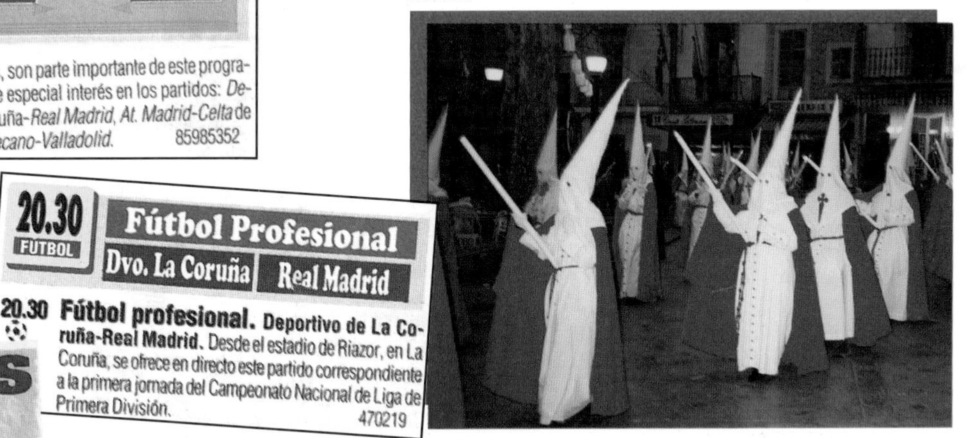

20.30 FÚTBOL **Fútbol Profesional** Dvo. La Coruña | Real Madrid

20.30 **Fútbol profesional. Deportivo de La Coruña-Real Madrid.** Desde el estadio de Riazor, en La Coruña, se ofrece en directo este partido correspondiente a la primera jornada del Campeonato Nacional de Liga de Primera División. 470219

PLAZA DE TOROS DE **MIJAS**

DOMINGO 24 DICIEMBRE 95 GRAN ACONTECIMIENTO TAURINO A LAS 4.30 DE LA TARDE

HNOS. GALAN

JOSE FUENTES

FRANCISCO JOSE PORRAS

JUAN MURIEL

JOSE MANUEL FUENTES

VENTA DE TICKETS: en su Hotel y Agencia de Viajes - Plaza de Toros - Telf.: 46 52 48.

Entonces, ¿qué? ¿vamos a la corrida o no?

Ricardo

«He encontrado cuatro entradas de sol. Localidades de sombra no quedaban.»

¿Qué vas a hacer en abril?

Sr. González

«Estas Pascuas quisiera ir a Tierra Santa, porque ya he ido muchas veces a las procesiones de Semana Santa en Sevilla.»

¿Qué tal las fiestas?

Tina

«Me encantan las fiestas de mi pueblo. No es como la feria de Sevilla pero aquí en Soller conozco a todo el mundo y siempre lo pasamos muy bien. Tengo muchas fotos de las procesiones de Semana Santa.»

¿Va a comprar usted Lotería de Navidad?

Admon. LOTERIAS nº 19 ZODIACO Primitiva Bono Loto

Sr. González

«Claro que sí. Si me toca el gordo de la Lotería o la Primitiva ya no trabajo más y entonces seguro que iría a Jerusalén para Semana Santa.»

A ESCUCHA, LEE Y CONTESTA

1. ¿Quién no esperó hasta el final?
2. ¿Quién prefiere las fiestas de su pueblo?
3. ¿Quién no va de vacaciones con sus padres?
4. ¿Quién quisiera visitar Israel?
5. ¿Quién va a pasar mucho calor?
6. ¿Quién depende de la suerte para ir a Tierra Santa?
7. ¿Qué va a hacer José en Ávila?
8. ¿Qué hacía Carmen en el estadio?
9. ¿Por qué compró Ricardo localidades de sol?
10. ¿Para qué iba el Sr. González a Sevilla?
11. ¿Le gusta a Tina la feria de Sevilla?
12. ¿Qué va a hacer el Sr. González si le toca el gordo?

¿Practicas algún deporte?

YO ♥ BARCELONA F.C.B.

Miguel
«Practicar, practicar . . . no, pero me gusta mucho el atletismo.»

Elena
«Me gustan los deportes pero no me gusta practicarlos. El único que practico es la natación y algunos inviernos, el esquí.»

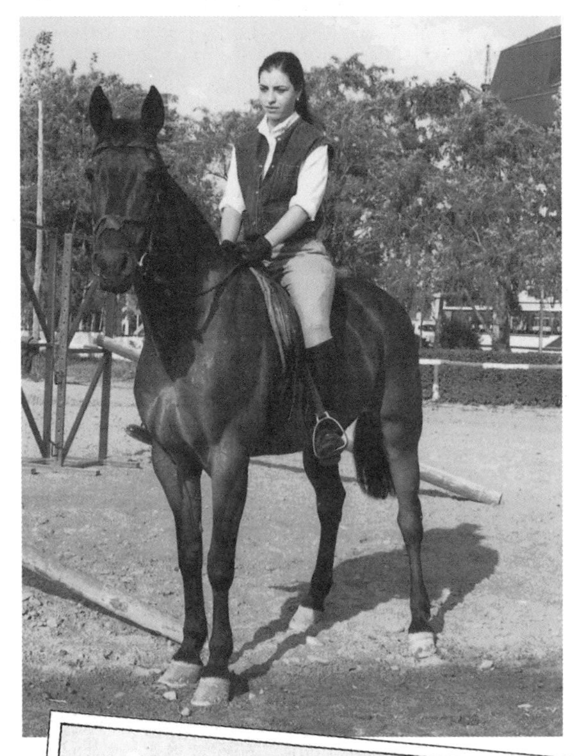

DEPORTES SOBRINO

Tenemos todo para el deporte

Visítenos – Posada de Llanes

ESPECIALISTAS EN CICLISMO

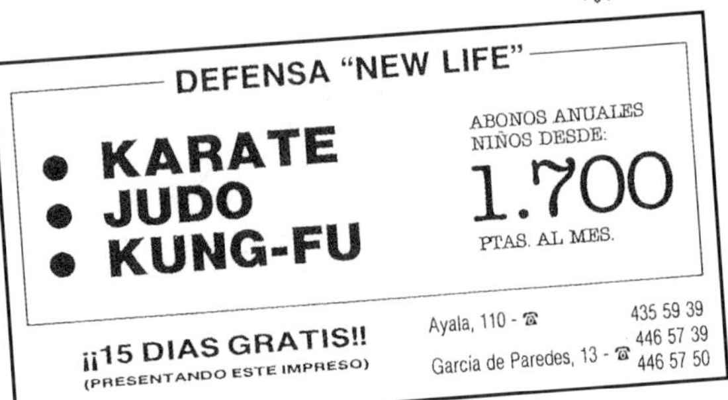

Eva
«Me gusta el baloncesto, el atletismo, el tenis . . . pero salvo el baloncesto, que a veces voy con las amigas a jugar un rato, no suelo practicarlos.»

Maribel
«En verano practico la natación. He ido varios años a recibir clases a una piscina que está cerca de mi casa.»

Ana

«El deporte me relaja muchísimo. En invierno voy al norte de Cataluña los fines de semana a esquiar. Me gusta muchísimo pero cuesta mucho. En verano juego al tenis y hago esquí acuático, que es fascinante. No tengo palabras para explicarlo. También he hecho karate dos años porque me gustaría saber cómo defenderme. Ahora soy cinturón azul.»

Cristina

«En Zaragoza lo que se hace es ir a correr o con la bicicleta a un pinar por la zona del parque y creo que hay gente que va con la moto por los alrededores. También hay un estadio de fútbol. Pero, personalmente, no me interesan mucho los deportes.»

Javier

«Mientras dura el verano voy a descansar, a dedicarme a practicar los deportes que me gustan, como baloncesto, tenis y natación. También saldré más con mis amigos e incluso iré algún tiempo de excursión o a la playa.»

 **B** LEE Y CONTESTA

¿Quién? ¿Quiénes?

1 ¿Quiénes practican la natación?
2 ¿A quiénes les gusta el atletismo?
3 ¿Quiénes son muy deportistas?
4 ¿Quién está mejorando su estilo en natación?
5 ¿Quiénes juegan en un equipo?
6 ¿Quién es más bien espectador que deportista?
7 ¿Quién practica un deporte que le pueda ser útil si le atacan?
8 ¿A quién le encanta esquiar?
9 ¿Quién no hace ningún deporte?
10 ¿Cuál es el deporte más común entre este grupo?

AYUDA

salvo	*apart from*
un rato	*a while*
relajar(se)	*to relax*
costar(ue)	*to cost*
el esquí acuático	*water-skiing*
fascinante	*fascinating*
el pinar	*pine wood*
los alrededores	*surrounding areas*
descansar	*to rest*
más bien	*rather*

JUEGOS OLÍMPICOS, ATLANTA 1996

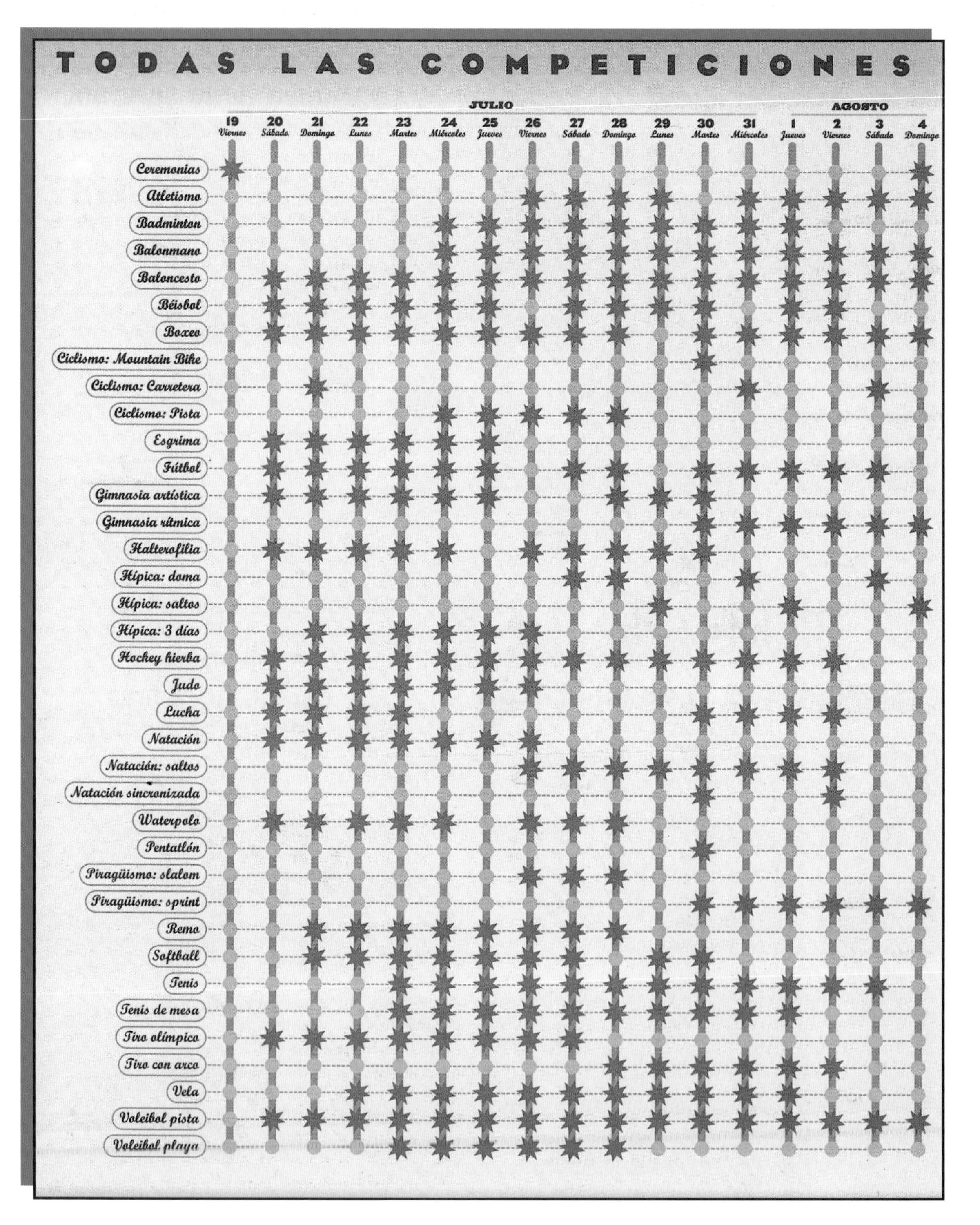

C

Los Juegos Olímpicos de Atlanta 1996 comenzaron con la ceremonia de apertura el viernes 19 de julio.

Ahora estudia el programa y contesta sin contar el primer día, 19 de julio, día de la apertura.

1. ¿Qué día fue la ceremonia de cierre?
2. ¿Qué día no hubo boxeo?
3. ¿Durante cuántos días hubo fútbol?
4. ¿Qué dos deportes duraron solo un día?
5. ¿Qué dos deportes tuvieron lugar todos los días?
6. ¿Qué día se jugó la final de ping-pong?
7. ¿Qué competición se jugó a orillas del mar?
8. ¿Cuántos días duró el atletismo?
9. ¿Cuál fue la primera competición en terminar?
10. ¿Cuántas competiciones terminaron el último día?

Aprende 75

(No) me interesa(n)	el golf
No sé nada de	el balonmano
(No) me gusta(n)	el fútbol
Me gusta mucho	el ajedrez
Me gusta jugar a	los toros
Juego mucho a	el baloncesto
No me gusta nada	el ciclismo
No tengo tiempo para practicar	la natación
Soy aficionado/a (a)	el atletismo
	el tenis
	el tenis de mesa/ping-pong

Remember [a + el = al] and [de + el = del]

JUGAR (UE)

Present	*Preterite*
juego [+ al + sport]	jugué, jugaste, jugó
Juego mucho **al** tenis	

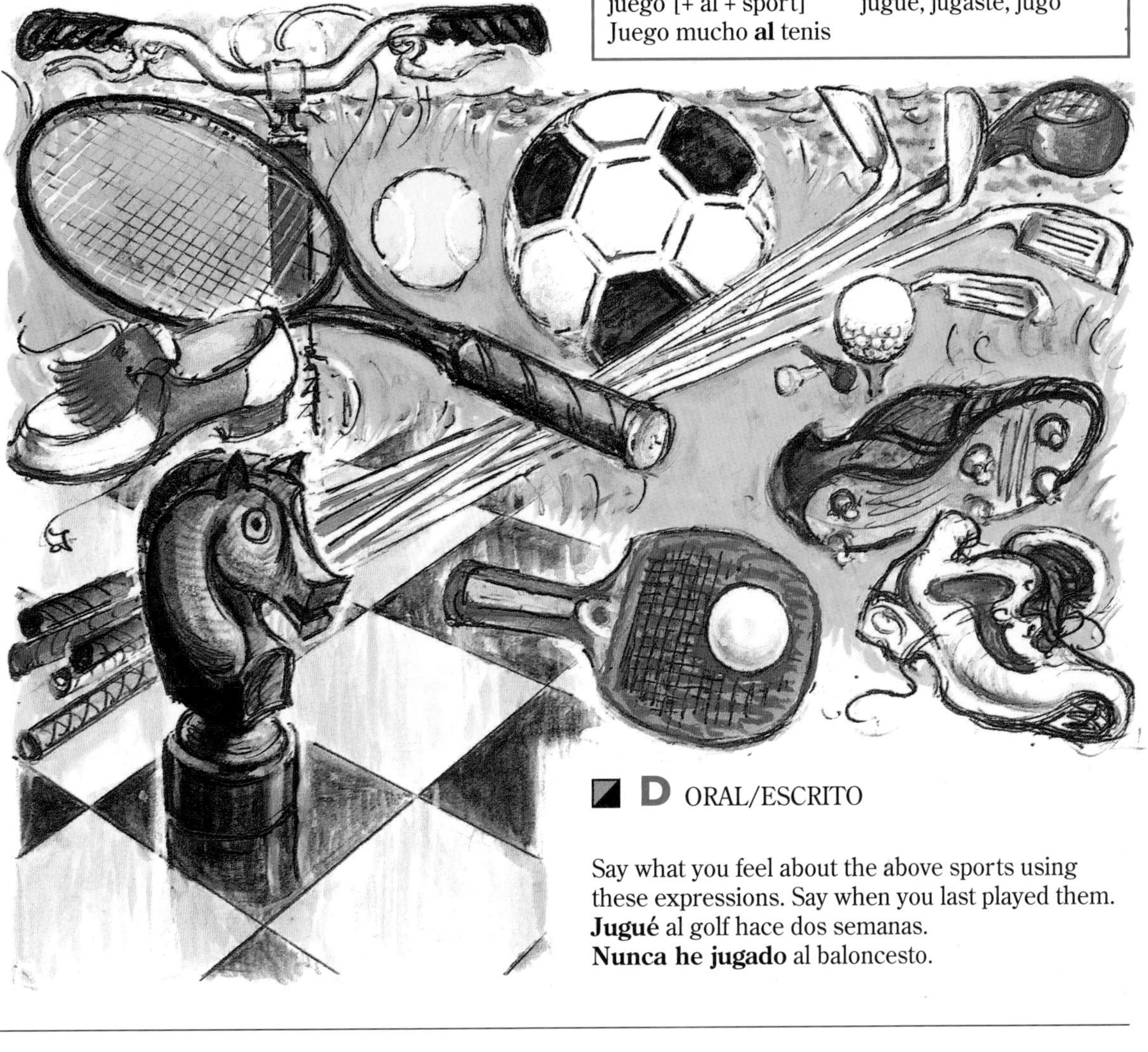

D ORAL/ESCRITO

Say what you feel about the above sports using these expressions. Say when you last played them.

Jugué al golf hace dos semanas.

Nunca he jugado al baloncesto.

E

Estudia los titulares de la sección de deportes de la prensa y decide a cuáles de estos deportes se refieren:

rugby fútbol ajedrez tenis baloncesto atletismo

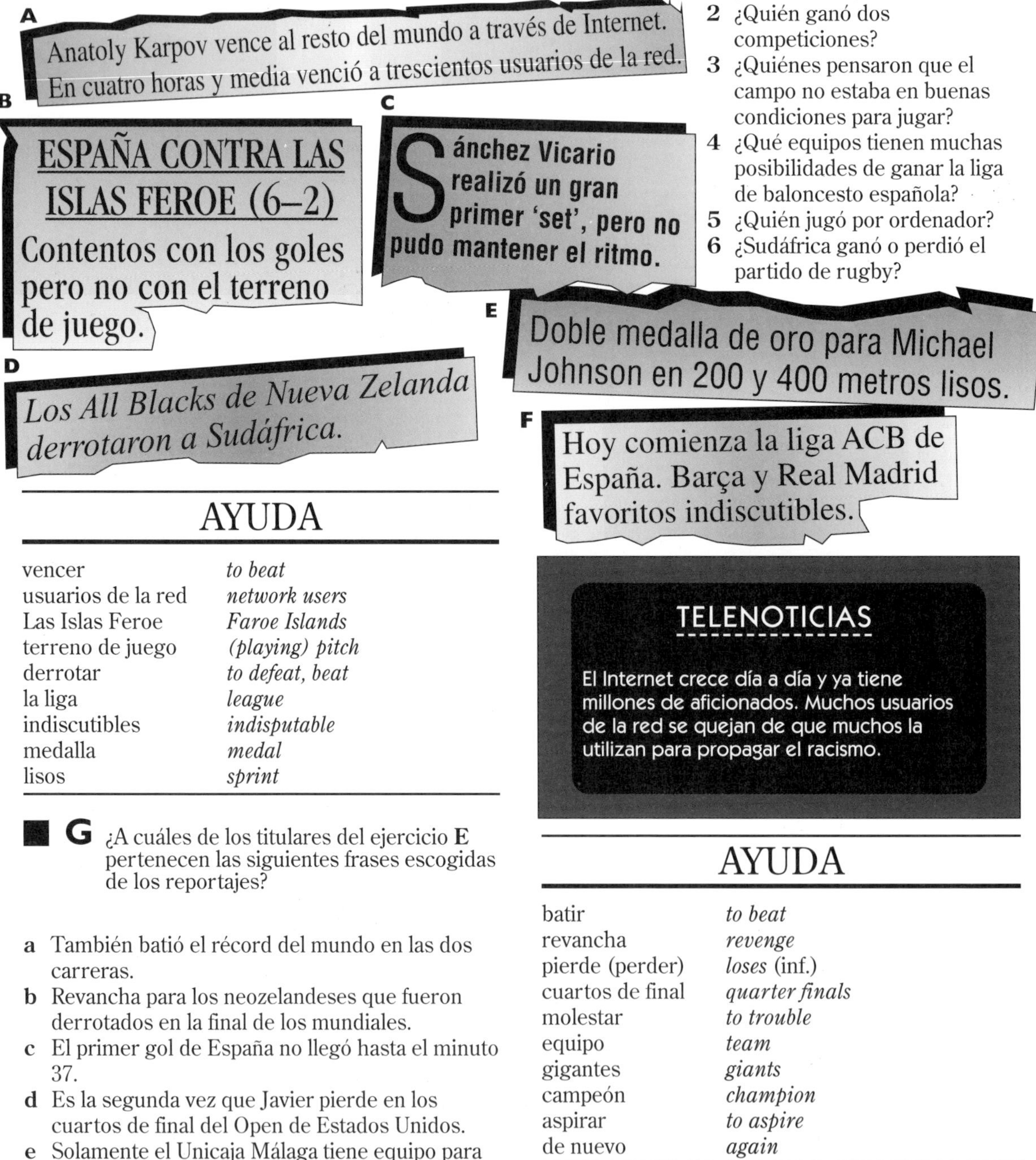

A
Anatoly Karpov vence al resto del mundo a través de Internet.
En cuatro horas y media venció a trescientos usuarios de la red.

B
ESPAÑA CONTRA LAS ISLAS FEROE (6–2)
Contentos con los goles pero no con el terreno de juego.

C
Sánchez Vicario realizó un gran primer 'set', pero no pudo mantener el ritmo.

D
Los All Blacks de Nueva Zelanda derrotaron a Sudáfrica.

E
Doble medalla de oro para Michael Johnson en 200 y 400 metros lisos.

F
Hoy comienza la liga ACB de España. Barça y Real Madrid favoritos indiscutibles.

AYUDA

vencer	*to beat*
usuarios de la red	*network users*
Las Islas Feroe	*Faroe Islands*
terreno de juego	*(playing) pitch*
derrotar	*to defeat, beat*
la liga	*league*
indiscutibles	*indisputable*
medalla	*medal*
lisos	*sprint*

F CONTESTA

1 ¿Quién jugó bien al principio pero mal después?
2 ¿Quién ganó dos competiciones?
3 ¿Quiénes pensaron que el campo no estaba en buenas condiciones para jugar?
4 ¿Qué equipos tienen muchas posibilidades de ganar la liga de baloncesto española?
5 ¿Quién jugó por ordenador?
6 ¿Sudáfrica ganó o perdió el partido de rugby?

TELENOTICIAS

El Internet crece día a día y ya tiene millones de aficionados. Muchos usuarios de la red se quejan de que muchos la utilizan para propagar el racismo.

G

¿A cuáles de los titulares del ejercicio **E** pertenecen las siguientes frases escogidas de los reportajes?

a También batió el récord del mundo en las dos carreras.
b Revancha para los neozelandeses que fueron derrotados en la final de los mundiales.
c El primer gol de España no llegó hasta el minuto 37.
d Es la segunda vez que Javier pierde en los cuartos de final del Open de Estados Unidos.
e Solamente el Unicaja Málaga tiene equipo para poder molestar un poco a los dos 'gigantes'.
f El campeón ruso aspira de nuevo al título mundial.

AYUDA

batir	*to beat*
revancha	*revenge*
pierde (perder)	*loses* (inf.)
cuartos de final	*quarter finals*
molestar	*to trouble*
equipo	*team*
gigantes	*giants*
campeón	*champion*
aspirar	*to aspire*
de nuevo	*again*

LIBRO DE EJERCICIOS A B C D E

Don Idiota
NO SÉ POR QUÉ BALLESTEROS NO JUEGA AL MINI-GOLF — ASÍ TENDRÍA QUE ANDAR MENOS
¡Qué pena no tener ni un amigo con quien jugar!
Don Idiota

RENOVACIÓN DE ABONOS TEMPORADA 1997/1998

AT. MADRID

FUNDADO EN 1903

¡Atleti! ¡Atleti!
Rojiblanco y colchonero
¡Atleti! ¡Atleti!
Con el balón el primero.
¡Atleti! ¡Atleti!
¡Aupa la inspiración!
Desde las gradas de tus
hinchas te gritan el ¡Alirón!
¡Atlético de Madrid!
Adelante con tu furia
la victoria es para ti.
Estribillo
¡Atleti! ¡Atleti!
¡Atlético de Madrid!
¡Atleti! ¡Atleti!
Rojiblanco y colchonero
¡Atleti! ¡Atleti!
¡Aupa la inspiración!
tus triunfos son los mejores
aunque sufra el corazón.
¡Atlético de Madrid!
¡Atlético de Madrid!
Donde vayas va contigo
lo mejor de la afición
Estribillo
¡Aupa! ¡Aupa! ¡Atleti!
Dentro y fuera del terreno
del Vicente Calderón.
¡Atleti¡ ¡Atleti!
¡Atlético Campeón!

YO ♥ R. MADRID

«No sé por qué los domingos por el fútbol me abandonas.»

LUNES	deberes
MARTES	fútbol: entrenamiento
MIÉRCOLES	fútbol: entrenamiento
JUEVES	¿deberes? ¿salir con Eva?
VIERNES	fútbol: entrenamiento
SÁBADO	tarde: partido de fútbol en la tele
	noche: me acuesto a las diez
DOMINGO	fútbol: partido en Tortosa

Eva

«El fútbol. Odio el fútbol. Un chico español en un pueblo; voy a explicar cuál es su vida. Entre semana se entrena al fútbol tres días por semana. Cuando llega el fin de semana en televisión sólo ve el fútbol, todo el día el fútbol. El sábado por la noche no pueden salir porque tienen que descansar y el domingo, como van a jugar al fútbol muchas veces en otro pueblo, salen para todo el día. Ya no quiero ni hablar del fútbol. Creo personalmente que todos los deportes son importantes pero este fanatismo no lo puedo entender.»

H LEE Y RELLENA

Imagine that Eva had a boyfriend who fitted the stereotyped description opposite. Write out the account she makes of their past, choosing from the following words to fill the gaps:

terminó se entrenaba iban comía tenía era eran llegó veía salían podía hacía fue llegaba volvía

Voy a explicar cuál ______ su vida. Entre semana ______ al fútbol tres días por semana. Cuando ______ el fin de semana ______ el fútbol en la televisión. El sábado por la noche no ______ salir porque ______ que descansar y el domingo, como ______ a jugar al fútbol muchas veces en otro pueblo, ______ para todo el día. Yo no quiero ni hablar del fútbol. Este fanatismo no lo puedo entender.

AYUDA (para la página 82)

vencer	*to beat*
el primer tiempo	*the first half*
el empate	*draw*
el partido	*game/match*
perder	*to lose*
juez de línea	*linesman*
repleto	*full*
consiguió	*managed*
mitad	*half*
para que señalara	*asking him to give . . .*
marcó	*scored*
jugadores	*players*
tarjeta roja	*red card*
amenazas de muerte	*death threats*

GUERRA PARA EL JUEZ DE LÍNEA RAFAEL GUERRERO

Noche de viento en Zaragoza, y 45.000 personas en el estadio donde el Barcelona consiguió vencer al Zaragoza tras ir perdiendo 1–3 a los 45 minutos. A principios de la segunda mitad Rafael Guerrero, uno de los jueces de línea, llamó la atención al árbitro para que señalara un penalti contra el Zaragoza, que éste último no había visto. El Barça marcó el penalti y poco después uno de los jugadores del Zaragoza recibió tarjeta roja. El Barcelona marcó tres goles más. El juez de línea, esa misma noche, recibió amenazas de muerte.

Primera División 31 de octubre de 1996

Vigo

Anoche el Celta de Vigo venció al Betis de Sevilla por dos goles a cero. El primer tiempo terminó con empate a cero. Noche húmeda. Quince mil espectadores. El partido fue ofrecido por televisión en Galicia. El Betis llevaba quince años sin perder en Vigo.

BILBAO

El Athlétic de Bilbao y el Real Madrid empataron en un partido sin goles. Lleno en el Estadio de San Mamés. Los hinchas vascos quemaron banderas nacionales. Temperatura agradable.
El entrenador del Madrid dijo: «El partido ha sido una bonita batalla deportiva entre los dos equipos.»
El entrenador del Athlétic dijo: «Un empate a cero con el Real Madrid es un buen resultado. Tuvimos grandes oportunidades para ganar y en general jugamos mejor a lo largo de los noventa minutos y merecimos ganar.»

AYUDA

los hinchas vascos	*the Basque fans*
el entrenador	*trainer*
a lo largo	*throughout*
merecer	*to deserve*

J CONTESTA

1. Why was the result in Vigo unexpected?
2. Who thought his team deserved to win?
3. Which match was televised in North-West Spain?
4. What political gesture was made by the Basque supporters?
5. Who thought the match was a 'sporting battle'?
6. Why was Barcelona's win thought to be quite a feat?
7. Why is the linesman criticised?
8. Why is his life at risk?
9. Which of the three away teams had to travel the furthest?
10. Read the following information:
    (i) Hay dos equipos de Primera División en Barcelona: el Español de Barcelona y el Barcelona Club de Fútbol; y dos en Madrid: el Real Madrid y el Atlético de Madrid.
    (ii) Casi todos los partidos de la liga de fútbol en España se juegan los domingos pero algunos se juegan los sábados por la noche.

I

Las estadísticas e información aquí dadas no son correctas. Copia la tabla en tu cuaderno con las correcciones, si son necesarias.

PARTIDO	Tiempo	Entrada	Primer tiempo	Resultado final
Zaragoza–Barcelona	agradable	15.000	0–0	0–0
Ath. Bilbao–R. Madrid	húmedo	45.000	1–3	2–1
Celta de Vigo–Betis	viento	lleno	0–0	3–5

K ¿A qué partidos se refieren los siguientes comentarios?

1 El equipo catalán levantó un partido que tenía perdido.
2 El partido fue retransmitido en directo.
3 El árbitro expulsó al jugador a principios del segundo tiempo.
4 48.000 personas asistieron al partido.
5 Los dos goles del partido se marcaron en los últimos seis minutos.
6 El comportamiento de un grupo de aficionados fue lamentable.
7 No hubo goles, pero fue un partido entretenido.
8 El equipo aragonés se confió demasiado y perdió al final.
9 Los sevillanos rompieron una tradición y perdieron en Balaidós.
10 Jugaron casi todo el segundo tiempo con un hombre menos.

AYUDA

levantó	*won*
expulsar	*to send off*
el jugador	*player*
a principios	*at the beginning*
se marcaron	*were scored*
el comportamiento	*behaviour*
el aficionado	*fan*
entretenido/a	*enjoyable*
aragonés	*from Aragón*
maño/a	*person from Aragón*
confiarse demasiado	*to be over-confident*

Aprende 76

SER = to be

Presente	*Pretérito*
soy	fui
eres	fuiste
es	fue
somos	fuimos
sois	fuisteis
son	fueron

NOTE: The preterite of IR is identical in form.

L Rellena con 'ser' en el pretérito

1 Ahora es piloto pero ______ ingeniero. (fui-fue)
2 ______ profesora y dentista pero ahora soy doctora. (fui-fue)
3 El profesor se enfadó con nosotros porque ______ muy maleducados. (fui-fuimos)
4 Los dos ______ expulsados por el árbitro. (fue-fueron)
5 Gracias por devolver el dinero, ______ muy honradas. (fue-fuisteis)
6 Aquí tienes chocolate porque ______ muy bueno hoy. (fue-fuiste)

LIBRO DE EJERCICIOS F G

Aprende 77

Los partid**os** se jueg**an** los domingos. *Matches are played on Sundays.*
Las entrad**as** se vend**en** en taquilla y en los bares. *Tickets are sold at the ticket office and in bars.*
Raramente se cancel**an** los partid**os** por causa del tiempo. *Matches are seldom cancelled because of the weather.*

Se vend**en** pis**os**. *Flats for sale.*
Se alquil**en** biciclet**as**. *Bicycles for hire.*

se come uvas a medianoche *one/everyone eats/we all eat grapes at midnight*
se bebe champán *one/everyone drinks/we all drink champagne*
se celebra *one/everyone celebrates/we all celebrate*
se puede comprar *one/everyone/we all can buy*

Federico
«Me gustan mucho los toros . . . La gente critica mucho pero no sabe nada.»

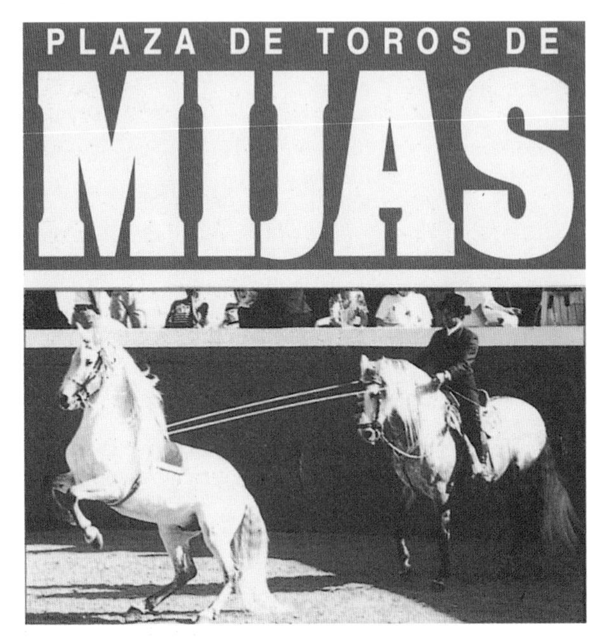

Alberto
«Los toros. Eso es la típica caricatura del español. Realmente los toreros si se ganan la vida es gracias a los extranjeros y no a los españoles. Pero es verdad que un torero puede llegar a ser millonario.»

Sebastián
«Es un arte. Yo, respecto al deporte, prefiero siempre una corrida, el sol, el ambiente, el colorido.»

Maribel
«Fui una vez de pequeña a los toros. Me llevaron por mi cumpleaños y no me gustaron. Creo que es una brutalidad.»

Esteban
«Yo soy español y para mí 'los toros' es algo muy importante. Hay corridas buenas y corridas malas, y hay aspectos que al turista, al no conocedor, le pueden parecer un poco extremos.»

Eva
«Nunca he ido a una corrida de toros. No me atraen. Creo que es muy cruel matar toros de esa forma. Sufren mucho.»

M

Según lo que dicen las seis personas entrevistadas, contesta estas preguntas:

1 ¿Cuántos están a favor y cuántos están en contra de 'los toros'?
2 ¿Quién lo pasó muy mal en una corrida?
3 ¿Quién piensa que los que critican es porque no comprenden?
4 ¿Quién piensa que una corrida puede chocar al público?
5 ¿Quién piensa que los matadores pueden ser muy ricos?
6 ¿Quién piensa que 'los toros' es un deporte?
7 ¿Quién piensa que a los españoles no les gustan los toros?
8 ¿Qué ve Sebastián positivo en 'los toros'?

N ORAL/ESCRITO

1 ¿Te gustaría ir a una corrida?
2 Si hubiera una en la televisión, ¿la verías?
3 ¿Qué harías si te invitaran a una corrida?
4 ¿Has visitado una plaza de toros?
5 ¿Por qué hay entradas de sol y de sombra?
6 ¿Cuáles crees tú que son más baratas?

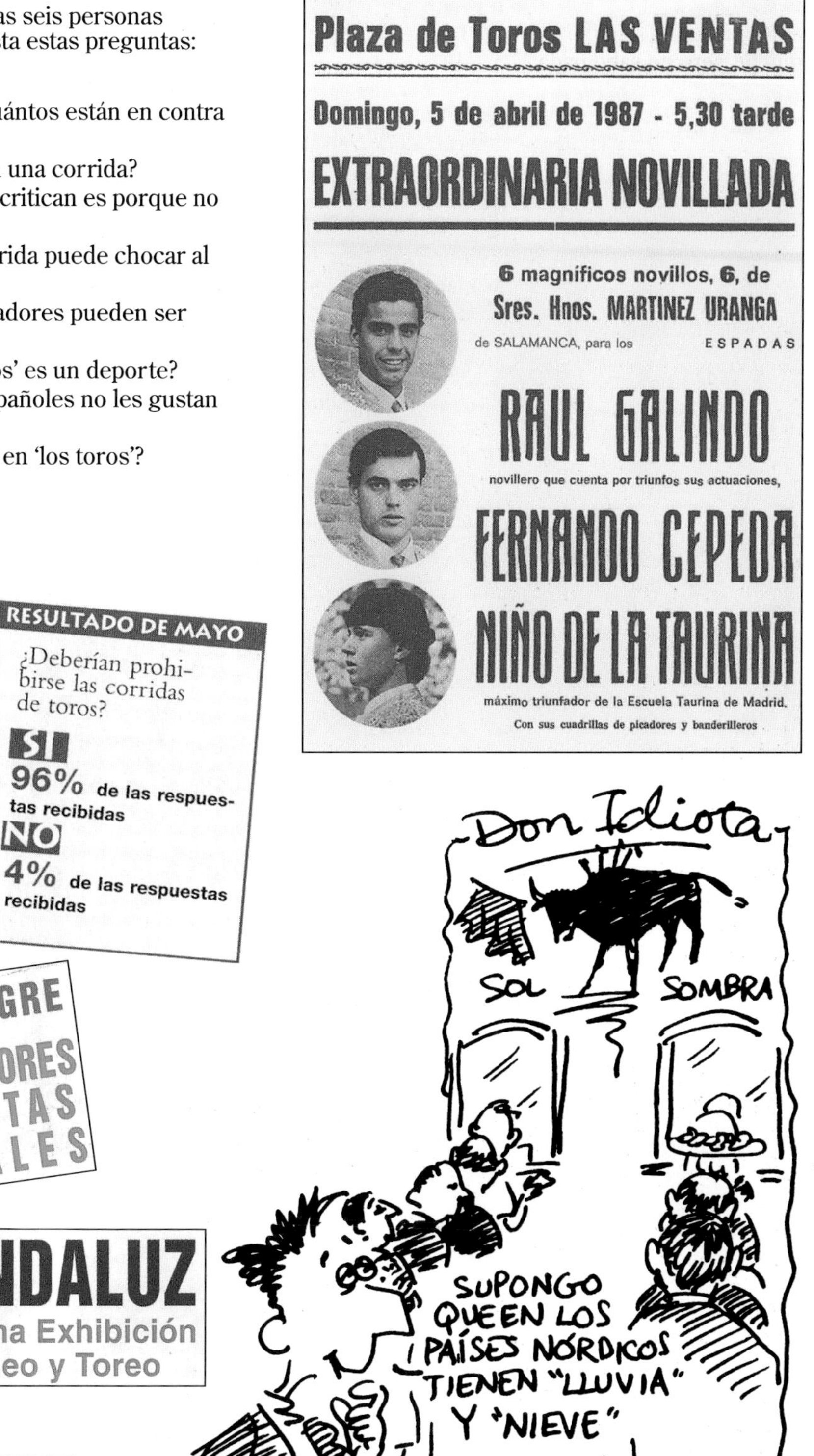

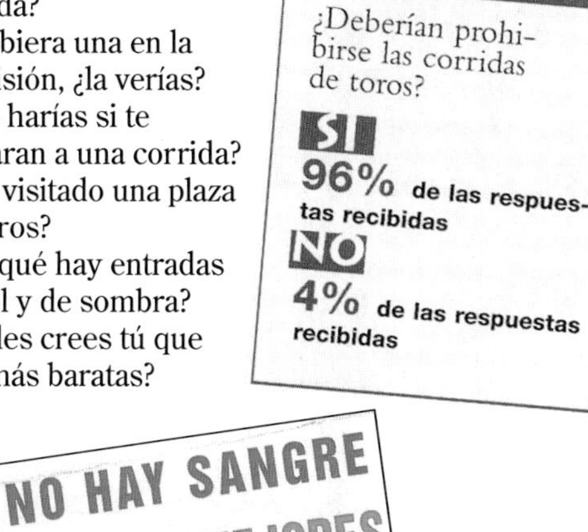

EL ARTE ANDALUZ
Sus Caballos con una Exhibición del Arte del Rejoneo y Toreo

ORAL LIBRO DE EJERCICIOS M

O Lee el Programa del Carnaval de Segovia de 1996 abajo a la izquierda y decide a qué diez actividades irías.

PROGRAMA CARNAVAL 1996

VIERNES, 16 DE FEBRERO
22,00 Horas: En la Carpa, BAILE INAUGURAL, con ELECCION DE REINA Y REY DEL CARNAVAL, a cargo de la ORQUESTA CINEMA.

SABADO, 17 DE FEBRERO
17,00 Horas: En la Carpa, FIESTA INFANTIL, con el Grupo PEQUELANDIA.
23,00 Horas: En la Carpa, BAILE DE DISFRACES, con la Orquesta MORASOL. Premio a los mejores disfraces (individual y por parejas).

DOMINGO, 18 DE FEBRERO
11,00 Horas: I CINTURON "ACUEDUCTO ROMANO" DE BICICLETA DE MONTAÑA.
13,00 Horas: Desfile de presentación de las comparsas, desde el Azoguejo a la Plaza Mayor. A continuación, desde el kiosco de la Plaza Mayor, PREGON a cargo de la Comparsa LOS SEMAFORITOS.
18,00 Horas: En la Carpa FIESTA INFANTIL: Los payasos PUMBI.
20,00 Horas: En la Carpa, CANTICO DE COPLAS DE LAS COMPARSAS (Fase clasificatoria). Las cinco comparsas que seleccione el Jurado, interpretarán sus coplas el Domingo de Piñata en la Plaza Mayor.
23,00 Horas: En la carpa BAILE DE CARNAVAL: ORQUESTA QUARZO.

LUNES, 19 DE FEBRERO
12,00 Horas: En la Terraza de Santa Columba, CONCURSO INFANTIL DE PINTURA. (Si el tiempo no lo permite, se celebraría en la Carpa)
13,00 Horas: PASACALLES por el Grupo AGADA.
18,00 Horas: Desfile de Comparsas infantiles, desde el Azoguejo a la Plaza Mayor. En el kiosko, las Comparsas inscritas podrán cantar sus coplas. Acompaña al desfile el Grupo Agada y varias charangas.

MARTES, 20 DE FEBRERO
12,30 Horas: En la Carpa, CONCURSO INFANTIL DE DISFRACES (Individual o por parejas).
20,30 Horas: Desde la Plaza de Día Sanz hasta la Plaza Mayor, GRAN DESFILE DE COMPARSAS. A continuación, en la Plaza Mayor, GRAN BAILE DE CARNAVAL: Orquesta TANGO

MIERCOLES, 21 DE FEBRERO
12,30 Horas: PASACALLES INFANTIL: LA MOLECULA DISCOLA Y LOS HERZOSAURIOS.
20,30 Horas: Desde el Azoguejo a la Plaza Mayor, ENTIERRO DE LA SARDINA, con lectura de la DISPUTA DE DON CARNAL Y DOÑA CUARESMA.
22,30 Horas: En la carpa, BAILE DE DUELOS Y QUEBRANTOS, con la TROUPE DE LA MERCED.

VIERNES, 23 DE FEBRERO
Organizado y patrocinado por la Hosteleria de la Plaza Mayor, EL GRAN SHOW DE PACO CLAVEL Y SU ORQUESTA. Habrá grandes premios para el mejor disfraz femenino y masculino, así como a la mejor Comparsa. Será a las 23,00 horas en la Plaza Mayor.

SABADO, 24 DE FEBRERO
21,00 Horas: En la Carpa, GRAN FIESTA ESPECIAL PARA LA GENTE JOVEN.

DOMINGO, 25 DE FEBRERO
12,30 Horas: Desde el Azoguejo a la Plaza Mayor, Desfile final de Comparsas. Las comparsas clasificadas, cantarán sus coplas. A continuación, ENTREGA DE PREMIOS.

Amalia

«La fiesta de San Juan, en junio, es una fiesta muy bonita. Suelen tener muchos fuegos artificiales. Pero realmente la fiesta principal es en julio. Es la fiesta del Carmen que es la patrona, la Virgen patrona de los pescadores y el día más bonito es el día en que hacen la procesión por el mar. Es una celebración religiosa. Empezamos con la misa y después la procesión. Se transmite por televisión a toda España.

Después de la misa todas las barcas van por el mar, todas muy adornadas y bonitas y van todas con antorchas. Y después, a las doce de la noche, empieza el baile y va toda la gente a bailar.»

AYUDA

los fuegos artificiales	*fireworks*
la patrona	*patron saint*
la antorcha	*torch*

P LEE Y CONTESTA

1 To how many fiestas does Amalia refer?
2 Which day does she prefer?
3 What happens before the procession?
4 Where can it be seen on TV?
5 What happens at midnight?

Ana

«En Ampolla, como es un pueblo náutico, hay muchas cosas en el mar, como carreras de lanchas o algún concurso de pesca y al final viene alguna orquesta a la playa de al lado y se suele hacer lo que se llama 'sardinada' y todo el mundo se reúne allá.

Es como una fiesta popular. Todo el mundo come sardinas y bebe y charla y hay muchos juegos para los niños pequeños. Se tiran patos al agua y los niños tienen que cogerlos. Es dificilísimo. También hay globos que tienen que pinchar para que salgan cosas. Sale arena, sale agua, salen caramelos, salen cosas mejores o peores. Pero los niños disfrutan con estas cosas y siempre lo pasamos muy bien.»

6 What two things happen in the sea during the fiesta in Ampolla?
7 What do they have on the beach?
8 What do people do to enjoy themselves?
9 What is difficult for children to do?
10 What do they get when they burst the balloons?

«Me llamo Sebastián y ahora tengo cuarenta y nueve años. En la foto, donde estoy disfrazado de sevillano, tenía cuatro años. Era el cumpleaños de un amigo muy rico, y los padres decidieron hacer un baile de disfraz en un hotel de cinco estrellas. Es la única foto que tengo de ese día. Mi madre dice que lloré mucho y que no quería bailar pero era porque había un chico disfrazado de payaso y me daba miedo.»

Q Lee lo que dice Sebastián y decide cuáles de las siguientes frases son **falsas**, **verdaderas** o **no sabemos**.

1 La foto tiene cuarenta y cinco años.
2 El baile de disfraz era para adultos.
3 Los padres del amigo rico de Sebastián tenían un hotel.
4 Sebastián tiene muchas fotos de ese cumpleaños.
5 Sebastián lloró mucho porque no le gustaba bailar.
6 A Sebastián le gustaban los payasos cuando era pequeño.
7 Todos los invitados bailaron mucho.
8 Sebastián es un chico español.

AYUDA

la carrera	*race*
la lancha	*launch*
el concurso	*contest*
reunirse	*to get together*
el pato	*duck*
el globo	*balloon*
pinchar	*to burst*
la arena	*sand*

¡Fiestas, fiestas y más fiestas!

LA SEMANA
de EL ESCORIAL

************* FIESTAS en la SIERRA *************

Día 8: **Cercedilla.-** *FIESTAS DE NUESTRA SEÑORA DE LA NATIVIDAD.* Competiciones deportivas y Actividades culturales. Elección de Reina de las Fiestas. Corridas de toros. Verbenas y Bailes.

El Escorial.- *FIESTA DE NUESTRA SEÑORA DE LA HERRERIA.* Romería. Exposiciones y Bailes.

Navacerrada.- *FIESTAS PATRONALES DE NUESTRA SEÑORA DE LA NATIVIDAD.* Cucañas acuáticas. Actividades deportivas. Toros. Limonadas y Verbenas.

Guadalix de la Sierra.- *FIESTAS PATRONALES DE LA VIRGEN DEL ESPINAR.* Actos religiosos y Procesión. Encierros. Juegos infantiles. Toros. Bailes y Verbenas.

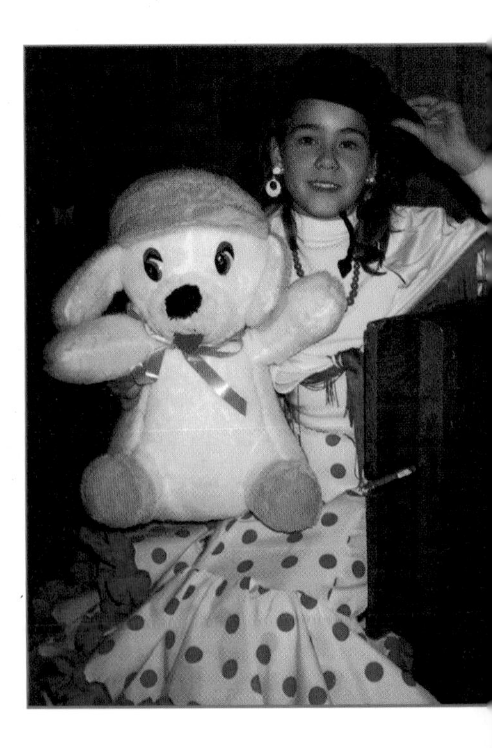

¡Teresa y amigo en la feria de Sevilla!

LEE Y BUSCA en tu diccionario las palabras que no conoces.

Semana Santa en Sevilla es una época del año muy importante. Los sevillanos comienzan a prepararse con meses de antelación. Es casi imposible obtener alojamiento en la ciudad. Los hoteles están todos reservados para el gran número de fieles y espectadores que vienen a Sevilla de todas las partes del mundo. En las calles por donde pasan las procesiones, el Ayuntamiento pone graderíos, como en los estadios de fútbol, para que la gente pueda sentarse y verlo todo pasar. Es un gran espectáculo con mucho colorido y un poco misterioso. Pero los sevillanos pasan de la Semana Santa a la gran feria de Sevilla con rapidez, y después de dedicar una semana a la religión dedican otra a pasarlo bien. Así es el carácter andaluz.

a CÓMO EXPRESA el texto lo siguiente:

empiezan con los planes   semanas de anticipo
no es posible encontrar habitaciones para dormir
gente religiosa y curiosa   no es muy corriente y normal
la gente de Sevilla cambia sin pensarlo mucho
los españoles del sur son así

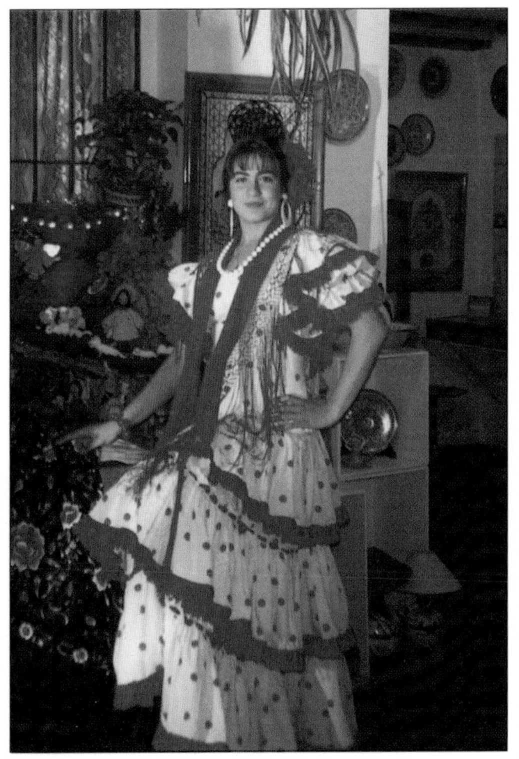

Sarah
«Yo tengo mucha suerte porque mi cumpleaños, que es el quince de diciembre, siempre cae cuando estoy de viaje de estudios en España.

Lo he celebrado en Jerez de la Frontera, en Segovia, y este año será en Salamanca. Lo que más me gusta es que cada año recibo una sorpresa nueva porque mis compañeros de clase y los profesores se encargan de los arreglos y no me dicen nada hasta el último momento.

Este año, en Jerez, me llevaron primero a un estudio fotográfico, donde me vestí de gitana y me sacaron muchas fotos. Después, por la noche, fuimos a un restaurante a cenar, y en el último momento los camareros llegaron con una tarta.»

LEE

Sonia
«Yo, para mi cumpleaños, que es el 25 de mayo, normalmente recibo regalos que consisten en ropa, joyería y dinero. Lo celebro un poco en casa con una tarta y salgo cuanto antes con mis amigos para celebrarlo fuera de casa. Vamos primero a un centro que tiene muchos juegos de 'realidad virtual', y después vamos a patinar sobre hielo y acabamos en un buen restaurante para cenar.»

a ¡Y AHORA TÚ!

1. ¿Cómo celebras tu cumpleaños?
2. ¿Prefieres estar en casa con tu familia o salir con tus amigos?
3. ¿Qué regalos recibes?
4. ¿Te gustaría celebrar tu cumpleaños en España, como Sarah?

Marisé

«Me acuerdo de los viajes a la costa porque Orense es la única provincia gallega que no tiene mar y afortunadamente la familia de mi madre vivía en El Ferrol. Yo recuerdo mucho los viajes en verano, en Navidad, en Semana Santa: de ir a la playa, a la costa, tan diferente de lo que es Orense, un valle del interior muy verde. Pero nunca podré olvidarme de las excursiones y las meriendas por allí. En mi familia no celebramos mucho los cumpleaños, pero el día de mi Santo íbamos toda la familia, y además siempre podía invitar a una o dos amigas, a pasar el día a una casa de campo que teníamos en el valle. Mi madre preparaba muchas tortillas y ensaladas y llevábamos vino para los adultos. A veces llovía y entonces jugábamos en la casa, pero cuando hacía buen tiempo, nos escapábamos de la familia y un día hasta nos perdimos por el valle. Justo antes de anochecer nos encontró mi padre. ¡Qué miedo pasamos todos ese día!»

R Contesta sí o no:

1. ¿Hay playa en Orense?
2. ¿A Marisé le gusta la costa?
3. ¿El Ferrol está en el norte de España?
4. ¿Marisé pasaba el 25 de diciembre en Orense?
5. ¿Lugo está en el interior?

Contesta en inglés o en español.

6. ¿Por qué iba al valle Marisé con su familia?
7. ¿A quién podía invitar Marisé?
8. ¿Qué comían todos y qué piensas tú que bebían los chicos?
9. ¿Qué hacían cuando hacía buen tiempo?
10. ¿Por qué pasaron mucho miedo un día?

Morena
«La pena mía es que mi cumpleaños es el 25 de diciembre y hay otras cosas que hacer. Ahora insisto en que se me pongan más regalos en el Árbol de Navidad y también en celebrarlo otro día. Así que reúno a mis mejores amigos y salimos a una discoteca para bailar hasta la madrugada.»

S CONTESTA

1 ¿Cuándo es tu cumpleaños?
2 ¿Te gusta ir a las fiestas de cumpleaños?
3 ¿Qué regalos prefieren tus padres para su cumpleaños?
4 ¿Por qué tiene que celebrar Morena su cumpleaños otro día?
5 ¿Adónde va Morena con sus mejores amigos?
6 ¿Cuándo vuelve a casa?

Nochebuena

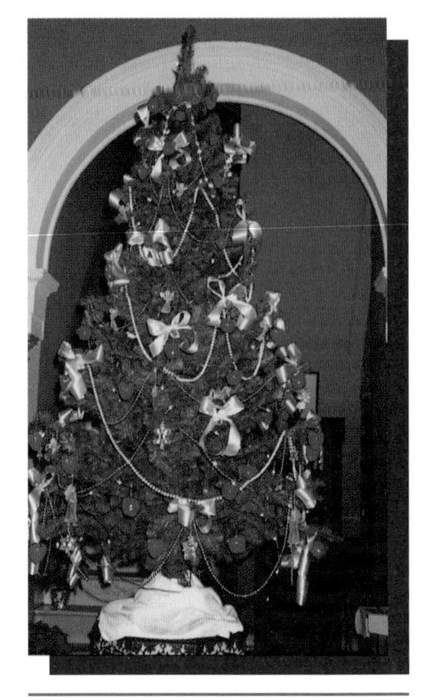

Marisé

«Las Navidades siempre las celebramos en familia. En casa ya tenemos el Belén o el árbol de Navidad antes de Nochebuena. La Nochebuena es más importante que el día de Navidad. La Nochebuena, la noche del 24, se hace una cena bastante fuerte, a eso de las nueve, más temprano que otras veces. Se cena pescado (besugo), lombarda, que es una especie de repollo rojo, también marisco y luego carne. De postre, comemos turrón y luego se cantan villancicos y vamos a la Misa del Gallo a medianoche. Es una noche entrañable.»

T ESCRIBE

¿Cómo se dice en español?

Christmas Eve   Christmas Day   Midnight Mass   Carols

U CONTESTA

1 ¿Suelen cenar los españoles a la hora acostumbrada en Nochebuena?
2 ¿Suelen comer mucho antes de ir a misa?
3 ¿A qué hora van a la iglesia?
4 ¿Con quiénes suelen celebrar las Navidades?
5 ¿Le gusta a Marisé la Nochebuena?

AYUDA

el besugo	*sea bream*
la lombarda	*red cabbage*
el repollo	*cabbage*
el marisco	*seafood*
el turrón	*type of nougat*
entrañable	*memorable*

V ORAL/ESCRITO

(Si no celebras las Navidades contesta las preguntas adaptándolas a tus tradiciones religiosas.)

1 ¿Celebras las Navidades?
2 ¿Con quiénes las celebras?
3 ¿Sueles recibir muchos regalos?
4 ¿Qué tipo de regalos te gusta recibir?
5 ¿Qué comes el día de Navidad?
6 ¿Vas a la iglesia en Nochebuena?
7 ¿Tienes árbol de Navidad?
8 ¿Vas a muchas fiestas durante las vacaciones de Navidad?

El Año Nuevo

Marisé

«Aquí en España también celebramos la Nochevieja, la víspera de Año Nuevo. Después de cenar bien con la familia, tomamos unas copas de champán antes de que den las doce. Entonces todo el mundo pone la televisión o la radio porque transmiten las doce campanadas desde la Puerta del Sol en Madrid, donde hay un gran reloj. Una gran muchedumbre se reúne allí con su champán y las uvas de la suerte. Se toman las doce uvas, tradicionalmente una con cada campanada. Te llenas la boca de uvas y te ríes mucho porque es bastante difícil. Y después de las campanadas se descorcha otra botella de champán y se empieza a abrazar, a dar besos y a decir 'Feliz Año Nuevo' y todo eso. Luego vamos a un baile hasta altas horas de la madrugada y acabamos a las cinco o las seis en una churrería tomando chocolate con churros.»

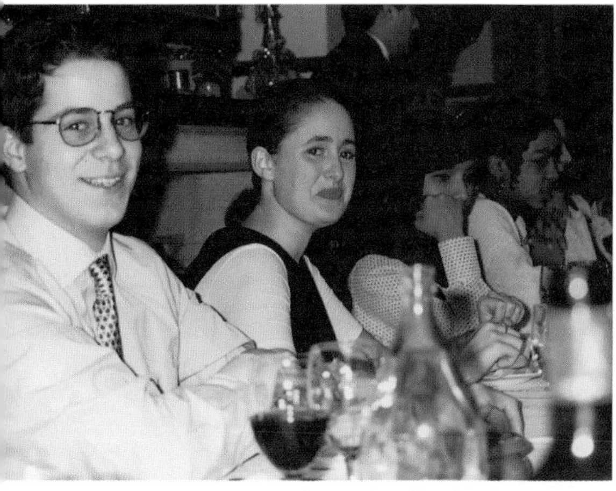

Empezando a celebrar las Navidades en España

AYUDA

anterior	*previous*
la suerte	*luck*
la campanada	*peal of bells*
el churro	*fritter*

Terminando de celebrar el Año Nuevo en Segovia

W ESCRIBE

¿Cómo se dice en español?

New Year's Day New Year's Eve glasses of champagne to uncork the champagne the chimes of midnight Happy New Year to dance until dawn

X UNE

1 En Nochevieja la RTVE transmite . . .
2 A medianoche se comen . . .
3 Se descorcha una nueva botella de champán . . .
4 A las doce todo el mundo suele reírse mucho . . .
5 Se come churros . . .
6 El baile no suele terminar . . .

a a eso de las seis.
b las doce campanadas.
c a causa de las doce uvas.
d las doce uvas.
e después de las doce campanadas.
f antes de las cinco o las seis.

A SS. MM.
Los Reyes Magos
de Oriente
Mis queridos Reyes:

Este año quisiera un tren eléctrico para mi y para mi hermanita, no más muñecas por favor una bicicleta, sí. Gracias por los regalos del año pasado

Luis y Clara (mi hermana)

P.D. No olvidan que vivimos en Londres

A S.S. M.M.
Los Reyes Magos de Oriente

Mis queridos Reyes:

Por favor, convenced a mi marido de que este año no necesito ni lavadora ni aspiradora ni lavaplatos ... pero de que nuestra hija, Sofía, necesita un hermanito.

Esperanza Nieto

Reyes

Marisé

«Los regalos no se dan ni en Nochebuena ni el día de Navidad, se dan el día de Reyes, que es el seis de enero. La víspera de Reyes, la noche del cinco, se monta en cada ciudad una cabalgata. Es una especie de paseo de los tres Reyes Magos, en camellos, donde reparten regalos a los niños. Esa noche los niños limpian bien sus zapatos y los ponen en el balcón. Los padres preparan una copita de licor que dejan encima de la mesa.

Por la mañana aparecen los zapatos en otro lugar de la casa, escondidos. Los niños han escrito a los Reyes Magos pidiéndoles lo que quieren y, si han sido malos, les traen carbón (hoy día, carbón dulce) y, si han sido buenos, los regalos que han pedido. Los adultos suelen dejar los zapatos fuera de la puerta de su habitación y por la mañana siempre tienen un paquetito o dos o tres.»

Aprende 78

THE CONDITIONAL

INFINITIVE **-AR**,**-ER**, **-IR** + the following endings:

compra**ría**
llega**rías**
volve**ría**
vivi**ríamos**
decidi**ríais**
entra**rían**

Remember: irregular futures e.g. sal**dré** therefore have conditional: sal**dría**, pon**dría**

Ejemplo:

¿Qué ha**rías** si te tocara la lotería?
iría de viaje, compra**ría** una casa, no trabaja**ría** más, pero ayuda**ría** a los menos afortunados de mi pueblo.

LIBRO DE EJERCICIOS H I J K L

AYUDA

se monta	*they hold*
la cabalgata	*mounted procession*
aparecer	*to appear*
escondido/a	*hidden*
el carbón	*coal*

Y Decide si las siguientes frases son **verdaderas**, **falsas** o **probables**.

1. Los niños reciben regalos la víspera de Reyes y el día seis también.
2. Los niños esconden los zapatos de sus padres.
3. Algunos niños creen que los Reyes Magos traen regalos a sus casas.
4. Los Reyes Magos beben licor durante toda la noche.
5. Los niños escriben a los Reyes Magos pidiéndoles carbón.
6. Los hijos dan regalos a los padres.
7. Los adultos se acuestan más tarde que los niños.
8. La idea del carbón dulce es muy cruel.
9. Los chicos lo pasan muy bien.
10. Traen los camellos de África para la cabalgata.

Z EMPAREJA

¿En qué circunstancias dirías . . . ?

1. No saldría con ella.
2. Estudiaría más.
3. No volvería sola.
4. Le compraría un regalo.
5. Llamaría a los bomberos.
6. Cogería un taxi.
7. Me levantaría temprano.
8. Le diría que no.

a If you saw a fire.
b If you had exams that morning.
c If the wrong boy asked you out.
d If you didn't like her.
e If it were very late at night.
f If it was his birthday.
g If you had failed your exams.
h If you were in a hurry.

CAPÍTULO SEIS

El transporte y los viajes

Ana Pérez Montoto
«Me gusta siempre salir para el trabajo con mucho tiempo de adelanto, porque puede pasar cualquier cosa, un atasco o un pinchazo o cualquier avería en el motor.»

Trini
«Me compré un coche pero conduzco por obligación, por necesidad. No me gusta conducir en la capital. Hay muchos atascos y muchos semáforos. Es que no me apetece ir en metro porque se tarda tres cuartos de hora de casa al trabajo.»

Bruce
«Vivo a unos dos kilómetros o kilómetro y medio de aquí, a unos veinte minutos andando.»

Miguel
«Vengo al instituto andando. Está cerca. Vivo a dos calles.»

Ana Plans
«No vivo muy cerca de la universidad. Voy en tren. Pero en España el transporte no es una cosa que está muy cara y además tengo carné de estudiante.»

Marisé
«Saqué el carné de conducir aquí en Salamanca. Aquí es bastante fácil conducir pero en ciudades como Madrid, Barcelona o Sevilla es más complicado porque la gente no respeta casi nada y hay mucho machismo conduciendo.»

Mari Carmen
«Vivimos al sur de la capital, en una zona bastante despejada, con bastantes zonas verdes. El piso está un poco alejado del centro pero muy bien comunicado con nuestros trabajos.»

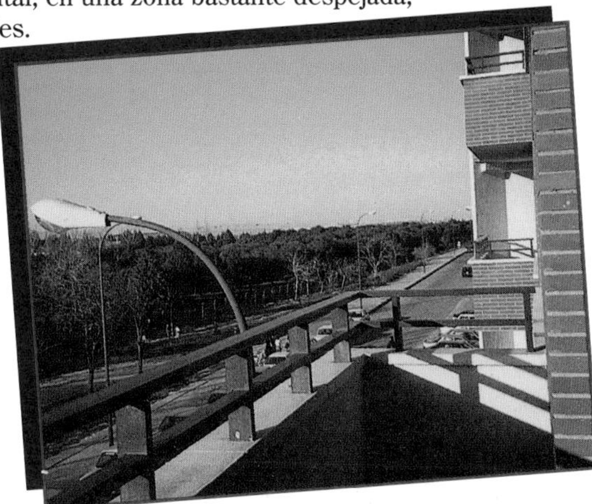

A LEE

¿Quién? ¿Quiénes?

1. ¿Quiénes van al colegio a pie?
2. ¿Quién recibe descuento cuando viaja?
3. ¿Quién vive en las afueras de la ciudad?
4. ¿Quiénes prefieren conducir en ciudades más pequeñas?
5. ¿Quién llega a su trabajo muy temprano?

B UNE

1. ¿Por qué va Bruce al colegio a pie?
2. ¿Por qué va Miguel al instituto andando?
3. ¿Por qué paga menos Ana Plans por el transporte?
4. ¿Por qué sale Ana Pérez Montoto muy temprano para el trabajo?
5. ¿Por qué conduce Trini?
6. ¿Por qué no le gusta a Marisé conducir en las grandes capitales?
7. ¿Por qué no tiene Mari Carmen problemas para ir a su trabajo?

a Porque vive muy cerca.
b Porque no tiene ninguna dificultad con el transporte.
c Porque puede haber problemas con el tráfico o con el coche.
d Porque los hombres conducen muy agresivamente.
e Porque es estudiante.
f Porque no vive muy lejos.
g Porque no tiene más remedio.

AYUDA

además	*moreover, besides*
carné de …	*ticket (season, student etc), licence*
de adelanto	*in advance*
el atasco	*traffic jam*
el pinchazo	*puncture*
la avería	*breakdown*
conducir	*to drive*
por obligación	*because I have to*
el semáforo	*traffic lights*
me apetece	*I fancy*
se tarda	*it takes (time)*
fácil	*easy*
el machismo	*male chauvinism*
despejado/a	*clear, open*
alejado/a	*away from*
bien comunicado	*with good connections with*
puede haber	*there may be*
agresivamente	*aggressively*

C ESCOGE

1 ¿Cómo vas al colegio?
voy en tren/voy en metro/voy en autobús/voy a pie
2 ¿Cómo vienes al instituto?
vengo andando/a pie/vengo en metro y autobús/me trae mi madre en coche
3 ¿Cuánto tiempo dura tu viaje de casa al instituto?
no es mucho; unos minutos/más o menos, media hora/es un viaje muy largo/vivo a dos calles
4 ¿A qué hora llegas?
a las ocho y media/a eso de las nueve/no sé; cada día a una hora diferente
5 ¿Hay muchos atascos por la mañana?
a veces, sí/no, nunca; es un pueblo pequeño/los lunes y los viernes/solo cuando hace mal tiempo/si llueve o si nieva, sí
6 ¿Qué método de transporte prefieres?
el taxi, claro/el autobús, porque es más cómodo/el metro es infernal/prefiero ir a pie; es mejor para la salud/ninguno, la polución en la ciudad es insoportable

LIBRO DE EJERCICIOS > A B C

Aprende 79

¿A qué distancia?

El metro está **a** cien metros del instituto.

Londres está **a** dos horas y media en avión de Málaga.

El museo está **a** tres paradas de aquí.

Barcelona está **a** unos 620 kilómetros de Madrid.

Correos está **a** cinco minutos andando.

D Lee los anuncios y haz una lista de:

1 las compañías que van a Barcelona.
2 las compañías que operan en Oviedo.
3 las compañías que operan en el noroeste de España.

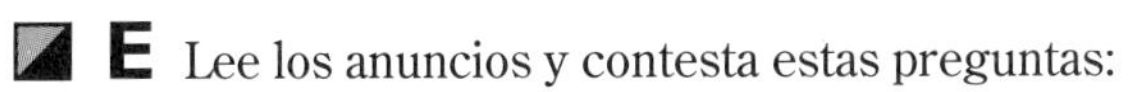

E Lee los anuncios y contesta estas preguntas:

1 What do these advertisements have in common?
2 In what way does the advertisement for Viajes Ecuador differ from the others?
3 List the special features mentioned by Cibeles Tours.
4 What extra service is available for Friday travellers to Barcelona?
5 You are hoping to travel from Oviedo to Covadonga on a Sunday. What choice of travelling times do you have?
6 What is the telephone number in Gijón for travellers hoping to go to Lugo?
7 Can you travel from Avilés to San Sebastián on Sundays?
8 In which town is ANSA based?

Viajes Ecuador

9 Give 3 places outside Spain where this company offers holidays in March.
10 What sort of holiday are clients looking at for the price of 15.175 pts?
11 What is included in the price to make this especially good value?
12 List the countries outside Europe that can be visited with this travel firm.

intercar

LINEAS REGULARES DE VIAJEROS EN AUTOCAR

	SALIDAS DIARIAS		
	GIJON	OVIEDO	AVILES
a Santander - Bilbao Via Villaviciosa	17,00-22,30	17,00-22,30	17,30-21,40
a S. Sebastián - Irún Via Villaviciosa	22,30	22,30	21,40
a Lugo - Coruña - Stgo.	5.25-14,00	6,45-15,00	5,55-14,30
a Lugo - Orense - Vigo	8,30	9,00	8,00
a Pontevedra Vigo-Tuy	5,25	6,45	5,55

INFORMACION:
Autoestación ALSA / INTERCAR - GIJON - Tlf. 34 27 13
OVIEDO - Tlf 28 12 00 - AVILES - Tlf. 56 12 77

F UNE

todo el año	*reclining seats*
pensión completa	*not on public holidays*
salidas diarias	*all year round*
no se realiza los días festivos	*daily service*
butacas reclinables	*full board*

LIBRO DE EJERCICIOS D

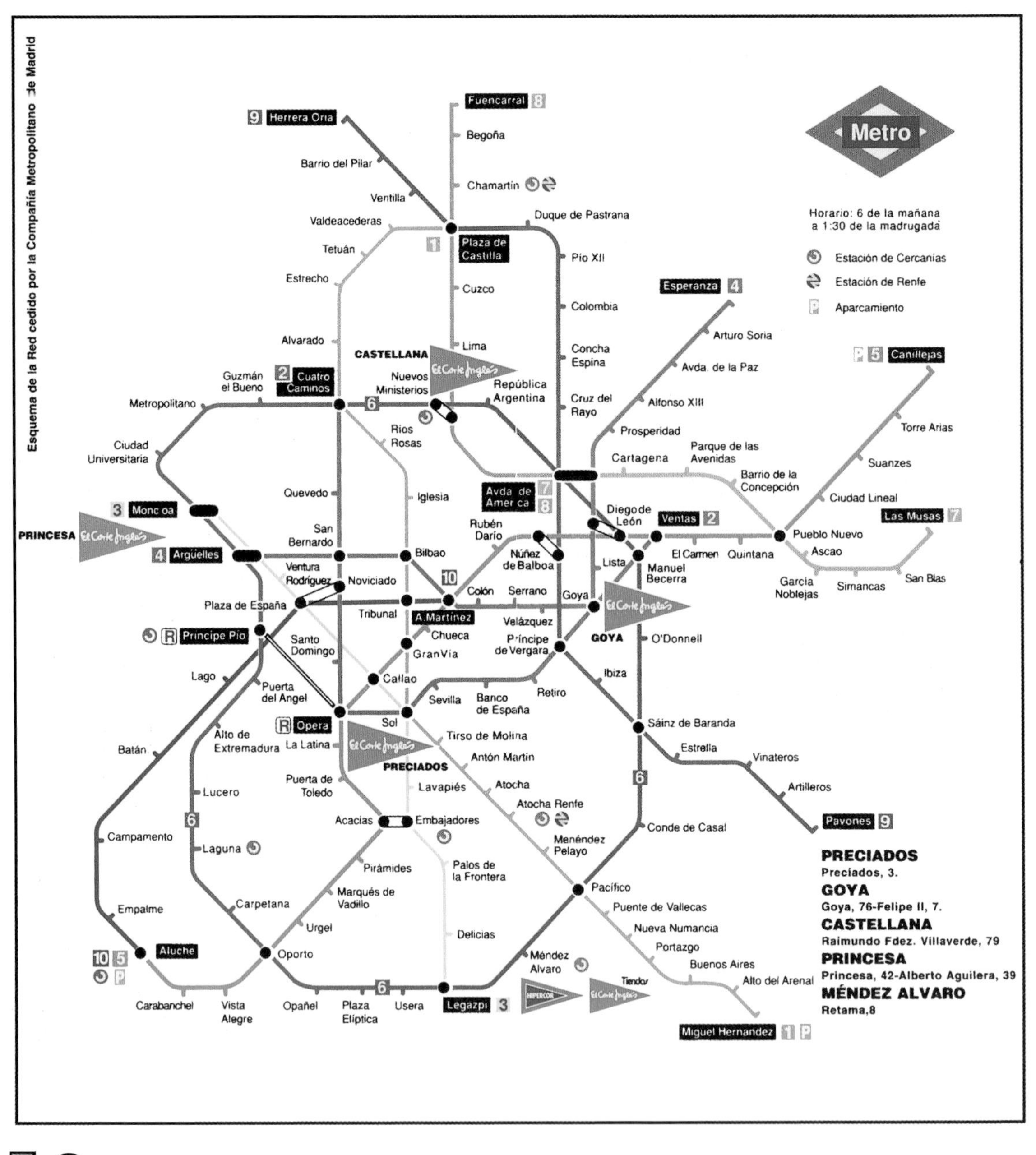

G Lee estas conversaciones que ya has escuchado y vuelve al LIBRO DE EJERCICIOS E.

1 Hay tantos accidentes de carretera en España en verano a causa del gran número de turistas, y también porque vuelve mucha gente que está trabajando en el extranjero. No hay que olvidar, tampoco, la cantidad de portugueses y marroquíes que vuelven a sus respectivos países de vacaciones y que tienen que pasar por España. Así que necesitamos más autopistas.

2 El metro de Madrid tiene unas cien estaciones. No tiene muchos asientos, así que casi todo el mundo viaja de pie. Pero los trenes pasan con regularidad y las estaciones están muy limpias. Es un servicio bastante bueno y no es caro.

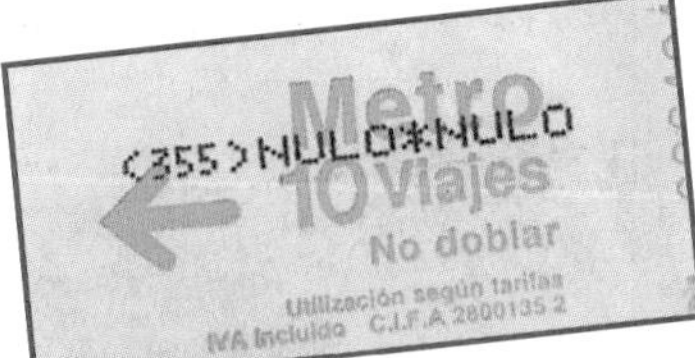

TARJETA DE EMBARQUE
BOARDING PASS
IBERIA

3 Yo he viajado con Iberia tres veces. También una vez con Aviaco, que creo que pertenece a Iberia. Creo que Iberia vuela a los cinco continentes. Es una línea aérea de mucha importancia.

AVIACO vuela a 22 ciudades acortando las distancias de España para que usted viaje rápido disfrutando de la calidad de nuestro servicio
Vuele en nuestra compañía
AVIACO
GRUPO INI

4 En Madrid prefiero ir de un sitio a otro en autobús. Es fácil porque compro un bono de diez viajes que sale más barato que comprar los billetes uno a uno; y así subo y bajo sin tener que pagar al conductor. En algunos autobuses todavía hay cobradores.

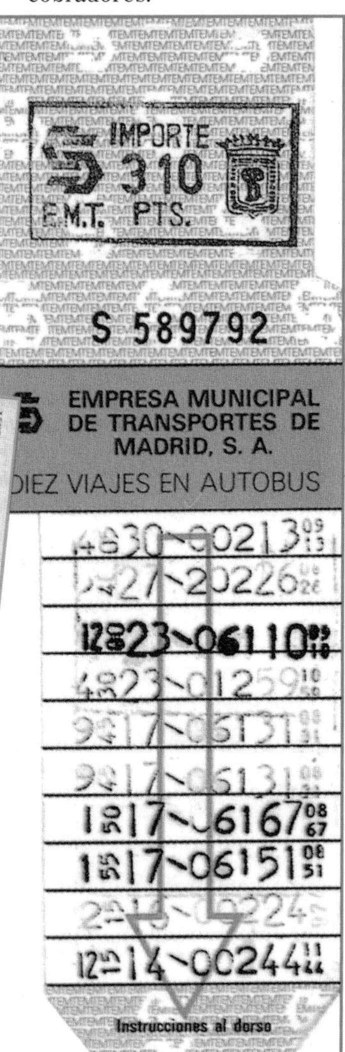

5 Una vez fui en tren de Algeciras a París. Nunca volveré a hacerlo. Íbamos como sardinas en lata, bueno, era verano y llegué más muerta que viva.

RENFE
BILLETE
COCHES - CAMA

TARIFAS DE TAXIS

6 En España pasa como en todos los países del mundo: las calles pertenecen a los taxistas. Hay que aceptarlo. Pasan todo el día conduciendo y las calles son para ellos como mi taller es para mí.

LIBRO DE EJERCICIOS E

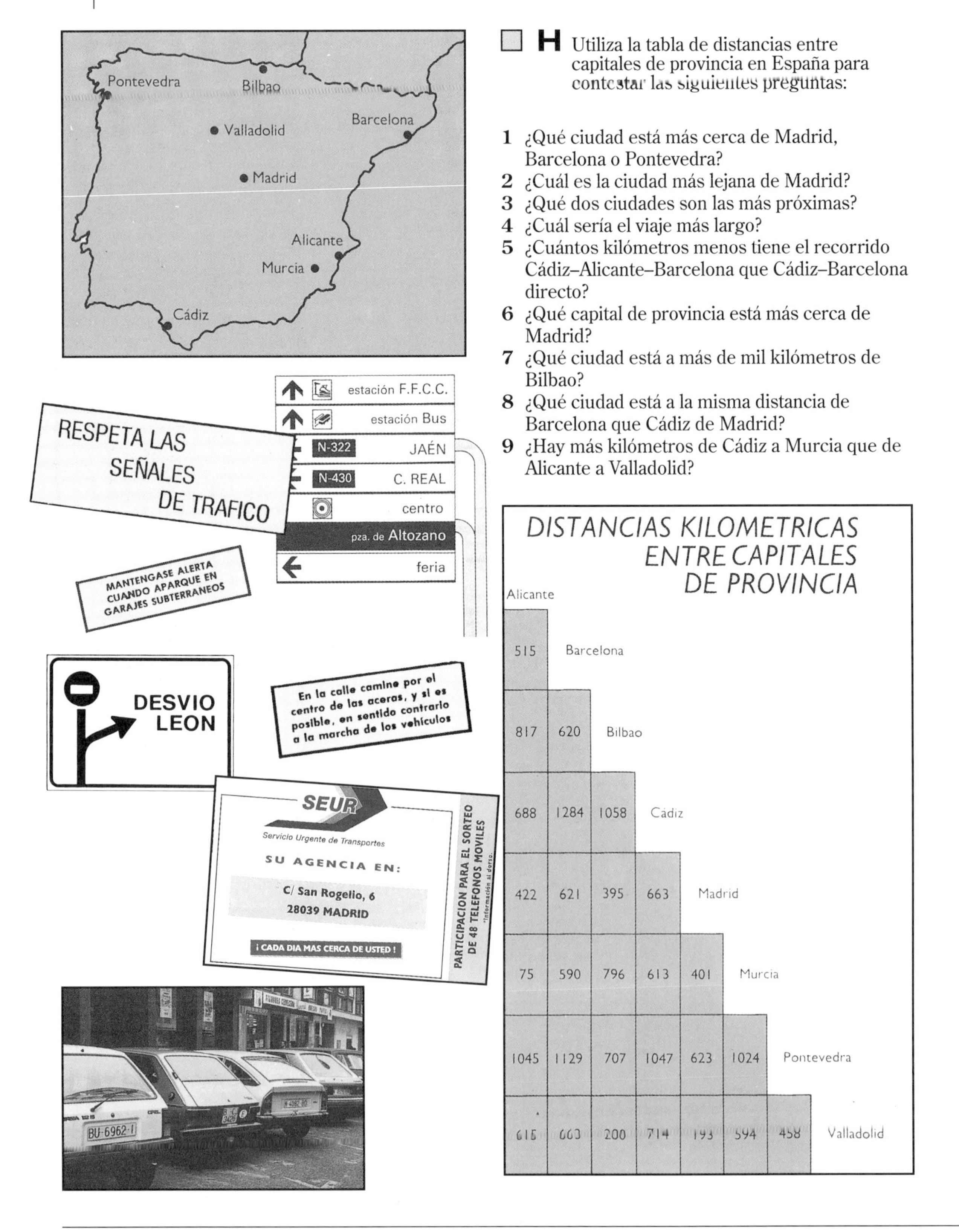

H Utiliza la tabla de distancias entre capitales de provincia en España para contestar las siguientes preguntas:

1 ¿Qué ciudad está más cerca de Madrid, Barcelona o Pontevedra?
2 ¿Cuál es la ciudad más lejana de Madrid?
3 ¿Qué dos ciudades son las más próximas?
4 ¿Cuál sería el viaje más largo?
5 ¿Cuántos kilómetros menos tiene el recorrido Cádiz–Alicante–Barcelona que Cádiz–Barcelona directo?
6 ¿Qué capital de provincia está más cerca de Madrid?
7 ¿Qué ciudad está a más de mil kilómetros de Bilbao?
8 ¿Qué ciudad está a la misma distancia de Barcelona que Cádiz de Madrid?
9 ¿Hay más kilómetros de Cádiz a Murcia que de Alicante a Valladolid?

DISTANCIAS KILOMETRICAS ENTRE CAPITALES DE PROVINCIA

	Alicante	Barcelona	Bilbao	Cádiz	Madrid	Murcia	Pontevedra
Barcelona	515						
Bilbao	817	620					
Cádiz	688	1284	1058				
Madrid	422	621	395	663			
Murcia	75	590	796	613	401		
Pontevedra	1045	1129	707	1047	623	1024	
Valladolid	615	663	200	714	193	594	458

Las provincias de España con sus matrículas

I Utiliza el mapa de las matrículas para identificar las provincias de España.

Albacete
Alicante
Almería
Ávila
Badajoz
Barcelona
Bilbao
Burgos
Cáceres
Cádiz
Castellón
Ceuta
Ciudad Real
Córdoba
La Coruña
Cuenca
Gerona
Granada
Gran Canaria
Guadalajara
Huelva
Huesca
Jaén
León
Lérida
Logroño
Lugo
Madrid
Málaga
Melilla
Murcia
Navarra
Orense
Oviedo
Palencia
Palma de Mallorca
Pontevedra
Salamanca
San Sebastián
Santander
Segovia
Sevilla
Soria
Tarragona
Tenerife
Teruel
Toledo
Valencia
Vitoria
Valladolid
Zamora
Zaragoza

LIBRO DE EJERCICIOS F G H

J Busca en la publicidad que te damos en estas páginas y contesta:

1 ¿Qué compañía ofrece actividades que hay que hacer andando?
2 ¿Qué compañía quiere solucionar los problemas que la gente tiene con la policía de tráfico?
3 ¿Qué compañía ofrece aparcamiento a los que viajan en primera clase?
4 ¿Qué banco te aconseja comprar un coche nuevo?
5 ¿Qué compañía ofrece facilidades de pago para viajes y alojamiento?

K Lee la información y busca en tu diccionario las palabras que no conoces para comprender los servicios que ofrece el AVE en las clases preferente y turista.

Lee 'Información de interés' y contesta:

1 ¿Se puede subir al tren un minuto antes de su salida?
2 ¿A qué número llamas en Sevilla si quieres viajar con un grupo de treinta personas?
3 ¿Con cuánto equipaje puedes viajar en el AVE?

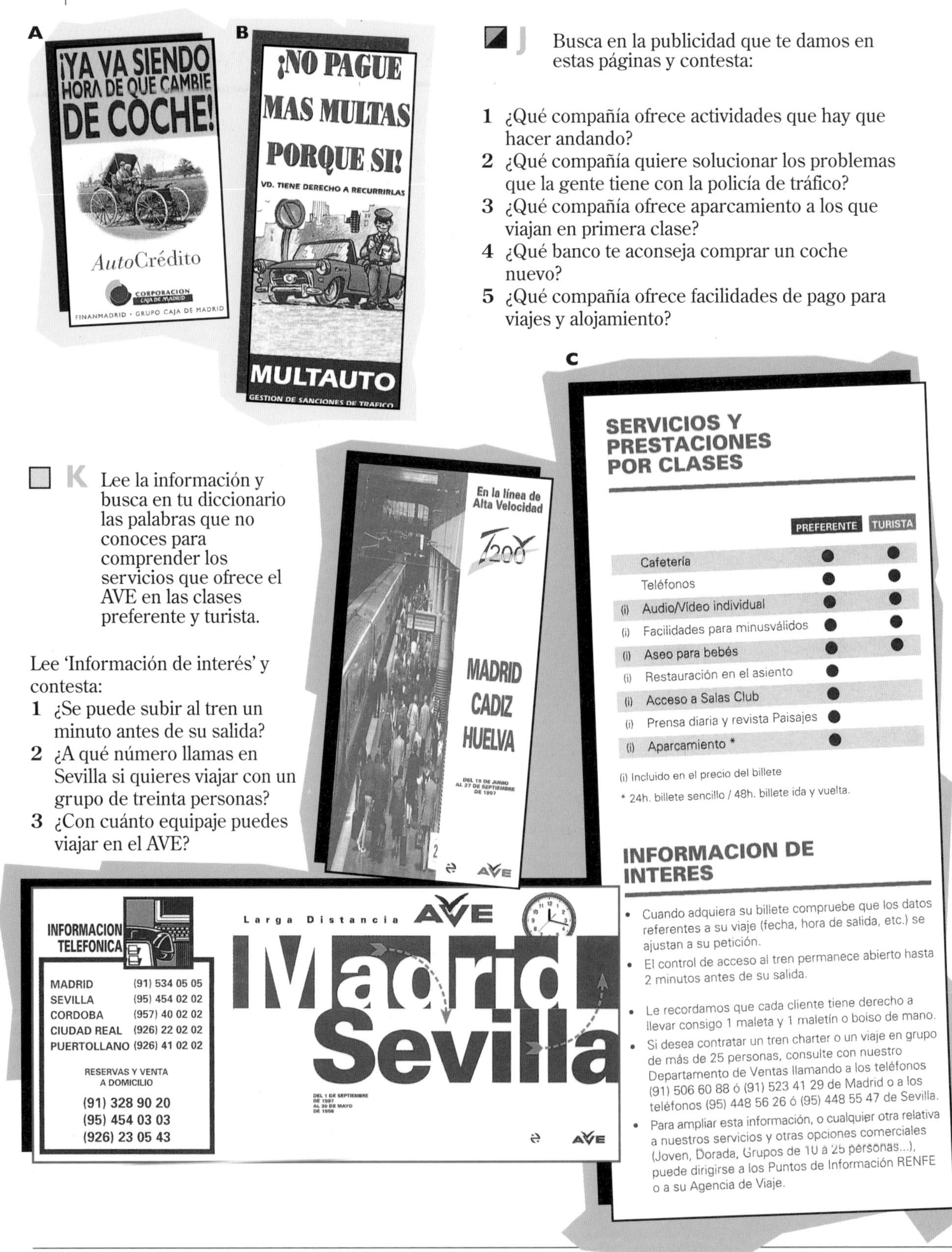

B

Sólo con el Talonario BONO•HOTEL PLUS podrá alojarse en un HOTEL, viajar en TREN, alquilar un COCHE y pagarlo todo en 3 meses sin intereses.

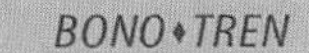

Trayecto ida y vuelta, o sólo ida
Desde 3.600 PTA.

•Más de 400 trayectos de largo recorrido RENFE, ida y vuelta o sólo ida, a ciudades como Madrid, Barcelona, Málaga, París, Milán... con un ahorro medio del 40%.

•Válido, en algunos casos, para los servicios de Coche-Cama y Auto-expreso.

200

Y ahora, además, puede obtener un 10% de descuento, presentando su Talonario Bono•Hotel Plus, en billetes de Tren de Alta Velocidad, AVE y Talgo 200, si se aloja en un hotel con Bono•Hotel Plus.

BONO•HOTEL

Habitación doble en hotel ****
Desde 7.200 PTA por noche.

•A elegir entre más de 700 hoteles en España y el extranjero, la mayoría con posibilidad de alojarse todos los días y servicio de desayuno incluido.

•Alojamiento gratuito para 1 ó 2 niños (menores de 12 años) compartiendo habitación con 2 adultos.

BONO•COCHE

Fin de semana
Desde 12.200 PTA: viernes, sábado y domingo.

•Tarifa fin de semana: de 9 h. del viernes a 12 h. del lunes.

•Alquiler para cualquier día de la semana desde 5.000 PTA/día.

•Seguros (excepto PAI) e impuestos incluidos.

E

L 'Bono hotel, bono tren y bono coche' es un servicio de El Corte Inglés.

ESCOGE

1. El servicio ofrece (quinientos/setecientos/novecientos) hoteles.
2. El mayor número de personas que permiten en una habitación es (tres/cuatro/cinco).
3. Con el 'bono tren' se puede viajar (sólo en España/por Europa también).
4. Si viajas en el AVE recibes el (diez/cuarenta) por ciento de descuento.
5. Con el 'bono coche' el alquiler de fin de semana termina (el domingo por la noche/el lunes a mediodía).
6. El alquiler para un día de la semana es (un mínimo/un máximo) de 5.000 ptas.

M Contesta las siguientes preguntas:

1

a What do Canto SA think might be your problems?
b How do they solve them?
c Make a list of all the advantages they give for their solution.
d What deposit is needed and what is the minimum cost?

2 What discount is given on RENFE's 'blue' days
a for a return journey?
b if you have a gold card?
c for young people?

5

3
a Who is flying non-stop to South America?
b How much shorter is the journey going to be?
c How many such flights a week are there?

4 When will your car be towed away? (la grúa = *a crane*)

5
a For whom can Viajes Meliá obtain special prices?
b What will you not have to queue for?
c What is Meliatronic?

6
a Give the exact date and time when the parking ticket was used.
b What happens if you park for more than 90 minutes?

7
a Who qualifies for the Senior Citizen's railcard?
b How much do they have to pay to obtain a card?
c How long is it valid for?

LIBRO DE EJERCICIOS ▷ I J K L

6

P
AYUNTAMIENTO DE MADRID
ZONA DE ESTACIONAMIENTO VIGILADO
1/2 hora 25 ptas.
E № 906606

MES	DIA			HORA	MIN.
Enero	1	2	3	9	0
Febrero	4	5	6	10	5
Marzo	7	8	9	11	10
Abril	10	11	12	12	15
Mayo	13	14	15	[ ]	20
Junio	16	17	18	14	25
Julio	19	20	21	15	30
Agosto	22	23	24	16	35
Septiembre	25	26	27	17	[ ]
Octubre	28	[ ]	30	18	45
Noviembre	31			19	50
Dici[ ]re	1984				55

1. Coloque la presente tarjeta en sitio visible desde el exterior, haciendo cinco perforaciones que se distingan con claridad, Año - Mes - Día - Hora - Minuto de llegada, de modo que quede inutilizada para uso posterior.
2. No rebase el tiempo de estacionamiento indicado. En ningún caso este tiempo podrá exceder de hora y media.
3. El incumplimiento de las instrucciones anteriores será sancionado conforme Bando de la Alcaldía Presidencia con multa mínima de 2.000 pesetas.

7

Beneficiarios.
Esta tarjeta pueden obtenerla las personas que reúnan la siguientes condiciones:
- Hombres mayores de 65 años.
- Mujeres mayores de 60 años.
- Pensionistas mayores de 60 años.
- Pensionistas que, aun siendo menores de 60 años, estén en situación de incapacidad permanente y total formalmente declarada.

Requisitos.
Presentación de la documentación que acredite en cada caso la condición del beneficiario.
Pago de 100 pts.

Período de validez.
1 año.

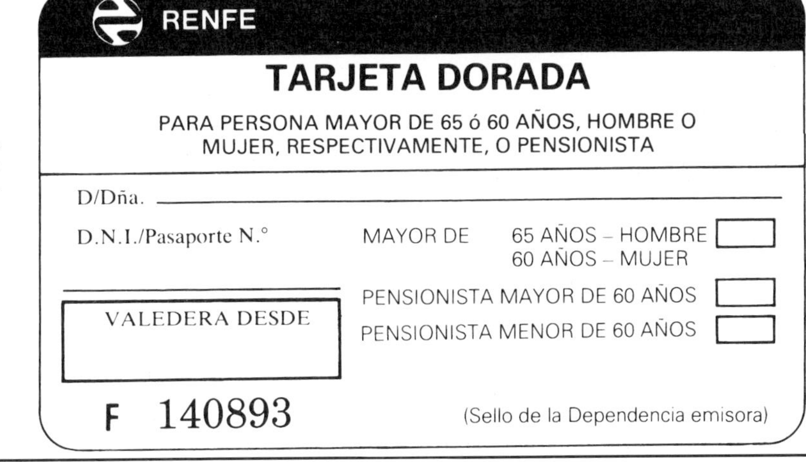
RENFE
TARJETA DORADA
PARA PERSONA MAYOR DE 65 ó 60 AÑOS, HOMBRE O MUJER, RESPECTIVAMENTE, O PENSIONISTA
D/Dña. ____
D.N.I./Pasaporte N.°
MAYOR DE 65 AÑOS – HOMBRE / 60 AÑOS – MUJER [ ]
PENSIONISTA MAYOR DE 60 AÑOS [ ]
PENSIONISTA MENOR DE 60 AÑOS [ ]
VALEDERA DESDE
F 140893
(Sello de la Dependencia emisora)

AYUDA

aconsejar	*to advise*
el recorrido	*trip*
el folleto	*leaflet*
agradecer	*to thank*

En la Oficina de Turismo

Joven	Buenos días. Quisiera saber si se puede ir en tren de Madrid a Alcalá de Henares.
Señorita	Yo le aconsejo ir en autobús. Tiene usted que ir al metro de Avenida de América y los autobuses salen a unos metros de allí. Hay uno cada cuarto de hora y el recorrido dura media hora.
Joven	Muchísimas gracias. ¿Tiene usted un folleto que tenga información sobre la Casa de Cervantes? Voy a visitarla y me gustaría informarme un poco antes de llegar.
Señorita	Eso no. Seguramente los tendrán en la Oficina de Turismo en Alcalá mismo, pero sé que no está abierta los lunes.
Joven	Se lo agradezco mucho, pero, ¿a qué estación dijo usted que tenía que ir?
Señorita	A Avenida de América. Coja usted la línea dos en Sol y cambie en Serrano para Avenida de América.
Joven	Gracias. Adiós.
Señorita	De nada. Adiós.

☐ **N** ESCOGE

1 El joven desea viajar a Alcalá en (tren/autobús).
2 La señorita dice que es mejor en (tren/autobús).
3 La parada del autobús está cerca del (centro/aeropuerto).
4 El viaje de Madrid a Alcalá dura (un cuarto de hora/treinta minutos).
5 El joven quiere visitar (La Casa de Cervantes/el Museo de Alcalá).
6 La Casa de Cervantes está cerrada (los fines de semana/los lunes).
7 El joven tiene que tomar la línea (una/dos) del metro.

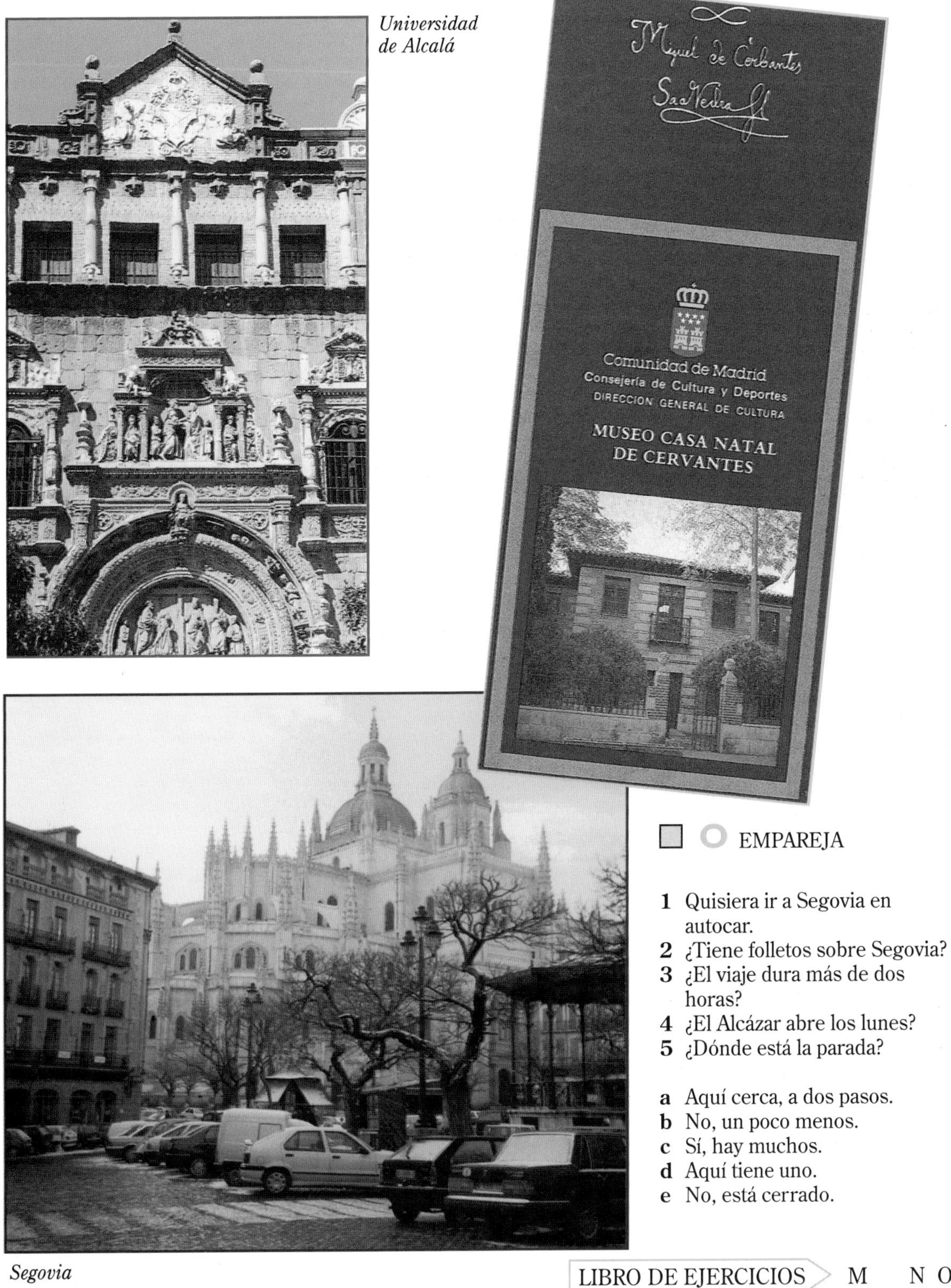

Universidad de Alcalá

Segovia

EMPAREJA

1 Quisiera ir a Segovia en autocar.
2 ¿Tiene folletos sobre Segovia?
3 ¿El viaje dura más de dos horas?
4 ¿El Alcázar abre los lunes?
5 ¿Dónde está la parada?

a Aquí cerca, a dos pasos.
b No, un poco menos.
c Sí, hay muchos.
d Aquí tiene uno.
e No, está cerrado.

LIBRO DE EJERCICIOS M N O

SEIS MUERTOS AL ESTRELLARSE UN AVIÓN DE COMBATE

Manila. Seis personas resultaron hoy muertas al estrellarse un avión de la Fuerza Aérea filipina en la ciudad de Ángeles, a 95 kilómetros al norte de Manila. El piloto resultó muerto y cinco víctimas civiles perecieron a raíz del incendio producido en sus casas al explotar el avión.

AYUDA

el avión de combate	*fighter aircraft*
estrellarse	*to crash*
La Fuerza Aérea	*Air Force*
perecer	*to perish/die*
a raíz de	*resulting from*

☐ P LEE Y ELIGE

1 El avión se estrelló en
 a Manila.
 b Ángeles.

2 Ángeles está a 95 kilómetros
 a al sur de Manila.
 b al norte de la capital.

3 a Solamente estaba el piloto en el avión.
 b Había seis personas en el avión.

4 Cinco ciudadanos murieron
 a en sus casas.
 b en la calle.

☐ Q RELLENA

1 Murieron seis . . .
2 Manila está al . . . de Ángeles.
3 El avión se estrelló en . . .
4 La explosión causó un . . .

AYUDA

el aterrizaje	*landing*
realizar	*to make*
efectuar	*to make*
despegar	*to take off*
las fuentes	*sources*
lo que ocurría	*what was happening*
se produjeron	*there were*
el combustible	*fuel*
la nave	*aircraft*

ATERRIZAJE DE EMERGENCIA DE UN BOEING 727

Bilbao. Un Boeing 727 de Iberia realizó un aterrizaje de emergencia en el aeropuerto de Foronda poco después de despegar hacia Londres del aeropuerto de Vitoria. Fuentes del aeropuerto informaron hoy que en el avión viajaba un total de 148 personas que incluía a nueve miembros de la tripulación. Los pasajeros permanecieron tranquilos en todo momento.

El comandante del Boeing eligió Foronda para efectuar el aterrizaje por la longitud de su pista. El piloto decidió arrojar al mar el combustible para evitar una posible explosión. También informó a los pasajeros de lo que ocurría y en ningún momento se produjeron escenas de pánico. Los responsables del aeropuerto declararon el 'estado de emergencia'. Acudieron los bomberos pero la nave aterrizó sin problemas.

R BUSCA LAS FRASES

Find the expressions in the extract which explain the following ideas:

1. un avión español
2. con destino a
3. lo que pasaba
4. durante todo el tiempo
5. serenos
6. llegaron para ayudar
7. sin dificultades
8. a los pocos minutos de salir
9. la probabilidad de incendiarse
10. momentos de confusión

S VERDADERO/FALSO

1. El avión era español.
2. La nave realizó el aterrizaje de emergencia en el mismo aeropuerto del que despegó.
3. Había menos de cien pasajeros.
4. Viajaban a Inglaterra.
5. La pista del aeropuerto de Foronda era larga.
6. El avión aterrizó con muy poco combustible.
7. El avión se encontraba cerca de la costa.
8. Los pasajeros no sabían lo que pasaba.
9. Se presenciaron escenas de pánico.
10. Necesitaron la ayuda de los bomberos.

T LEE Y ESCOGE

1. El avión aterrizó (poco/mucho) después de despegar.
2. En el avión había (139/148) pasajeros.
3. El avión despegó del aeropuerto de (Vitoria/Foronda).
4. El piloto arrojó el combustible (al mar/sobre el aeropuerto).
5. Los pasajeros reaccionaron con (pánico/calma).
6. Llegaron (los bomberos/más pilotos) para ayudar.

U Intenta reproducir una hoja en inglés con la información del Parque Submarino SEA LIFE.

Sea Life wish to point out that the leaflet reproduced here is no longer current.

Un recorrido relajante y lleno de historia

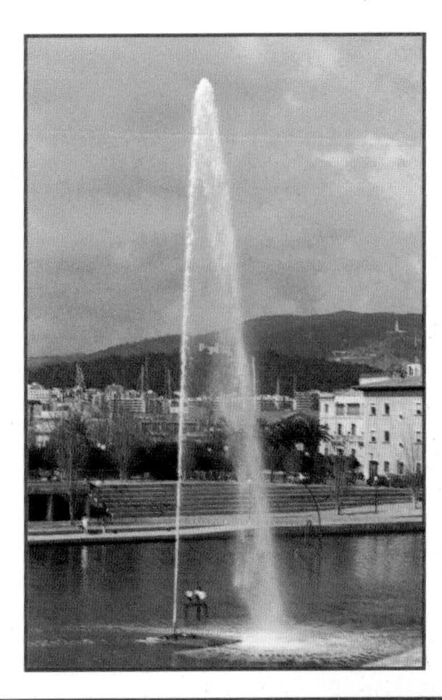

En el año 1906 se fundó el proyecto para la línea de ferrocarril Palma-Soller en la isla de Mallorca, Baleares. Las obras se iniciaron el año siguiente y construyeron el Túnel Mayor, de 2857 metros, que atraviesa la Sierra Norte. Ahora el recorrido tiene trece túneles, que forman un total de cinco kilómetros de los veintisiete del recorrido.

Karen ¿Qué tal te pareció el trayecto de Palma a Soller?
Esteban Fabuloso. Unas vistas extraordinarias. Es mi primera vez en Mallorca y me ha impresionado mucho. Es una isla mágica y encantadora. Quiero ir otra vez el jueves. ¿Me acompañas?
Karen ¿Tú y yo solos?
Esteban ¿Por qué lo preguntas? ¿Necesitamos a alguien más?
Karen No, no. Me parece muy buena idea. Me gustaría mucho ir contigo y me apetece visitar la catedral y el puerto otra vez.

V ESCOGE

1 Construyeron el Túnel Mayor en mil novecientos seis/mil novecientos siete.
2 Hay más de/menos de diez túneles.
3 El trayecto es de 5/27 kms.
4 Karen/Esteban hizo el trayecto el otro día.
5 Karen/Esteban no conoce Mallorca muy bien.
6 A Esteban le encantan/no le gustan las montañas.

¿Verdadero o falso?

7 Esteban va a hacer el trayecto por segunda vez.
8 A Karen le gusta Esteban.
9 Van a hacer el trayecto con una persona más.
10 Karen y Esteban no están muy contentos de sus vacaciones.

W ESCUCHA

1 Escucha el siguiente reportaje de un delito cometido en el tren-correo Valencia–Madrid. Anota los detalles.

2 Escucha otra vez y corrige tu versión del reportaje. Ahora lee la versión mas larga que aparece en el diario del día siguiente y escribe los detalles nuevos en tu cuaderno.

AYUDA

el atraco	*hold-up, raid*
asaltar	*to attack*
el portavoz	*spokesman*
la portavoz	*spokeswoman*
trasladar	*to transfer*
el/la empleado/a	*employee*

ASALTO AL TREN-CORREO VALENCIA–MADRID. SEIS HOMBRES ARMADOS SE LLEVAN 66.000 PESETAS

Seis hombres armados con pistolas, cuchillos y hachas asaltaron ayer el tren-correo Valencia–Madrid a las 21.45 horas de la noche.

Los tres empleados del furgón sufrieron heridas de carácter leve cuando los atracadores trataron de obtener información amenazándoles y obligando a uno de ellos a abrir las puertas desde el interior.

Nos informó esta mañana una portavoz de la Dirección General de Correos que los atracadores lograron escapar con sólo ocho paquetes con valor declarado de 66.000 pesetas. El testimonio de uno de los empleados nos revela que los asaltantes ignoraban que desde hace dos años, como consecuencia de un asalto parecido, la Dirección General de Correos ya no traslada los despachos importantes en los vagones de correos.

Según fuentes de la policía, el ataque, perfectamente planeado, apenas duró 30 minutos. Se produjo cerca de la estación de Utiel, a unos 45 kilómetros de Valencia. Sólo tres del grupo tomaron parte activa en la acción. Uno esperó fuera con los coches de huída mientras los otros se prepararon para coger los sacos. Los tres que entraron en el vagón, después de destrozar algunos paquetes, amenazaron al personal dándoles patadas y puñetazos, pero afortunadamente no les infligieron ninguna herida grave.

Uno de los atracadores metió los paquetes en una saca que arrojó del tren. Los otros miembros del grupo trasladaron luego la saca a un coche SEAT y se escaparon en éste y en un Citröen verde. La Guardia Civil cree que se trata de un grupo extranjero. Según el personal de RENFE los seis llevaban máscaras; todos hablaban castellano pero con fuerte acento extranjero.

AYUDA

el hacha (f)	*axe*
el furgón	*goods wagon*
amenazar	*to threaten*
el atracador	*attacker*
lograr	*to succeed*
el testimonio	*account*
ignorar	*not to know*
los despachos	*shipments*
apenas	*hardly*
dar patadas	*to kick*
el puñetazo	*blow, punch*
infligir	*to inflict*
arrojar	*to throw*
extranjero/a	*foreign*
la máscara	*mask*

X Lee las siguientes notas escritas en la entrevista con el jefe de la Guardia Civil y corrígelas:

Read the notes made by a reporter interviewing the officer in charge of the case. Unfortunately he left his pad out in the rain. Add the details that have been lost.

Había hombres
El ataque duró
Se escaparon con pesetas.
Ocurrió cerca de . El
grupo se llevó paquetes.
3 tomaron una parte
activa. Había empleados
en el vagón. Tuvo lugar a
las

Y Para rellenar las notas del ejercicio X, ¿qué preguntas hizo el jefe de la Guardia Civil?

ESCOGE

1 a ¿Cuántos hombres había?
b ¿Cómo se llamaban los hombres?
2 a ¿Qué tiempo hacía?
b ¿Cuánto tiempo duró el ataque?
3 a ¿Cuánto dinero robaron?
b ¿Robaron dólares o libras esterlinas?
4 a ¿Dónde ocurrió el ataque?
b ¿Por qué ocurrió el ataque?
5 a ¿Cuántos paquetes compró el grupo?
b ¿Cuántos paquetes se llevó el grupo?
6 a ¿Cuántos atracadores tomaron parte activa?
b ¿Cuántos atracadores tomaron café con leche?
7 a ¿Cuánto dinero recibieron los empleados?
b ¿Cuántos empleados había en el furgón?
8 a ¿A qué hora desayunaron los atracadores?
b ¿El atraco tuvo lugar de noche?

Z Lee las siguientes notas y utilízalas para escribir el reportaje de otro atraco que ocurrió en un tren.

lunes por la mañana
a las 06.25
tres hombres y una mujer (25 años)
con máscaras, llevaban gorras y chaquetas negras
todos españoles
un rápido Madrid–Barcelona
Zaragoza
40.000 pts.
dos empleados de RENFE
un brazo roto
un coche rojo
una moto (la mujer)

Intenta utilizar los siguientes verbos:
ocurrió tomaron parte activa eran (extranjeros) saltaron robaron resultaron heridos se escaparon se escapó

7

CAPÍTULO SIETE

Infórmate, entérate

A Find the signs for the following:

NO ENTRY
DANGEROUS DOG
SHOE REPAIR SHOP
PLEASE DO NOT SMOKE
STAIRCASE
PRIVATE
OUT OF ORDER
SECOND FLOOR
GENTS
LADIES
ELECTRICIAN
MANAGEMENT
ON HOLIDAY
INFORMATION
PULL
CHANGE
LADIES HAIRDRESSER
RENT A CAR
WAREHOUSE
LOST AND FOUND
NO TIPS
BARBER
DO NOT SMOKE
TOILETS
PLEASE DO NOT SMOKE ON THE STAIRS
LOUNGE
MAGAZINES
BELL
FIRE SERVICE ONLY
POST OFFICE
THANKS FOR YOUR VISIT
PUSH
NOTICES
CLOAKROOM
COME INTO THE WAITING ROOM
CLOSED
CARETAKER
DRESSMAKER
LIFTS
MENS HAIRDRESSER
OPEN
LETTERS
5TH FLOOR

B ¿Dónde es probable que veas estos letreros? Empareja.

a segundo
b tirad/empujad
c prohibido el paso
d perro peligroso
e cerrado por descanso
f guardarropa
g cartas
h ascensor
i cambio
j revistas

1 en un edificio de muchas plantas
2 en una carretera privada
3 en las puertas de cristal del Corte Inglés
4 en una casa donde hay un animal feroz
5 en un banco
6 en un quiosco o una librería
7 en un tienda que no está abierta
8 en Correos
9 donde el público deja sus abrigos
10 entre el primer y el tercer piso

C ESCUCHA

You hear the following announcements over a loudspeaker system of a department store. Listen carefully and answer the questions.

1a What has gone wrong?
1b What are you advised to do?
2 What are you being reminded of?
3a To what are the shoppers being invited?
3b Where and when and by whom?
4 What departments will not be open after 3 o'clock and when?
5a What is the shopper being asked to do?
5b Why?
5c How does the announcement end?

LIBRO DE EJERCICIOS A

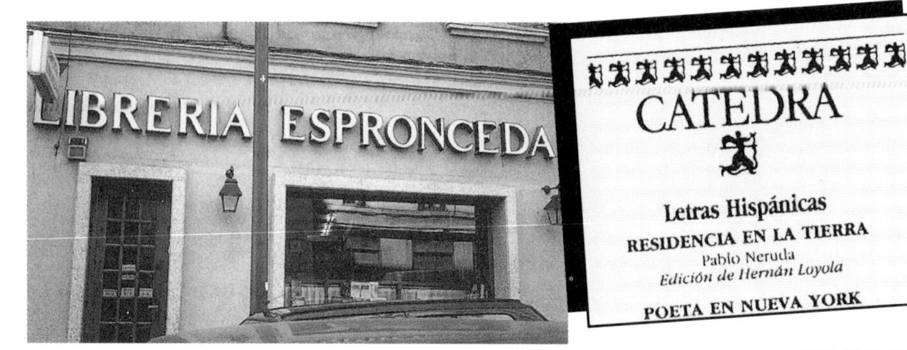

Blanche Mertz: *Pirámides, catedrales y monasterios*	825pts
Nicolas Capo: *Cómo ver bien sin lentes*	850pts
Guías de la Naturaleza: *El cielo de la noche*	460pts
Genevieve Roux: *La mujer y su cuerpo*	325pts
Paul Johnson: *Después de los cuarenta*	180pts
Dr. Osvaldo J. Brusco: *¿Qué debemos comer?*	1085pts
Ruffie, Dr. J.E.: *Gimnasia diaria práctica*	1100pts
Beranye Talhon: *101 consejos para vencer la timidez*	909pts
Catta, Rene Salvador: *Cómo hablar en público*	380pts
Sweetland, Ben: *Hágase rico mientras duerme*	600pts

D ¿Qué libro le regalarías a cada una de estas personas?

a Una persona que ya va para viejo.
b Una chica que tiene tres telescopios en casa.
c Una persona que tiene dificultad para hablar con la gente.
d Una persona que desea hacer dinero fácilmente.
e Una chica que quiere saber cómo funciona biológicamente.
f Una persona que no quiere utilizar gafas.
g Un chico que se preocupa por su dieta.
h Una persona que quiere hablar en reuniones y congresos.
i Una persona que tiene mucho interés en monumentos históricos.
j Una persona que desea mantenerse en forma.

AYUDA

ir para viejo	*to be getting on (in age)*
los lentes	*glasses*
preocupar(se)	*to worry about*
el consejo	*advice*
el congreso	*conference*
vencer	*to overcome*
mantener(se) en forma	*to keep fit*

AYUDA

quisiera	*I would like*
más bien	*especially*
la novela policíaca	*detective novel*
la obra de teatro	*theatrical play*
poner(se)	*to start*

LEE

«No leo tanto como quisiera; más bien revistas y el diario. Cuando tengo tiempo una novela, libros de historia y sí, me interesan mucho las biografías.»
Maribel

«Las novelas policíacas me encantan.»
Eva

«Yo siempre que paso por una librería, entro y me pongo a mirar. El jueves fui a una a comprar regalos para la familia para Reyes. Salí con libros de deportes, novelas, ciencia-ficción, biografías, libros de historia. Gasté miles de pesetas y todo para otra gente, para mí no compré nada.»
María José

«Leo mucho Autobiografías, obras de teatro, poesía y libros de humor también.»
Cristina

«A mí me gustan los diccionarios y leo bastante en inglés.»
Marisé

E ORAL/ESCRITO

¡Y ahora, tú! Say that:

1 You read a lot at the weekends. (Leo . . .)
2 You love science fiction books.
3 You do not read enough in Spanish.
4 You like novels and sports books.
5 Say which type of reading you enjoy and which you do not.

LIBRO DE EJERCICIOS > B C D

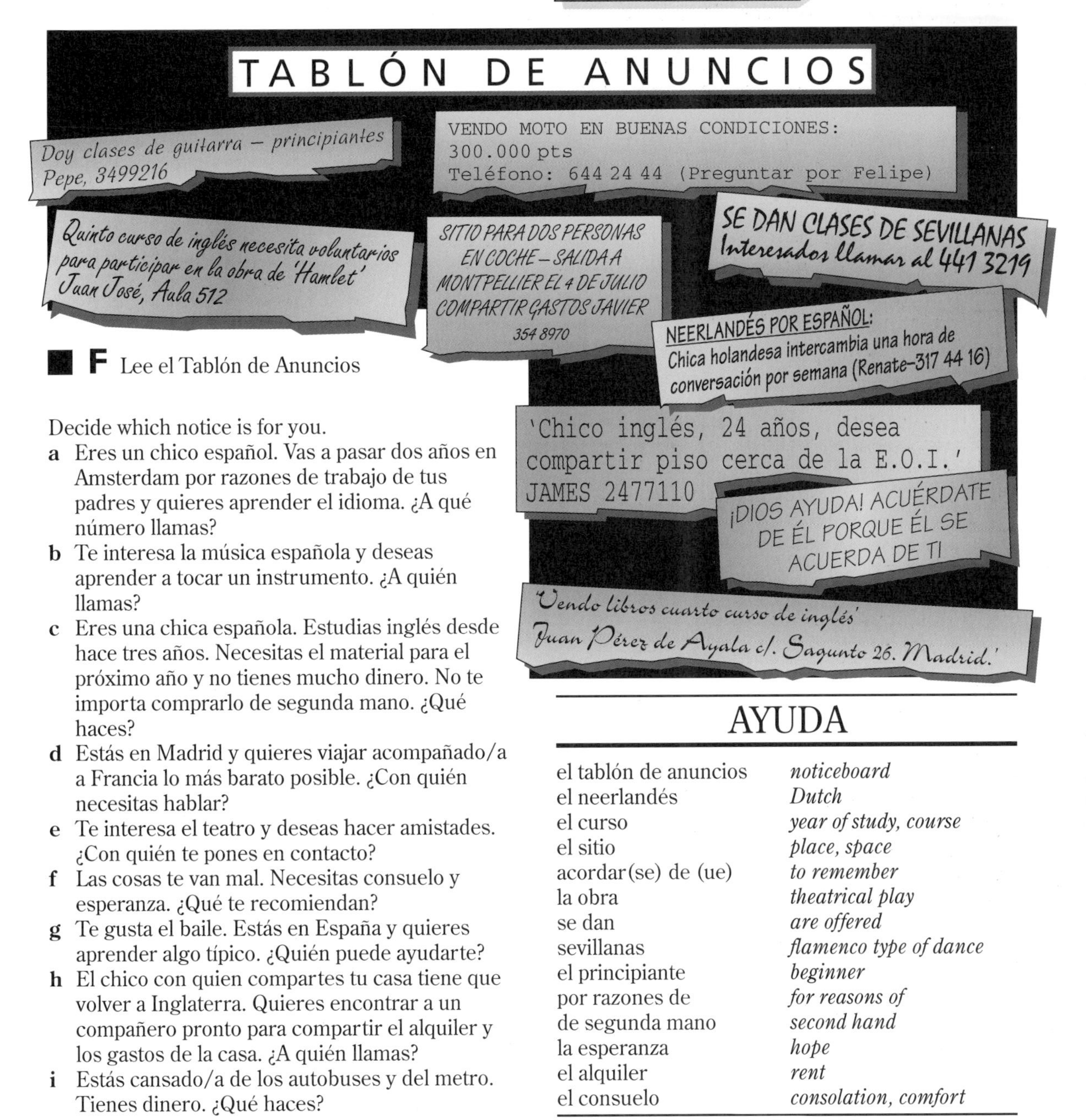

F Lee el Tablón de Anuncios

Decide which notice is for you.

a Eres un chico español. Vas a pasar dos años en Amsterdam por razones de trabajo de tus padres y quieres aprender el idioma. ¿A qué número llamas?
b Te interesa la música española y deseas aprender a tocar un instrumento. ¿A quién llamas?
c Eres una chica española. Estudias inglés desde hace tres años. Necesitas el material para el próximo año y no tienes mucho dinero. No te importa comprarlo de segunda mano. ¿Qué haces?
d Estás en Madrid y quieres viajar acompañado/a a Francia lo más barato posible. ¿Con quién necesitas hablar?
e Te interesa el teatro y deseas hacer amistades. ¿Con quién te pones en contacto?
f Las cosas te van mal. Necesitas consuelo y esperanza. ¿Qué te recomiendan?
g Te gusta el baile. Estás en España y quieres aprender algo típico. ¿Quién puede ayudarte?
h El chico con quien compartes tu casa tiene que volver a Inglaterra. Quieres encontrar a un compañero pronto para compartir el alquiler y los gastos de la casa. ¿A quién llamas?
i Estás cansado/a de los autobuses y del metro. Tienes dinero. ¿Qué haces?

AYUDA

el tablón de anuncios	*noticeboard*
el neerlandés	*Dutch*
el curso	*year of study, course*
el sitio	*place, space*
acordar(se) de (ue)	*to remember*
la obra	*theatrical play*
se dan	*are offered*
sevillanas	*flamenco type of dance*
el principiante	*beginner*
por razones de	*for reasons of*
de segunda mano	*second hand*
la esperanza	*hope*
el alquiler	*rent*
el consuelo	*consolation, comfort*

LUNES 2 DE SEPTIEMBRE

TVE 1 tve1

06.00 Selva María. NOVELA Telenovela venezolana. 5485208
07.35 Ultramán. Orden de rescate de la nave espacial. SERIE Un equipo de la S.I.A. acude a rescatar a los miembros de la Operación Prospector. 5618173
08.00 ¡Estamos de vacaciones! 5870444
10.05 Club Disney Verano 2858685
11.10 Una chica explosiva. Desenchufado. SERIE Gary dice a las chicas que tienen un grupo de rock. 1418208
11.30 Los rompecorazones. SERIE Tess, la hija de Rose, se pone enferma. Cuando acuden al hospital se encuentran con Yola. (Estéreo) 3573173
12.20 SeaQuest. SERIE Tras tres años de exploraciones, las misiones del SeaQuest llegan a su fin. (Est.) 5215289
13.10 Misión en el tiempo. La curación. SERIE El capitán Lambert va a Australia en busca de Buffo, criminal del futuro y ahora famoso deportista. (Est.) 6895208
14.00 Informativo territorial 2005
14.30 Paso a paso. Ella entró por la ventana del dormitorio. SERIE Carol, próxima al parto, se encuentra especialmente sensible e insegura. (Estéreo) 2604
15.00 Telediario 1 59598
15.45 Café con aroma de mujer. NUEVO Telenovela en la que se narra el amor entre una recolectora de café, a la que apodan Gaviota, y Sebastián Vallejo, un hombre sencillo que pertenece a una distinguida familia cafetera, que no acepta sus amores. 4827579
18.00 Toros. Desde Valencia, los diestros César Rincón, Manuel Díaz El Cordobés y Víctor Puerta lidiarán toros de la ganadería del Marqués de Domecq. 890024
20.00 Gente 9192

1 SEPTIEMBRE

La 2

06.00 Euronews 5410994
07.45 Los viajes del Dr. Stingl. Incluye los capítulos: **Las islas vírgenes, un paraíso americano** y **Singapur, la ciudad de los leones.** 7360333
08.45 Tiempo de creer 1138710
09.00 Los conciertos de La2 (Estéreo) 8938352
11.00 El día del señor 82517
12.00 Deportes. Programa deportivo en el que se ofrecen transmisiones de: *Motociclismo*, Campeonato del Mundo de Velocidad (G.P. Imola), desde Italia, en las modalidades de 125, 250 y 500 cc.; y los reportajes: *Motos de agua*, Campeonato de España de *Rally* (Tierra) y Regata de *Vela* desde el Puerto de Santa María. 31214826
15.30 Grandes documentales. El Nilo, río de los dioses 38772
16.30 Prisma. Fauna y flora de París 3081
17.00 National Geographic. Incluye: **Cita en el Pacífico con las ballenas, Jitterbug y Montañas rusas.** 57807

4 DE SEPTIEMBR

TELEMADRID

10.00 Telenoticias. Con Lourdes Repiso. 77248
10.30 La Banda. Programa dedicado a los más peque de la casa, que ofrece un nuevo episodio correspondie a las siguientes series de dibujos animados: **Doraem el gato cósmico, Clyde, Capitán Planeta, Bu Bunny, Garfield, Ratas de moqueta, Los Pic piedra, Meteoro** y **Vicky el vikingo.** 822920
14.00 Telenoticias. Los periodistas madrileños Ju Pedro Valentín y Teresa Castanedo presentan este formativo. 282064
20.30 Telenoticias. Espacio que ofrece un resumen la información que mejor define el perfil de la jornada aspectos como la política o el deporte. Presentan: Jua jo Guerenabarrena y Beatriz Pérez Aranda, con los c mentarios del periodista Luis del Val. 878655
21.30 Sal y pimienta 5723487
22.45 Inocente, inocente. Juan Manuel López It rriaga e Isabel Serrano son los presentadores de este e pacio en el que se gastan bromas, por medio de la c mara oculta, a personajes famosos. 802375
01.00 Aquí no hay playa. Programa presentado p Jaime Bores y Paloma Ferre, que se ofrece desde el P que de Atracciones de Madrid, y en el que se incluyen deos con actuaciones de los grupos y humoristas m famosos del panorama musical actual. 8483495
02.30 Telenoticias 9994698

G Lee la programación del 1 de Septiembre en La 2 y contesta:

1 ¿A qué hora es el programa de las noticias de Europa?
2 ¿A qué hora ponen un programa de música?
3 ¿A qué hora hay un programa sobre Egipto?
4 Menciona tres deportes que ponen en el programa de las doce.
5 ¿Qué programa habla de diferentes países?
6 ¿Qué dos programas son religiosos y qué dos tratan de la naturaleza?

H Estudia la programación del 2 de Septiembre en TVE 1 y escribe los títulos de:

1 un programa de ciencia-ficción
2 un 'culebrón'
3 un programa de dibujos animados
4 una corrida en directo
5 un programa debajo del mar
6 otro de noticias y actualidad

I Estudia los programas en Telemadrid del 4 de Septiembre y contesta:

1 ¿Cuál es el único programa para niños?
2 ¿A qué dos temas se dedican las Telenoticias de la noche?
3 ¿Cómo se llama el programa donde la gente no sabe que está apareciendo en la tele?
4 ¿Qué programa parece ser de recetas de cocina pero es de humor?
5 ¿Qué programa es para adultos pero viene de un lugar muy querido por los niños?
6 ¿Cómo sabemos que en esta época del año la mayoría de los programas de actuación vienen en directo de la costa?

22.20 La2

La hija de Ryan ★★★★

Drama. Injustamente maltratado en su momento por la crítica, un excelente melodrama para recuperar.

Transcurre el año 1906 en Irlanda, cuando se produce el levantamiento contra la dominación británica.

Charles, un maestro rural que vuelve de Dublín a su pueblo tras una breve ausencia, se casa con la joven Rosy.

El docente es un hombre maduro, con más de cuarenta años, mientras que su esposa apenas pasa de los veinte.

Los problemas no tardan en aparecer y el matrimonio resulta se un completo fracaso.

La joven vuelve a sus ilusiones de adolescente y se enamora del Mayor Doyran, un héroe mutilado de guerra que llega al pueblo para defender los intereses ingleses.

COLOR 170 m. • "RYAN'S DAUGHTER" • GRAN BRETAÑA 1970 • DIRECTOR: DAVID LEAN • INTÉRPRETES: SARAH MILES, ROBERT MITCHUM, JOHN MILLS, TREVOR HOWARD Y CHRISTOPHER JONES • EMITIDA POR TVE EL 23-12-90 Y POR ANTENA 3 EL 25-12-91 Y EL 12-9-92 • PANAVISIÓN.

AMOR ●●● | VIOLENCIA ● | HUMOR | SEXO

24 DICIEMBRE DOMINGO

ANTENA 3

22.00 **Lo que necesitas es amor.** *Con Jesús Puente.* Programa que con motivo de la festividad de Nochebuena, tendrá un contenio muy especial, con historias de amor especialmente realizadas para estas fechas y la presencia de personajes populares como Rocío Jurado y Miguel Gila. 7532873

El fútbol ya no gana siempre

De los 7 partidos emitidos en la semana, sólo tres, los del lunes, sábado y domingo, fueron lo más visto del día. A continuación, les detallamos los de mayor audiencia y su puesto entre el resto de los programas de cada día:

- **Lunes.** Sporting-Real Madrid (3.367.000 espect.) 1º puesto.
- **Martes.** C.D. Tenerife-Amberes (1.281.000 espect.) 9º puesto.
- **Miércoles.** Sevilla-Valladolid (2.196.000 espect.) 3º puesto.
- **Jueves.** Huelva-Sevilla (1.537.000 espect.) 5º puesto.
- **Viernes.** Mallorca-F.C. Barcelona (1.867.000 espect.) 3º puesto.
- **Sábado.** Real Sociedad-R. Madrid (2.269.000 espect.) 1º puesto.
- **Domingo.** Atlético de Madrid-F. C. Barcelona (2.782.000 espect.) 1º puesto.

La fuerza de la radio es la fuerza de la SER.
El mayor medio informativo después de televisión.
La primera cadena de emisoras con alcance nacional completo. Y, sobre todo, la radio de los grandes programas que a usted le gusta oír: Hora 25, Los 40 Principales, Matinal SER, Carrusel Deportivo, Onda Media. Aquí la SER, El Loco de la Colina, Pido la Palabra...
Esta es nuestra fuerza, la que usted nos da con su preferencia.
¡Que la fuerza le acompañe!
SER

25 DICIEMBRE LUNES

LA 2

06.00 **Euronews.** 86971309
09.30 **Concierto.** 801187
11.00 **Santa misa.** Misa de Navidad desde la Capilla del Fill Hallows College de Reumcondra, en Dublín, Irlanda. 14800
12.00 **Mensaje de Navidad y Bendición *Urbi et Orbi*.** Desde la Plaza de San Pedro en Roma, retransmisión de la tradicional bendición de S.S. el Papa Juan Pablo II. 98816

LOS DIEZ MAS VISTOS (DEL 12 AL 18 DE AGOST

1• LA PARODIA NACIONAL	3.680.000 espectadores
2• FÚTBOL: SPORTING DE GIJÓN–R. MADRID	3.367.000 espectadores
3• EL PRÍNCIPE DE BEL-AIR	2.855.000 espectadores
4• FÚTBOL: AT. MADRID–BARCELONA	2.782.000 espectadores
5• VÍDEOS DE PRIMERA	2.418.000 espectadores
6• AMY (PELÍCULA)	2.379.000 espectadores
7• SONRISAS DE ESPAÑA	2.342.000 espectadores
8• MADRE JUSTICIA (SERIE)	2.306.000 espectadores
9• SE BUSCA	2.269.000 espect. (31% sh
10• FÚTBOL: R. SOCIEDAD–R. MADRID	2.269.000 espect. (30% sh

LEE

AUTONOMICAS

Hasta hace unos años la televisión española solo tenía dos canales. Actualmente en España hay seis canales de televisión: TVE 1 y TVE 2 (La 2) que son estatales, ANTENA 3 y TELE 5 que son canales privados, y CANAL PLUS, que es también privado, pero la mayoría de sus programas son codificados. Luego están los canales autonómicos, como TELEMADRID, CANAL SUR de Andalucía, etc, algunos de los cuales, en Cataluña, Galicia y Euzkadi (País Vasco), transmiten en otros idiomas.

J RELLENA

1 Los dos canales principales del estado son ______ .
2 Los tres canales privados son ______ .
3 El canal con programas codificados se llama ______ .
4 Los tres canales que transmiten en otros idiomas son de ______ .

CONTINÚA
Además, muchas personas tienen antena parabólica que capta muchos más canales como TELEDEPORTE, CANAL CLÁSICO, TVE INTERNACIONAL, SPORTMANÍA, CINEMANÍA, DOCUMANÍA, CINECLASSICS, MINIMAX y de otros países en otros idiomas.

AYUDA

programas codificados	*encrypted programmes*
canales autonómicos	*regional channels*
canales estatales	*state channels*
antena parabólica	*satellite TV*
cantidad	*quantity*
calidad	*quality*
concursos	*game-shows*
programas de actualidad	*news programmes*
culebrones (coll.)	*TV soaps*
durar	*to last*
resaltar	*to stand out*
publicidad	*advertising*
resultar molesto	*to be annoying*
emisoras	*radio stations*
llamadas de opinión	*call-in (programmes)*

K En los canales españoles que se captan con la antena parabólica:

1 ¿Cuáles son exclusivamente de juegos y deportes?
2 ¿En cuáles solamente ponen películas?
3 ¿En cuál se pueden ver documentales educativos e interesantes?
4 ¿Cuál, crees tú, se dedica a poner programas infantiles?

CONTINÚA
Hoy en día hay mucha variedad de programas, ya que hay tantos canales, hay más cantidad, pero han bajado en calidad.
Hay muchos concursos, a veces copiados de otros países, programas de actualidad, muchas películas, malas y buenas, y en los últimos años son muy populares las telenovelas hispanoamericanas, de Méjico, Venezuela y Argentina, que llamamos 'culebrones', porque duran mucho y son muy melodramáticas.

L CONTESTA EN ESPAÑOL

1 ¿Se piensa hoy día que la televisión es mejor o peor?
2 ¿Los concursos son todos programas españoles?
3 ¿Cómo afecta la calidad el hecho de que haya tantas películas?
4 ¿Qué es un 'culebrón'?

CONTINÚA
Lo que resalta de la televisión española es la gran cantidad de anuncios que ponen, el tiempo que dedican a la publicidad. Interrumpen el programa muchas veces y resulta muy molesto.

CONTESTA EN ESPAÑOL

5 ¿Por qué no es tan serio el problema de las interrupciones en tu país?

Dial Madrid

TV CONCURSOS

Cómo jugar con la tele

TELE 5

LA RULETA DE LA FORTUNA
Lunes a viernes, 19.35 h. Presentado por Carlos Lozano.
PARA CONCURSAR: Envíe sus datos y una fotografía a: *La ruleta de la fortuna • Apartado de Correos 4850 • 28085 Madrid.*
PARTICIPACIÓN DESDE CASA: Llame al número de teléfono *906 30 00 34.*

ANTENA 3

SORPRESA, SORPRESA
PARA PARTICIPAR: Aunque este programa se ha despedido durante todo el verano, si quiere dar una sorpresa a alguien en la próxima edición, envíe una carta con sus datos a: *Sorpresa, sorpresa • Apdo. 4709 • 8700 Madrid.*
También puede contactar con el programa en el siguiente número de teléfono *906 33 01 23.*

Pop y ópera desde Viena

21.45 LA2

Natalie Cole, José Carreras y Plácido Domingo son los protagonistas del concierto de Navidad.

Dos de los tenores más importantes del mundo, José Carreras y Plácido Domingo, y Natalie Cole, catante estadounidense de formación *jazzística*, e hija del inolvidable Nat King Cole, junto a la Orquesta Sinfónica de Viena, son las figuras del Concierto de Navidad. La bella ciudad austríaca recoge lo más granado del *bel canto* y de la música negra y *soul*.

La visión de Nacho Cano

23.00 LA2

Un mundo separado por el mismo Dios es el nombre del magno espectáculo del cantante.

Concierto que engloba la gira *Un mundo separado por el mismo Dios*, que da nombre al primer disco en solitario de Nacho Cano, fundador y componente del grupo Mecano. El artista madrileño, hasta que vea la luz un próximo trabajo del trío que le ha hecho famoso, ha querido ofrecer su particular visión de la música, componiendo temas básicamente instrumentales.

EL SEMANAL TV 29

LA RADIO

En España hay muchas emisoras con una variedad enorme de programas. Hay entrevistas, comentarios de actualidad, concursos y ahora, como en muchos otros países, son muy populares las emisoras que se dedican a las llamadas de opinión y a dar información constante de la situación de las carreteras y el tiempo.

¿Qué tipo de programa de radio te gusta escuchar?

M Lee *Cómo jugar con la tele* y contesta.

1 Para tomar parte en el concurso de *La Ruleta de la Fortuna* tienes que . . .
Escoge:
enviar una cinta de vídeo; mandar tus datos personales; enviar una fotografía tamaño carnet; mandar un cheque de 5.000 pesetas

2 Puedes participar desde casa llamando al número ______

3 Para concursar en *Sorpresa, sorpresa* de Antena 3, tienes que . . .
Escoge:
esperar que pase el verano; escribir al Apdo. 4709; llamar al 906 33 01 23; enviar una postal

N Lee la información sobre los dos programas de La 2.

1 ¿Qué programa prefieres tú y por qué?
2 ¿Quién es Natalie Cole?
3 ¿Qué día es el concierto de Domingo, Carreras y Cole?
4 ¿Qué es Mecano?
5 ¿De qué ciudad es Nacho Cano?

LIBRO DE EJERCICIOS E F G H I

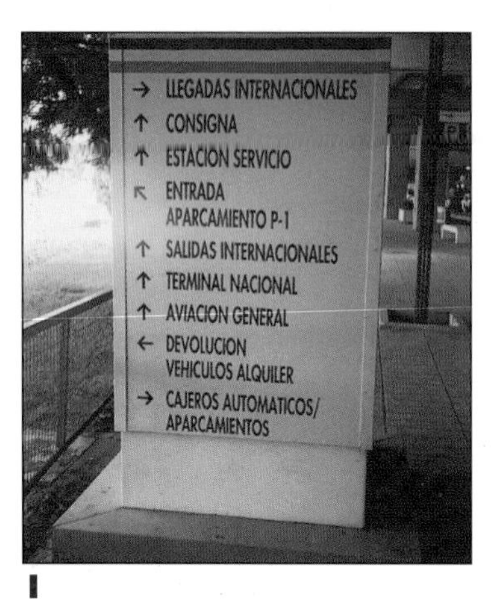

1

O LEE Y CONTESTA

1 Lee las indicaciones en la foto 1, del aeropuerto de Madrid, y escoge de la lista:

obtener dinero recoger tu coche ir por combustible esperar a un amigo que viene de Londres coger el avión de Londres coger un vuelo a Valencia recoger tus maletas/equipaje devolver el coche a la compañía Hertz hablar con dirección

a Tienes que ir hacia la derecha para . . . (3 cosas)
b Tienes que ir todo recto para . . . (5 cosas)
c Tienes que ir hacia la izquierda para . . . (2 cosas)

2 Lee la información sobre los servicios generales del Hotel Las Palomas (foto 2).

Contesta: ¿Adónde vas para . . . ?
a cortarte el pelo **b** bailar **c** jugar al billar **d** tomar una copa
e ver a los pequeños jugar **f** hacer compras **g** utilizar una pistola
h nadar **i** pasar mucho calor **j** ver una película **k** hacer deporte

2

servicios generales de hotel	
mini-club	jardín
discoteca	planta sótano
bar salón	planta hall
pistas de tenis	jardín
peluquería	planta hall
snooker	planta sótano
buffet-restaurante	planta hall
galería comercial	planta hall
galería de tiro	jardín
piscina climatizada	jardín
sauna	jardín
mini-tenis	jardín
bar piscina	jardín
salón video	planta sótano
sala juegos	hall

3 4 5 6

3 ¿A qué foto se refieren las siguientes frases?

a Esto es privado. Cuidado que no se escapen los animales.
b Los precios han bajado porque con pagar una vez se puede entrar 365 días.
c Los animales responden al cariño de las personas.
d Los animales obedecen a sus dueños si éstos son pacientes y afectuosos.

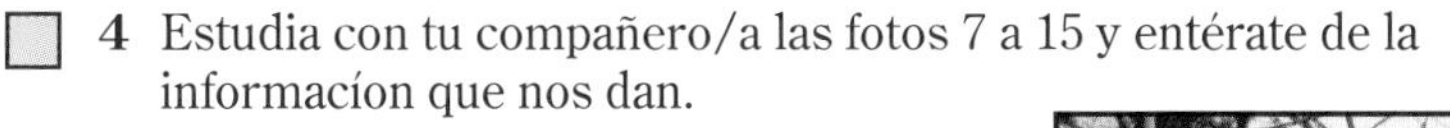

4 Estudia con tu compañero/a las fotos 7 a 15 y entérate de la informacíon que nos dan.

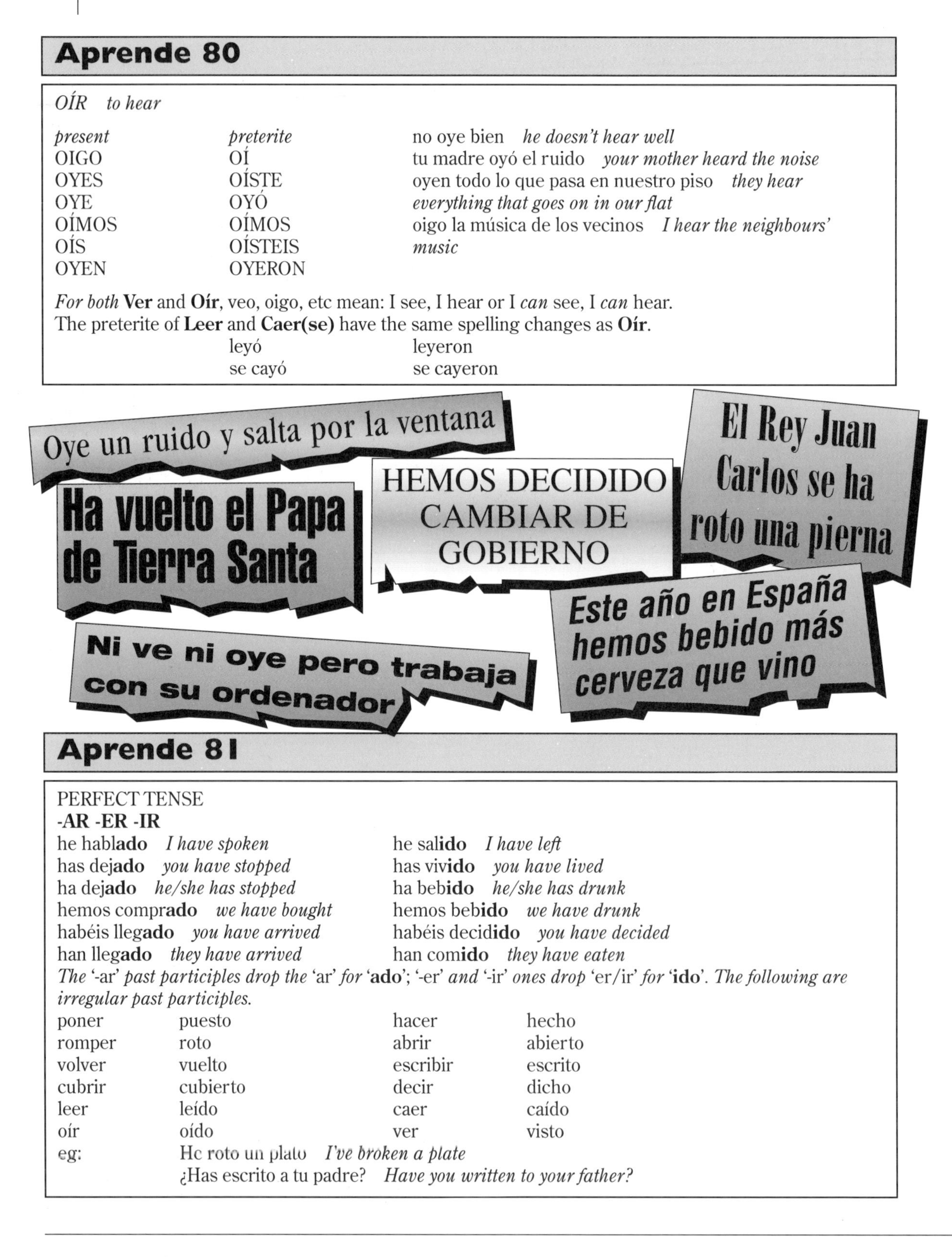

Aprende 80

OÍR *to hear*

present	*preterite*	
OIGO	OÍ	no oye bien *he doesn't hear well*
OYES	OÍSTE	tu madre oyó el ruido *your mother heard the noise*
OYE	OYÓ	oyen todo lo que pasa en nuestro piso *they hear everything that goes on in our flat*
OÍMOS	OÍMOS	oigo la música de los vecinos *I hear the neighbours' music*
OÍS	OÍSTEIS	
OYEN	OYERON	

For both **Ver** and **Oír**, veo, oigo, etc mean: I see, I hear or I *can* see, I *can* hear.
The preterite of **Leer** and **Caer(se)** have the same spelling changes as **Oír**.

leyó	leyeron
se cayó	se cayeron

Oye un ruido y salta por la ventana

Ha vuelto el Papa de Tierra Santa

HEMOS DECIDIDO CAMBIAR DE GOBIERNO

El Rey Juan Carlos se ha roto una pierna

Ni ve ni oye pero trabaja con su ordenador

Este año en España hemos bebido más cerveza que vino

Aprende 81

PERFECT TENSE
-AR -ER -IR

he habl**ado** *I have spoken*	he sal**ido** *I have left*
has dej**ado** *you have stopped*	has viv**ido** *you have lived*
ha dej**ado** *he/she has stopped*	ha beb**ido** *he/she has drunk*
hemos compr**ado** *we have bought*	hemos beb**ido** *we have drunk*
habéis lleg**ado** *you have arrived*	habéis decid**ido** *you have decided*
han lleg**ado** *they have arrived*	han com**ido** *they have eaten*

The '-ar' *past participles drop the* 'ar' *for* '**ado**'; '-er' *and* '-ir' *ones drop* 'er/ir' *for* '**ido**'. *The following are irregular past participles.*

poner	puesto	hacer	hecho
romper	roto	abrir	abierto
volver	vuelto	escribir	escrito
cubrir	cubierto	decir	dicho
leer	leído	caer	caído
oír	oído	ver	visto

eg: He roto un plato *I've broken a plate*
¿Has escrito a tu padre? *Have you written to your father?*

P Lee los titulares y escoge las respuestas a las preguntas de la lista:

el fugitivo de Carabanchel
en el Oriente-Medio
la bomba los Reyes
el Barcelona
a los jueces del Song Contest
el Presidente de los EE UU

1 ¿A quiénes no les gustó la canción española?
2 ¿Quién no pudo ganar en el norte?
3 ¿Quién va a viajar?
4 ¿Quién vuelve a la cárcel?
5 ¿Quiénes están de nuevo en Madrid?
6 ¿Dónde hay un problema político?
7 ¿Qué hizo mucho ruido?

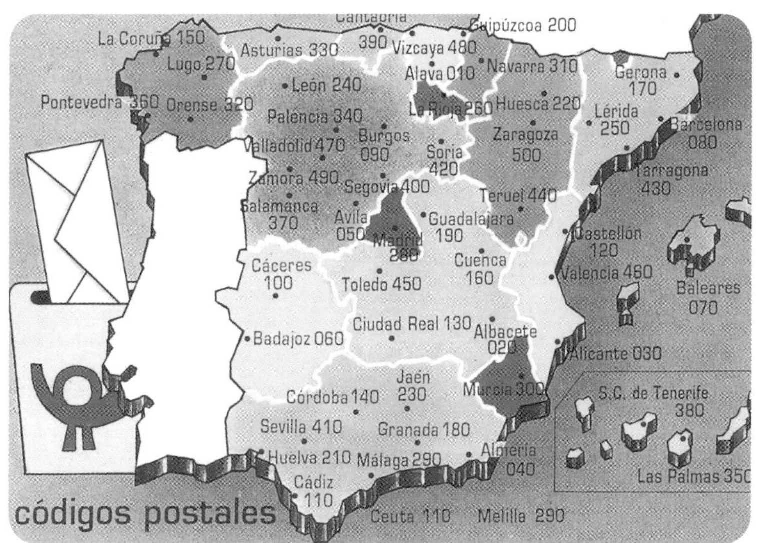

Mi radio no funciona, pero no me importa porque han cambiado la programación de mi emisora favorita...
Besos a todos,
Salvador

Papá,
Hemos escuchado la radio esta mañana y han dicho en la información meteorológica que va a llover a mares, así que no vamos a salir de excursión y hemos ido a casa de Gloria a jugar al "trivial".
Mario y Tere

Hemos comprado una buena radio para la abuela porque aunque no ve mucho y ya la televisión no le sirve para nada, oye muy bien. La hemos enviado pero no la ha recibido todavía.
Elena

Mamá: he salido porque he olvidado el radio-cassette en casa de Ernesto, y he vuelto con María a recogerlo.
Lo siento mucho...
Teresa

Hemos salido a comprar pilas para la radio. Felipe

Hemos escuchado el programa.
Gracias por recomendarlo.
Juan y Begoña

Q ORAL/ESCRITO

¿Quién? ¿Quiénes?

1. ¿Quién ha ido a Correos?
2. ¿Quién ha ido a la casa de un amigo?
3. ¿Quién no ha visto la televisión últimamente?
4. ¿Quiénes han escrito agradeciendo a otra persona?
5. ¿Quién ha ido a la tienda?
6. ¿Quiénes han cambiado de planes?
7. ¿Quiénes no han podido escuchar la radio hoy?
8. ¿Quién ha comprado un regalo?
9. ¿Quiénes han ido a la casa de una amiga?
10. ¿Quién ha cambiado la programación?

R RADIO: CON TU COMPAÑERO/A

1. ¿Tienes radio?
2. ¿Te gusta la radio?
3. ¿Qué prefieres, la radio o la televisión?
4. ¿Qué emisora te gusta?
5. ¿Cuándo escuchas la radio?
6. ¿Cuántas horas al día?
7. ¿Crees que las emisoras inglesas son buenas?
8. ¿Qué programas tiene tu emisora preferida?
9. ¿Qué programas te gustan?
10. ¿Es popular la radio entre tus amigos/as?

Juan
«Leo las páginas deportivas del diario y además compro el Marca y el As, que sólo traen deportes.»

Cristina
«Bueno, el diario sí. Pero las revistas que se dedican exclusivamente a las vidas de los artistas, las familias reales, los millonarios y las estrellas de 'Pop', las odio.»

muy INTERESANTE

SER JOVEN OTOÑO'96

¡HOLA! NUM. 2.725 • 31 OCTUBRE 1996 • 250 PTAS.

mía Nº529 La revista práctica 145 ptas.

Lecturas

Blanco y Negro

Los 16 de 1995 Cambio 16

pronto Nº 1245- 16-3-96 145 PTAS. REVISTA DE ACTUALIDAD

TU SALUD AL DÍA

ACCIDENTES

Marisé
«Leo el diario porque hay que enterarse de lo que está pasando en el mundo. Siempre leo todos los reportajes nacionales e internacionales.»

Trini
«No leo la prensa mucho porque las noticias me deprimen. No quiero deprimirme leyendo detalles de accidentes, de muertos, heridos.... Además siempre hay una guerra en algún sitio o un desastre. Me pongo triste cuando leo estas cosas. En la radio y en la tele es lo mismo. Y los crímenes ...»

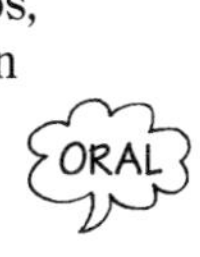

EL PAÍS, lunes 28 de octubre de 1996 — **SOCIEDAD**

La OIT calcula que hay 25 millones de niños explotados laboralmente en Latinoamérica

España aporta 1.600 millones de pesetas al programa para erradicar el trabajo infantil

12 / INTERNACIONAL

40 viajeros muertos y más de 20 heridos al despeñarse un autobús en Perú

EFE, **Lima**

Al menos 40 personas murieron y más de 20 resultaron heridas en un accidente de circulación registrado el viernes pasado en la carretera que une Lima con la sierra central peruana, según informaron ayer las autoridades de la capital. El siniestro se produjo en la carretera central del país cerca de la localidad minera de Casapalca, en la zona serrana del departamento de Lima, al este de la capital, cuando un autobús de pasajeros se despeñó por un barranco de más de 150 metros de profundidad.

De acuerdo con testigos del siniestro, el vehículo volcó y cayó al abismo por causas aún no determinadas, si bien el autobús circulaba en medio de lluvias torrenciales. En lo que va de año se han producido cinco accidentes de autobús en esta carretera central de Perú, que suman un total de 200 muertos.

PEDIMOS AYUDA

A los que veranean en el campo, para que extremen la precaución y cuidado de los bosques. **A los que salen de excursión**, para que disfruten contemplando la naturaleza, no arrasándola. **A los agricultores y ganaderos**, para que eviten prácticas tan peligrosas como la quema de rastrojos, pastos o basuras. **A los que pasan por zonas forestales o zonas verdes**, para que estén atentos a cualquier señal de peligro. **A los que vean humo o llamas**, para que den la voz de alarma cuanto antes. **A los fumadores**, para que se aseguren de apagar completamente sus cigarrillos, colillas y brasas. **A los que hacen barbacoas en el campo**, para que las cambien por un bocadillo. **A los que salen al campo con comida, bebida y periódico**, para que lleven también una bolsa donde recoger los desperdicios. **A los imprudentes, distraídos y negligentes**, para que tengan presente que el provocar incendios les puede acarrear fuertes multas económicas y hasta la cárcel. **A todos**, para que este año los incendios forestales y la desertización no sigan ganando terreno.

Las Comunidades Autónomas y el Ministerio de Medio Ambiente piden ayuda

TODOS CONTRA EL FUEGO.

MINISTERIO DE MEDIO AMBIENTE

S What are you asked to do to cut down the possibilities of forest fires if:

- **a** you spend your summer holidays in the countryside
- **b** you are a farmer
- **c** you see smoke
- **d** you are a smoker
- **e** you like barbecues
- **f** you take food and drink with you
- **g** you are careless

T BUSCA

Find the phrases for the following from the story on the right.

they believe	this weekend
started on purpose	in some places
the rapid spread	the area
many of the fires	

UNOS SESENTA INCENDIOS SIMULTÁNEOS SE REGISTRARON EN GALICIA

Responsables de los servicios forestales gallegos consideran que muchos de los incendios de este fin de semana fueron provocados. El calor y el viento en algunas partes de la región contribuyeron a la expansión rapidísima de las llamas.

Peligro en un hotel de cinco estrellas

A las tres de la mañana había ciento cincuenta personas en el hotel de lujo que se incendió en el centro de Valencia. Afortunadamente los bomberos llegaron rápidamente y lograron rescatar a la mayoría de los clientes, mientras que los demás salieron sin ayuda.

Diez jubilados de Barcelona fueron los únicos que encontraron dificultad en salir a causa de la posición de sus habitaciones cerca del punto de partida del fuego. Solamente veinte personas quedan en el hospital con heridas sufridas al saltar por las ventanas.

Según fuentes de la policía lo más probable es que la causa fuera un cigarrillo.

U Contesta estas preguntas:

1. ¿Cuántas personas había en el hotel?
2. Describe el hotel.
3. ¿A quiénes lograron rescatar los bomberos?
4. ¿Quiénes tuvieron dificultad en escaparse de las llamas?
5. ¿Cuál fue la causa probable del incendio?
6. ¿A qué hora empezó el incendio?
7. ¿Dónde se encuentra el hotel?
8. ¿Cómo salieron los clientes?
9. ¿Cuántas personas quedan en la clínica?
10. ¿Por qué?

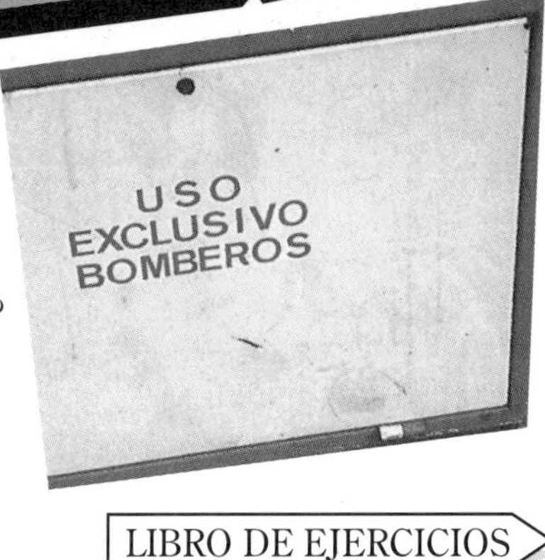

LIBRO DE EJERCICIOS J K

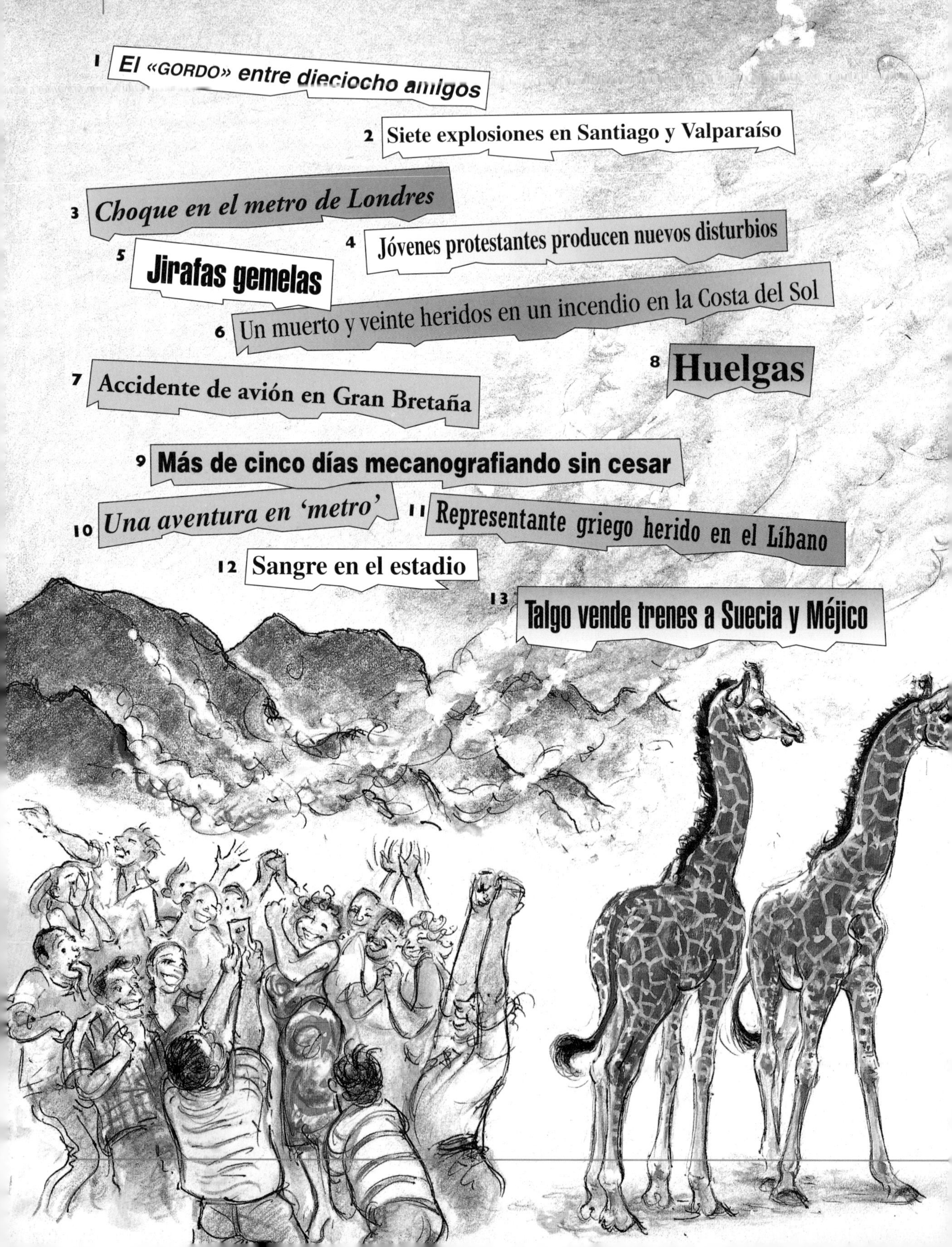
1 El «GORDO» entre dieciocho amigos
2 Siete explosiones en Santiago y Valparaíso
3 Choque en el metro de Londres
4 Jóvenes protestantes producen nuevos disturbios
5 Jirafas gemelas
6 Un muerto y veinte heridos en un incendio en la Costa del Sol
7 Accidente de avión en Gran Bretaña
8 Huelgas
9 Más de cinco días mecanografiando sin cesar
10 Una aventura en 'metro'
11 Representante griego herido en el Líbano
12 Sangre en el estadio
13 Talgo vende trenes a Suecia y Méjico

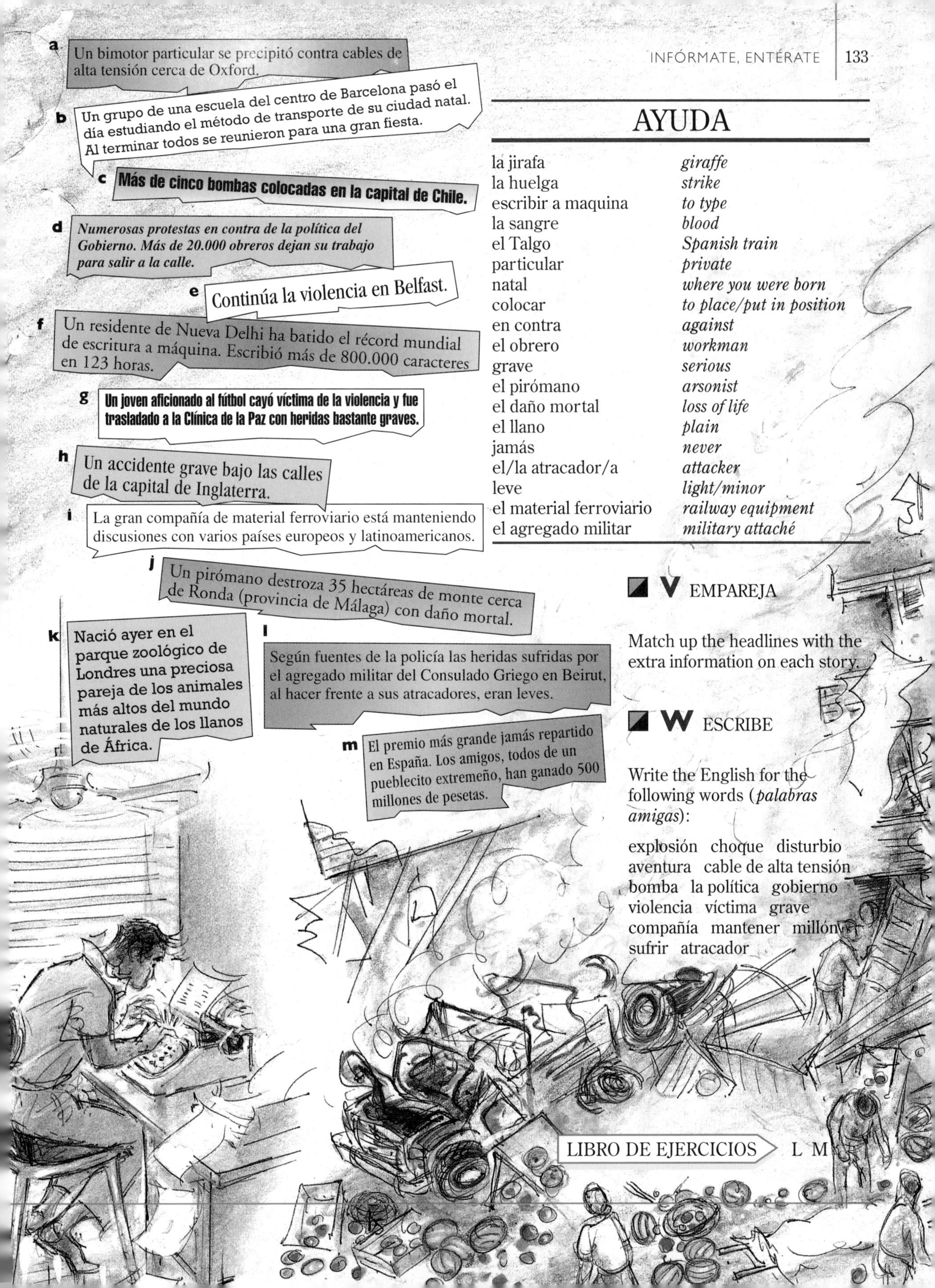

a Un bimotor particular se precipitó contra cables de alta tensión cerca de Oxford.

b Un grupo de una escuela del centro de Barcelona pasó el día estudiando el método de transporte de su ciudad natal. Al terminar todos se reunieron para una gran fiesta.

c **Más de cinco bombas colocadas en la capital de Chile.**

d ***Numerosas protestas en contra de la política del Gobierno. Más de 20.000 obreros dejan su trabajo para salir a la calle.***

e Continúa la violencia en Belfast.

f Un residente de Nueva Delhi ha batido el récord mundial de escritura a máquina. Escribió más de 800.000 caracteres en 123 horas.

g **Un joven aficionado al fútbol cayó víctima de la violencia y fue trasladado a la Clínica de la Paz con heridas bastante graves.**

h Un accidente grave bajo las calles de la capital de Inglaterra.

i La gran compañía de material ferroviario está manteniendo discusiones con varios países europeos y latinoamericanos.

j Un pirómano destroza 35 hectáreas de monte cerca de Ronda (provincia de Málaga) con daño mortal.

k Nació ayer en el parque zoológico de Londres una preciosa pareja de los animales más altos del mundo naturales de los llanos de África.

l Según fuentes de la policía las heridas sufridas por el agregado militar del Consulado Griego en Beirut, al hacer frente a sus atracadores, eran leves.

m El premio más grande jamás repartido en España. Los amigos, todos de un pueblecito extremeño, han ganado 500 millones de pesetas.

AYUDA

la jirafa	*giraffe*
la huelga	*strike*
escribir a maquina	*to type*
la sangre	*blood*
el Talgo	*Spanish train*
particular	*private*
natal	*where you were born*
colocar	*to place/put in position*
en contra	*against*
el obrero	*workman*
grave	*serious*
el pirómano	*arsonist*
el daño mortal	*loss of life*
el llano	*plain*
jamás	*never*
el/la atracador/a	*attacker*
leve	*light/minor*
el material ferroviario	*railway equipment*
el agregado militar	*military attaché*

V EMPAREJA

Match up the headlines with the extra information on each story.

W ESCRIBE

Write the English for the following words (*palabras amigas*):

explosión choque disturbio aventura cable de alta tensión bomba la política gobierno violencia víctima grave compañía mantener millón sufrir atracador

LIBRO DE EJERCICIOS L M

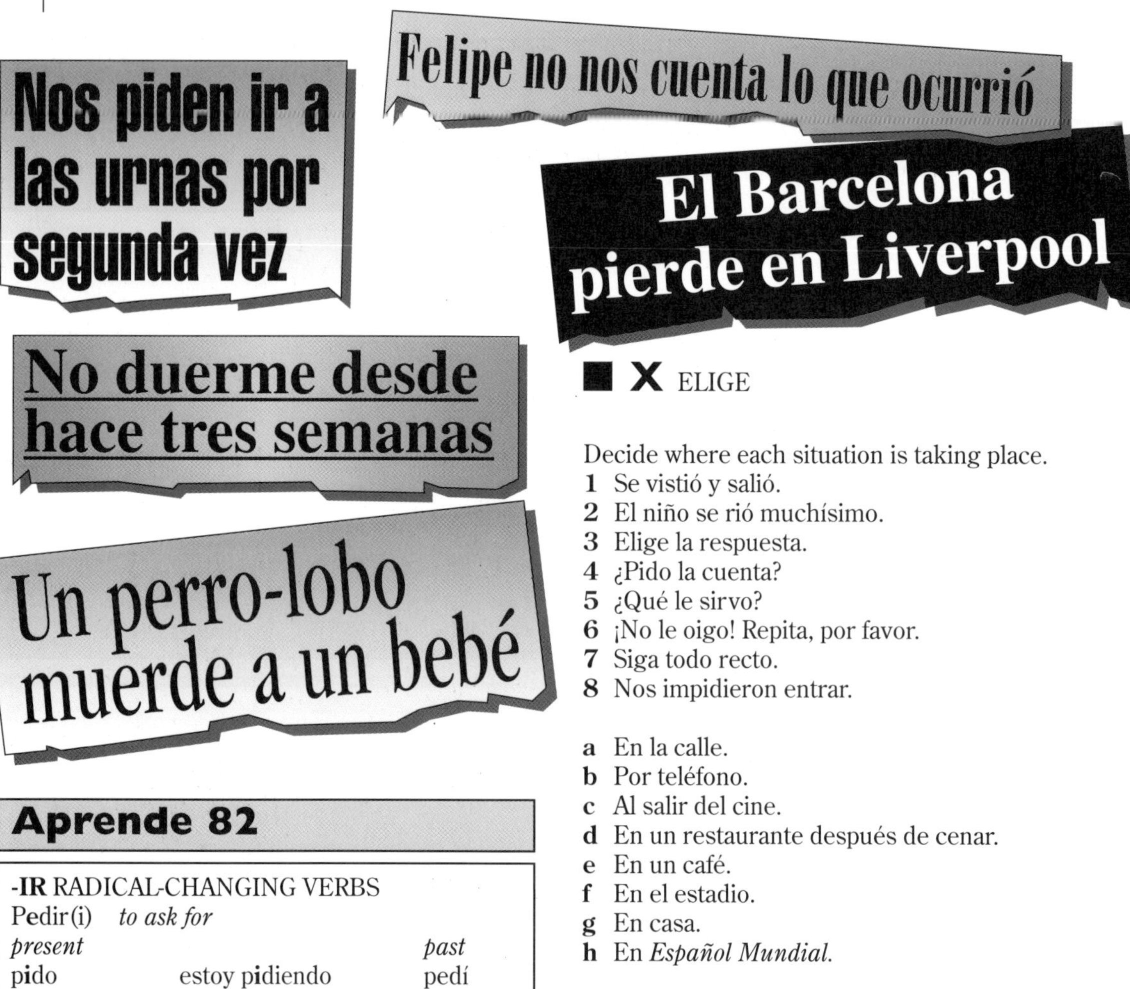

Aprende 82

-IR RADICAL-CHANGING VERBS

Pedir(i) *to ask for*

present		*past*
p**i**do	estoy p**i**diendo	pedí
p**i**des		pediste
p**i**de		p**i**dió
pedimos		pedimos
pedís		pedisteis
p**i**den		p**i**dieron

Similarly:

servir	*to serve*
repetir	*to repeat*
impedir	*to prevent*
vestir(se)	*to dress (oneself)*
reír	*to laugh*
seguir	*to follow*
conseguir	*to manage*

NB **(i)** Only **-ir** radical verbs change in the past and present continuous.
(ii) For **o(ue)** and **e(ie)** see grammar section.
(iii) *decir* is an irregular verb, see *Aprende 53*, Book I.

■ X ELIGE

Decide where each situation is taking place.

1 Se vistió y salió.
2 El niño se rió muchísimo.
3 Elige la respuesta.
4 ¿Pido la cuenta?
5 ¿Qué le sirvo?
6 ¡No le oigo! Repita, por favor.
7 Siga todo recto.
8 Nos impidieron entrar.

a En la calle.
b Por teléfono.
c Al salir del cine.
d En un restaurante después de cenar.
e En un café.
f En el estadio.
g En casa.
h En *Español Mundial.*

Use *Aprende 82* and the following *Ayuda* to help you with the listening exercises in the LIBRO DE EJERCICIOS.

AYUDA

beneficiar	*to benefit*
opinar	*to think/have an opinion*
perderse(ie)	*to get lost/to miss*
informarse	*to find out*
relajarse	*to relax*
escoger	*to choose*
la forma de vivir	*way of life*
además	*also, moreover*
por el contrario	*on the other hand*
sus pros y sus contras	*its pros and cons*

LIBRO DE EJERCICIOS N O

☐ **Y** Con tu compañero/a estudiad las fotos y la publicidad y decidid qué información desean impartir.

LIBRO DE EJERCICIOS P Q R S T ORAL

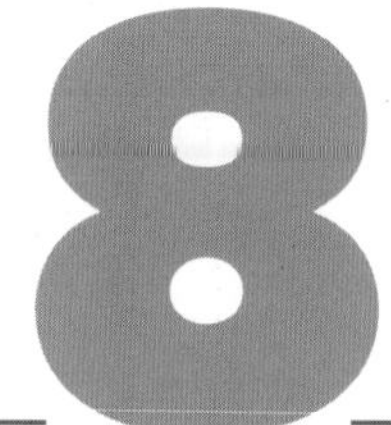

CAPÍTULO OCHO

De vacaciones

Viajes de estudios

Sonia

«Mi instituto, el North Westminster School de Londres, organiza tres distintos viajes de estudios, para sus estudiantes de español. En primer lugar, si participamos en el que organizan para los alumnos de once a quince años, visitamos parte de Andalucía, principalmente las Ciudades Imperiales de Sevilla, Córdoba y Granada. Viajamos en avión a Málaga y nuestra base es el Hotel Las Palomas en Torremolinos. Desde allí, con la ayuda de Don Vicente, nuestro conductor de cerca de veinte años, visitamos los monumentos de las Ciudades Imperiales y a veces hacemos noche en un hotel al lado de la Mezquita de Córdoba. También hacemos viajes más cortos de un día a Ronda, donde pasamos la mañana en un instituto, y nos encanta la visita a Mijas; también ir de compras a Málaga y ver las Cuevas de Nerja.»

Kypros

«El Hotel Las Palomas es muy importante para nuestro viaje. Allí, como tenemos muy buenas relaciones con el personal, después de tantos años, es posible hacer nuestro programa de estudios, porque tenemos un pequeño cine y dos o tres salones a nuestra disposición. El personal es amabilísimo y tienen un programa estupendo todas las noches en la sala de fiestas. Aparte de esto, la comida es buenísima y los servicios del hotel son ideales para un grupo de cincuenta estudiantes, y yo creo que aun los profesores lo pasan muy bien.»

Alison

«El primer año de 'A' levels volvemos a Andalucía, pero esta vez por doce días en vez de ocho, y añadimos Vejer, Cádiz y Jerez de la Frontera a nuestro circuito. Pasamos una o dos noches en cada ciudad y los últimos días en nuestro hotel, en la Costa del Sol. En este nivel, el trabajo es mucho más duro y solo nos permiten hablar castellano.»

Morena

«El viaje de estudios del segundo año de 'A' level nos lleva al centro de España, a las ciudades de Cuenca, Toledo, Salamanca, Ávila, Segovia y pasamos las últimas cinco noches en Madrid. Todo el programa está muy bien pensado para aprovechar hasta el máximo nuestra estancia en España. Y nos dan un poco más de libertad, siempre que los profesores piensen que el grupo es lo bastante responsable. Los viajes son inolvidables pero las 'Noches de Gala' en los restaurantes de la Albahaca en Sevilla y el Mesón José María en Segovia son entrañables.»

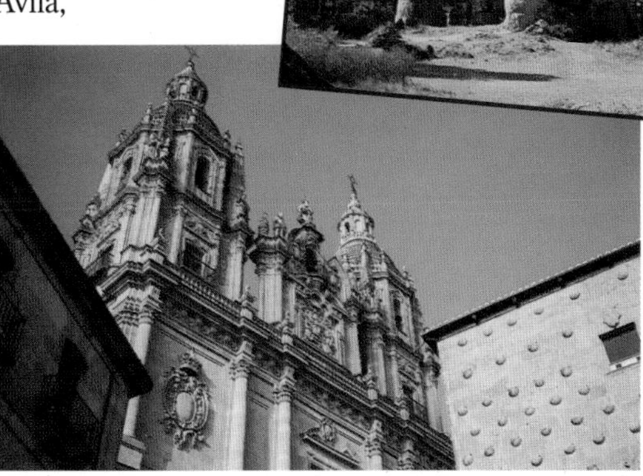

A Lee lo que nos dice Sonia y decide si lo que sigue es **verdadero**, **falso** o **no se sabe**.

Sonia

1 Mi instituto está en Inglaterra.
2 Hay dos viajes a España.
3 Los viajes para los menores de 16 años son al sur de España.
4 Siempre vamos en invierno.
5 Don Vicente tiene sesenta años.
6 Viajamos en barco de Plymouth a Santander.
7 Pasamos una noche en la Mezquita de Córdoba.
8 Visitamos a chicos españoles en su colegio.

Lee lo que dice Kypros y decide si estas son las razones por las cuales él piensa que el hotel es muy importante para el viaje.

Kypros

9 Porque se llevan muy mal con la gente que trabaja en el hotel.
10 Porque los profesores no conocen el hotel muy bien.
11 Porque el cine tiene una pantalla muy pequeña.
12 Porque el personal es muy antipático.
13 Porque el hotel tiene un programa muy bueno todas las noches.
14 Porque la comida es de una calidad muy alta.
15 Porque no hay suficientes servicios para un grupo tan grande.
16 Porque piensa que es muy divertido para los profesores también.

Lee lo que nos dice Alison y contesta en español:

Alison

17 ¿Cuántos días más duran los viajes de COU?
18 ¿Cuántas ciudades más visitan?
19 ¿Dónde duermen la primera parte del viaje?
20 ¿Por qué piensa que el trabajo es más difícil para los estudiantes?
21 ¿Tú crees que es justo no poder hablar inglés durante el viaje?

Lee lo que nos cuenta Morena y contesta las preguntas en inglés:

Morena

22 ¿Por qué crees tú que Morena está satisfecha con la organización de los viajes?
23 ¿De qué depende la cantidad de libertad que los profesores dan a los estudiantes?
24 ¿Qué describe Morena como 'inolvidable'?
25 ¿Qué piensa Morena de las 'Noches de Gala'?

B Ahora lee la ficha de identidad y el programa del Viaje al Centro de España y contesta.

1 ¿Qué días de la semana duermen en Cuenca?
2 ¿Qué diferencia de alojamiento hay en Madrid?
3 Para llamar desde Inglaterra por teléfono hay que marcar el 00–34 y omitir el 9. ¿Qué número tienes que marcar para llamar al hotel en Segovia?
4 ¿Cuándo es la primera vez que los estudiantes pueden descansar?
5 ¿En qué dos ocasiones van a ver una película?
6 ¿Qué mañana tienen tiempo para relajarse?
7 Se mencionan cinco cosas típicas españolas para comer, ¿cuáles son?
8 ¿Cuándo piensas tú que lo van a pasar muy bien?
9 ¿Qué días van a encontrarse con estudiantes españoles?
10 Escribe las razones por las cuales te gustaría ir a este viaje de estudios.

Nombre____
Nacionalidad____________
Nº de pasaporte________________
Expedido en_______________ **Fecha**__________

North Westminster Community School

La persona cuyos datos se expresan arriba es miembro del susodicho colegio inglés y es parte de un grupo que se encuentra en España en viaje de estudios entre las fechas 11.12.96 y 22.12.96. Su pasaporte se encuentra en posesión de los profesores que acompañan al grupo y a los que se puede contactar en los siguientes lugares y días:

Días 11 y 12: **Hotel Francabel, Cuenca (976) 22 62 22**
Días 13 y 14: **Hotel Emperatriz, Salamanca (923) 21 92 00**
Días 15 y 16: **Hotel Las Sirenas, Segovia (921) 43 40 11**
Días 17 a 22: **Hostal La Montaña, Madrid (91) 547 10 88**

Se ruega a las autoridades pertinentes que le presten la asistencia que sea necesaria.

Firmado: SD Garson
Jefe del Departamento de Lenguas

HORARIO DE VISITAS

DÍA	MAÑANA	TARDE	NOCHE
Mi – 11	Heathrow – Barajas	Madrid – Cuenca	cena/Parte Antigua
J – 12	Ciudad Encantada	Escuela Oficial de Idiomas	cine/Ciudad Nueva
V – 13	Cuenca – Toledo	Festival de tapas – El Greco	Hotel/Salamanca
	Catedral	Toledo – Salamanca	cena/Plaza Mayor
S – 14	Universidad –	Casa de Las Conchas	cena/Parte Nueva
	Catedral	deberes – descanso	Camelot – baile
D – 15	Salamanca – Ávila	Mercado/Ávila – Segovia	libre
L – 16	Acueducto – Alcázar	inspección ropa Gala	Mesón José María
			cena-Gala – baile
Ma – 17	gran desayuno	libre/Segovia – Madrid	deberes – Gran Vía
Mi – 18	INB Joaquín Turina – Alcalá de Henares	Rey de la Tortilla – Palacio Real	libre – deberes
J – 19	El Prado – Compras	Puerta del Sol – descanso	Rs/nte Autonomías
V – 20	churros – clase	elegir museo – galería	paella – cine
S – 21	deberes – libre	Madrid Antiguo – Plaza Mayor	raciones – huertas
D – 22	desayuno/Rastro	comida – maletas – Barajas	Londres – ¡Qué pena!

Helena
«Los veranos, si he sacado buenas notas, voy a la playa, a la parte de Valencia y si he sacado notas bajas me quedo aquí en Madrid, estudiando.»

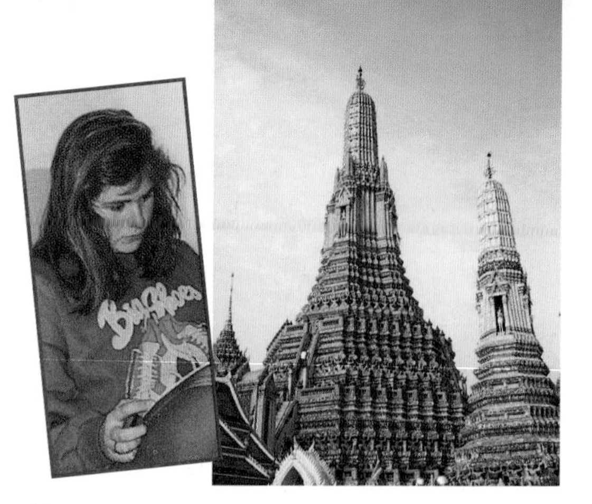

Maribel
«El mes de julio suelo quedarme en Madrid y suelo pasear mucho e ir a piscinas.... Y en agosto vamos al pueblo de mi padre donde hay fiestas. Siempre nos divertimos mucho allí.

Me gustaría visitar muchos países, sobre todo Tailandia, China y Rusia. Los países del oriente me interesan porque tienen cierto misterio. Me atraen.»

Miguel
«Los veranos solemos ir a la playa, por la zona de Levante o a la Costa Brava, pero este año me gustaría pasar unos días en Mallorca, en las montañas, donde hay fantásticas excursiones a pie.»

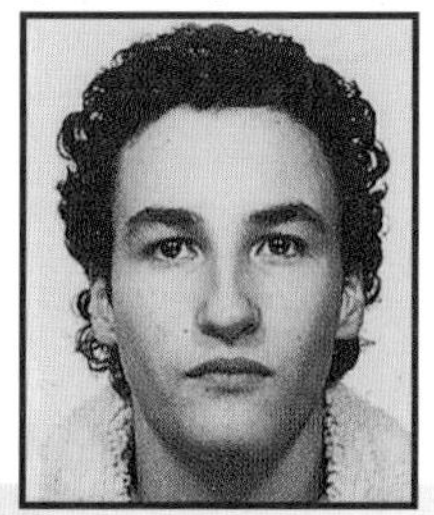

Bruce
«Aparte de Australia no conozco otros países pero espero empezar a salir de España el año que viene. Si no gano el sorteo de la ONCE este año tendré que ir al sur de España.»

Javier

«Este verano voy a descansar, a dedicarme a practicar los deportes que me gustan. Saldré con mis amigos más e incluso iré un tiempo a la playa o de excursión. Si puedo también buscaré algún trabajo temporal que me permita conseguir el dinero suficiente para ir a la luna.»

Eva

«Llevo varios años veraneando en Londres. Antes solía ir a Alicante, a la playa, por un mes. Pero este verano fui a los Picos de Europa, en el norte de España, a hacer un poco de montañismo. Estuve allí diez días.

Los Picos de Europa están situados entre las provincias de Santander, Asturias y León y es una de las regiones españolas más visitadas por montañeros y escaladores. Se puede pasar la noche en uno de los refugios pero siempre es preciso llevar sacos de dormir y, claro, la comida.»

CURSOS
Y
ACTIVIDADES

ESCUELA MADRILEÑA DE
ALTA MONTAÑA

¡?

AYUDA

sacar buenas notas	*to get good marks*
pasear	*to go for walks*
cierto/a	*a certain*
atraer	*to attract*
conocer	*to know*
descansar	*to rest*
conseguir	*to obtain/manage to*
veranear	*to spend the summer*
el/la montañero/a	*mountaineer*
el/la escalador/a	*climber*
es preciso	*it is necessary*
atrevido/a	*daring*
la suerte	*luck*
valiente	*brave*
sorteo de la ONCE	*lottery run by the Spanish Blind Society*

C Lee lo que nos cuentan Helena, Maribel, Bruce, Javier y Eva, y decide a quién se refieren las siguientes frases:

1 ¿Quién pasa muchos veranos en Londres?
2 ¿Quién es muy atrevida?
3 ¿Quién depende de la suerte para salir al extranjero?
4 ¿Quién quisiera ser astronauta?
5 ¿Quién quiere campo y no playa este verano?
6 ¿Quién depende de su trabajo en el colegio para ir de vacaciones?
7 ¿Quién tiene curiosidad por viajar a Asia?
8 ¿Quiénes son muy valientes?

D Escribe en tu cuaderno y rellena con las palabras de la lista.

piscinas días voleibol deporte costa playa verano familia

Este ______ me gustaría ir con mi ______ a pasar quince ______ en la ______ . No me gusta la ______ mucho, prefiero las ______ , pero en la playa se puede jugar al ______ , que es mi ______ favorito.

E Escribe en tu cuaderno y rellena con las palabras de la lista.

adoro me encantan quisiera me gustaría fui

En agosto ______ visitar el centro de la isla de Mallorca otra vez. ______ el año pasado, pero esta vez ______ pasar quince días allí. La verdad es que ______ las montañas y allí hay también muchos pájaros y muchos animales interesantes. ______ el paisaje.

LIBRO DE EJERCICIOS A B C D

F EMPAREJA

1 Cuando llegó mi padre
2 Del 4 al 11 de julio
3 ¿Estuviste en la fiesta?
4 Antes de ir a Roma
5 ¿Dónde estaban tus padres?
6 Estuvimos cuatro días en la costa
7 ¿Estuviste mucho tiempo con tus abuelos?
8 Como no tenía llave

a estuve seis días en Venecia.
b Pues estaban en el jardín.
c Tres días.
d estábamos charlando en el comedor.
e y una semana en el campo.
f estuve enfermo.
g Sí, fui con Carlos.
h estuve esperando más de media hora.

Aprende 83

The *preterite* of **estar** is used when the 'action' referred to was completed over a definite stated period of time.

Estu**ve** allí dos días. *I was there for two days.*

¿Estu**viste** en su boda? *Were you at their wedding?*

Estu**vo** un mes en el hospital. *He was in hospital for a month.*

Estu**vimos** en Grecia e Italia. *We 'went' to Greece and Italy.*

¿Estu**visteis** allí toda la mañana? *Were you there all morning?*

Estu**vieron** sólo cinco minutos. *They were here for just five minutes.*

G Escoge las formas correctas del pretérito de **estar** y rellena.

1 Maribel ______ ayer en casa de José. (estuvo/estuviste)
2 Maribel, ¿______ ayer en la piscina? (estuvo/estuviste)
3 Pepe y yo ______ anteayer en el bar nuevo. (estuvieron/estuvimos)
4 Ella ______ una vez en Madrid y otra en Málaga. (estuve/estuvo)
5 ¿Tú sabes quiénes ______ en la fiesta? (estuvisteis/estuvieron)
6 Maribel y Pepe, ¿______ mucho tiempo solos? (estuviste/estuvisteis)

Hotel Rincón Andaluz
★★★★
Marbella
UN PARAISO JUNTO A PUERTO BANUS

El Hotel está configurado como una pequeña aldea, con 42.000 m^2 de jardines. Todas las habitaciones y suites con aire acondicionado. Doble Baño. Frigorífico. Teléfono Directo. TV vía satélite. 3 Restaurantes. 3 Piscinas. Club de Playa. Tenis. Golf.

Teléf.: (95) 281 15 17 - Fax: 281 41 80 - Télex: 77432
Apartado 8 - Nueva Andalucía 29660 - Marbella
Situado en: Km. 173, Carretera Cádiz (junto al Puerto Banús)

TURISMO: ENCUESTA EN LA COSTA DE SOL

Turistas	Holandeses	Británicos	Franceses	Alemanes	Españoles	=
TOTAL:	7%	29%	21%	12%	31%	100%
Todo incluído	62	71	46	44	18	
Alojamiento sólo villa/apartamento	24	20	20	26	31	
Turismo pasajero	14	9	34	30	51	
Total	100%	100%	100%	100%	100%	
Estancia 15 días o menos	68	74	51	47	56	
más de dos semanas	32	26	49	53	44	
TOTAL	100%	100%	100%	100%	100%	
Por primera vez	35	53	51	51	30	
Más de una vez por año	31	26	18	17	19	
por avión	74	79	41	59	10	
por carretera	20	16	49	30	78	
en tren	4	3	8	9	11	
por mar	2	2	2	2	1	
Total	100%	100%	100%	100%	100%	

H Lee los datos sobre el turismo en la Costa del Sol y contesta las siguientes preguntas:

1. Which country do the largest number of tourists come from?
2. Which nationals mostly choose package tours?
3. Which country has the highest percentage of people choosing to stay in rented accommodation?
4. Who tends to pass through rather than stay?
5. Which nationals tend to stay for more than a fortnight?
6. From which two countries do people visiting Spain for a second or subsequent visit come?
7. Who tends to go more than once a year?
8. Who mostly goes for a fortnight's holiday?
9. Who, apart from the Spaniards themselves, will mostly drive to the Costa del Sol?
10. Which country has the lowest percentage of people travelling by rail?

Ana

«En invierno voy a veces al norte de Cataluña a pasar el fin de semana esquiando, pero es caro hacerlo todo el tiempo. En verano Barcelona se queda vacía. La gente no se queda en la ciudad. Va a veranear a pueblos de la costa.

Mi padre me dijo que a partir de los dieciocho años podía salir de España pero que antes tenía que conocer un poco mi propio país. Cuando él tenía viajes de negocios iba yo con él y he viajado con él al sur de España, al centro y también al norte, a Galicia.

Me gustó, sobre todo, el sur de España. Es realmente otro mundo para mí. Granada y Sevilla son mis lugares favoritos pero la Mezquita de Córdoba me decepcionó un poco. Me gustaron mucho los pueblecitos arriba en las montañas con las casas todas blancas, típicas, andaluzas.»

EXCURSIONES RADIALES BARCELONA 1997

Con la garantía de JULIÀTOURS

EXCURSIONES	SALIDA DEPART	PESETAS	FRECUENCIA
Visita Ciudad Mañana	09,30	1.900	DIARIAS TODO EL AÑO / DAILY ALL YEAR / QUOTIDIENNE TOUTE L'ANNÉE
Visita Ciudad Tarde (GAUDI y PICASSO)	15,30	2.300	
Montserrat Medio día Mañana	09,30	2.750	
Montserrat Medio día Tarde	15,30	2.750	1/4 al 30/9
Gala en Scala Con cena	20,00	7.000	DIARIA (Excepto Domingos, Festivos y Lunes) DAILY (Except Sundays, Holidays and Mondays) QUOTIDIENNE (Excepte Jours de Fête, Dimanches et Lundis)
Gala en Scala Con consumición	20,00	4.000	
Panorámica de noche y flamenco	22,00	3.900	Diario excepto domingos y festivos Daily excepting sundays and holidays Journalier, à l'exception des dimanches y jours de fête
Noche Flamenca Con cena	20,00	6.400	
Costa Brava	09,00	4.800	1/5 al 30/9 Diario excepto domingos Daily excepting sundays Journalier, à l'exception des dimanches

AYUDA

vacío/a	*empty*
propio/a	*own*
el lugar	*place*
decepcionar	*to disappoint*
a la orilla del mar	*at the seaside*
casarse	*to get married*
el cuñado	*brother-in-law*
el sobrino	*nephew*
la finca	*country property*
la granja	*farm*
procurar	*to try*

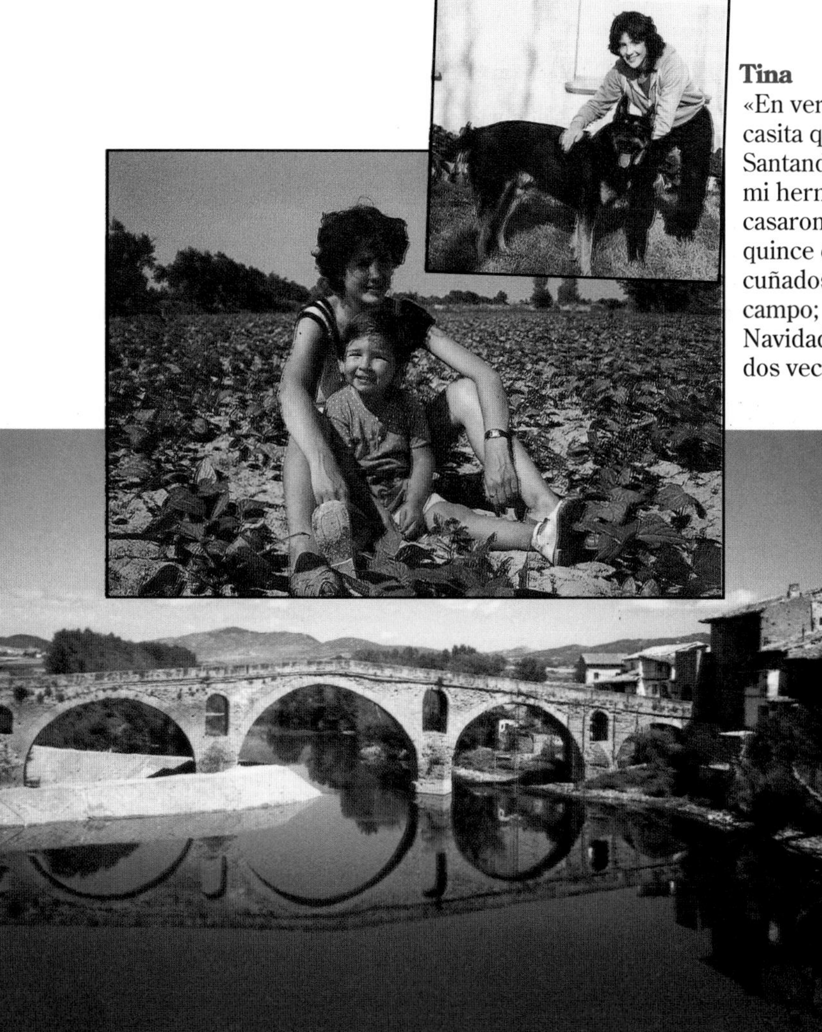

Tina

«En verano nos reunimos toda la familia en una casita que tenemos a la orilla del mar en Santander. Luego, en Navidad, en Navarra con mi hermano, en la misma casa en que se casaron mis padres. Y allí nos juntamos como quince o veinte personas entre hermanos, cuñados, sobrinos. . . . Es una finca en el campo; una especie de granja. Aparte de Navidad siempre procuro volver allí al menos dos veces al año.»

I

Lee lo que nos cuentan Ana y Tina y contesta en español:

Ana

1 ¿Por qué no puede ir Ana a esquiar todos los fines de semana?
2 ¿Por qué está vacía la ciudad de Barcelona en verano?
3 ¿Qué tenía que hacer Ana antes de poder ir al extranjero?
4 ¿Cuándo viajaba Ana con su padre?
5 ¿Qué cosas o lugares del sur de España le gustaron y cuáles no?

Tina

6 ¿Dónde está la casita de la familia de Tina?
7 ¿Cómo es la casa de Navarra?
8 ¿Cuántas veces al año va a Navarra?

Y ahora tú:

¿Adónde quieres ir para las próximas vacaciones?
Write down where you would like to go. If you have more than one choice write them both down. Start with **Me gustaría . . .**

J ROMPECABEZAS

¿Por qué te gustaría pasar las próximas vacaciones en Italia? Busca la respuesta, juntando las sílabas horizontal, vertical y diagonalmente.

Por	ta	no	ia	al
mu	que	gus	it	me
el	cho	me	der	en
y	sol	ya	bién	fen
la	pla	tam	sé	de

¿Y tus vacaciones? ¿dónde? ¿qué te gusta hacer?

ORAL

K CONTESTA/RELLENA

En el Hotel Serit

☐ CONTESTA ¿Por qué se puede o no se puede:

1 . . . tomar una ducha/un baño en su propia habitación?
2 . . . estar en la habitación y no pasar calor?
3 . . . cenar a la carta?
4 . . . ver una película a opción del hotel en la tele?
5 . . . dejar el dinero sin miedo de robo?
6 . . . aparcar el coche?
7 . . . jugar al billar?
8 . . . tomar un té con leche?

Tivoli World

LOS DOMINGOS...
EL REENCUENTRO CON EL PASADO EN NUESTRO
RASTRO

CON MAS DE 12 RESTAURANTES, JARDINES, INSTALACIONES Y SERVICIOS
Y AHORA...
EXPOSICION DE COCHES DE OCASION
GRAN VARIDAD • CALIDAD
PRECIOS ECONOMICOS
ENTRADA SOLO 100 Ptas
De 11:00 a 15:00 horas

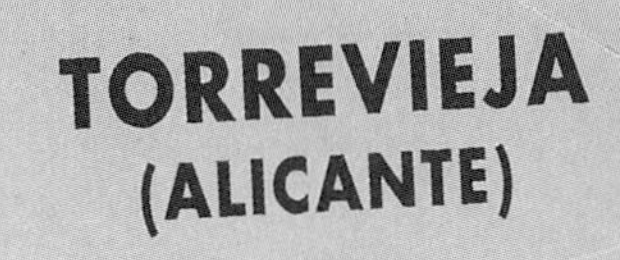
TORREVIEJA
(ALICANTE)
BUNGALOWS LAS CALAS
Bungalows de lujo con piscinas, cancha de tenis, garaje y zonas ajardinadas. A cien metros de la playa.

CARACTERISTICAS

Servicios:
· Piscina para adultos y niños
· Pista de tenis.
· Zonas verdes.
· Cafetería - Restaurantes en el mismo Complejo Residencial.
· Admite animales en el bungalow propio, aunque no en las zonas comunes.

Cambio de ropa y limpieza:
Los bungalows se entregan limpios y con ropa. El cambio de ropa es semanal y la limpieza se realiza quincenalmente, por el cambio de inquilino.

HS HOTEL SERIT

HABITACIONES CON BANO
AIRE ACONDICIONADO
T. V. COLOR - VIDEO
HILO MUSICAL
TELEFONO DIRECTO
CAJAS DE SEGURIDAD
BAR - CAFETERIA
GARAJE

HIGUERAS, 7
TELF. (956) 34 07 00 - FAX: (956) - 34 07 16
11402 JEREZ DE LA FRONTERA

En Torrevieja

◪ RELLENA

12 Se puede jugar al ______ .
13 Se puede aparcar el ______ .
14 La ______ está muy cerca.
15 Se puede comer en la ______ o en los ______ .
16 No permiten perros en las ______ ______ .
17 Cambian las sábanas cada ______ .
18 Limpian el bungalow cada ______ días.

El Rastro de Tívoli World

◪ RELLENA

19 Abre solamente los ______ .
20 Cuesta ______ pesetas entrar.
21 Tiene más de ______ lugares donde comer.
22 Está abierto desde las once hasta las ______ de la tarde.
23 Hay ______ en venta pero no son nuevos.
24 Hay tantas cosas antiguas que vuelves al ______ .

Reservas:
900 30 10 78
Hoteles
CATALONIA
Buenos Hoteles

SALIDA: 15 DE ABRIL

Día 1.° MADRID/ALICANTE
Salida a las doce de la noche de San Bernardo, 5.

Día 2.°-4.° ALICANTE
Días libres. Alojamiento y desayuno.

Día 5.° ALICANTE/MADRID
Mañana libre. A primeras horas de la tarde, regreso a MADRID.

PRECIO POR PERSONA:
14.800 Ptas.
SUPL. INDIV.: 3.500 Ptas.

HOTEL PREVISTO:
MAYA***

INCLUYE:
Transporte en autopullman.
Alojamiento en habitaciones dobles con baño. Desayunos incluidos.

NOTA: El alojamiento del primer día se efectuará en el transcurso de la mañana.

Buenas noches
Duerma en una cama cómoda. En una habitación dotada con todos los detalles necesarios para que su estancia sea lo más agradable posible.

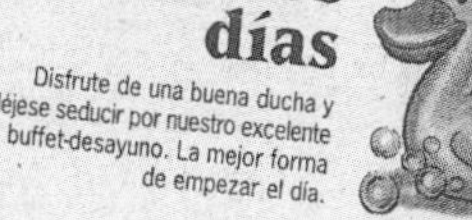

Buenos días
Disfrute de una buena ducha y déjese seducir por nuestro excelente buffet-desayuno. La mejor forma de empezar el día.

Buenos precios
Unas buenas instalaciones. Un buen servicio. Y, sobre todo, un buen precio. Un factor importante a la hora de elegir su próximo hotel.
Hoteles Catalonia. Buenos Hoteles.

En los Hoteles Catalonia

◪ RELLENA

9 Se duerme bien porque ______ .
10 Por la mañana recomiendan una ______ y el ______ .
11 Debes elegir Hoteles Catalonia porque el ______ y el ______ son buenos.

Madrid/Alicante

◪ CONTESTA

1 ¿Para qué día es esta información?
2 ¿Cuánto cuesta para una persona que va con su pareja?
3 ¿Cuánto cuesta para una persona que desea una habitación individual?
4 ¿Qué sabemos del hotel en el que van a alojarse?
5 ¿Qué cosas incluye el precio?
6 ¿Qué van a hacer en Alicante?
7 ¿Te parece aburrido el programa?
8 ¿A cuántas horas está Alicante de Madrid por carretera?

Apartamentos

◪ CONTESTA

1 ¿Cuáles son los apartamentos
 a que no están en la Costa de Almería?
 b que están más lejos de la playa?
 c más caros?
 d más baratos?
 e que tienen un máximo de cuatro personas?

■ ESCOGE

2 Los precios son más baratos el resto de abril que entre las fechas del 11 al 21 de abril porque
 a en Navidades todo es más caro.
 b hace más calor.
 c hace mucho viento.
 d las playas son más peligrosas.
 e es después de Semana Santa.

3 ¿En qué apartamentos es necesario pasar por lo menos una semana?
4 ¿Por qué lo pasarías mejor en Pueblo Indalo?
5 ¿Prefieres pasar tus vacaciones en hoteles o en apartamentos? ¿Por qué?

APARTAMENTOS

LOCALIDAD		APARTAMENTOS	CAPAC.	MIN. NOCHES	PRECIO APARTAMENTO 11 AL 21 ABRIL		RESTO ABRIL	DESCRIPCIÓN
					POR NOCHE	7 NOCHES		
ROQUETAS	COSTA	CONCORDIA PLAYA	4/6	4	8.000	37.760	4.655	300 m playa, jardín, piscina, etc.
	COSTA DE ALMERÍA	DON PACO	2/4	7	–	34.375	4.050	1.ª línea playa, jardínes, piscina, etc.
		LAS MARGARITAS	4/6	4	8.390	40.470	5.550	600 m playa, piscina, jardín.
MOJACAR		PUEBLO INDALO	2/4	4	6.985	44.330	6.865	1.ª línea playa, piscina, jardín, restaurantes,
			4/6	4	8.390	54.010	8.240	barbacoa, supermercado, etc.

L CONTESTA

al Pasaje del Terror   a Alicún de las Torres   al Museo Arqueológico   al Parque de Atracciones   a la Real Escuela Andaluza

1 ¿Adónde iría una persona que es muy valiente?
2 ¿Adónde iría una persona que quiere paz y tranquilidad?
3 ¿Adónde iría una persona a quien le interesa la historia?
4 ¿Adónde iría una persona a quien le gustan los animales?
5 ¿Adónde iría una chica activa de once años?

Continúa:

7 ¿Por qué es el Museo de Jerez un lugar interesante para grupos de estudiantes acompañados de sus profesores?
8 En el Pasaje del Terror dicen que una de las emociones más antiguas es el ______ y la más intensa el ______ a lo desconocido.
9 ¿Qué sentirá la persona después del miedo del principio?
10 ¿Por qué dicen que 'después . . . quizás sea tarde'?
11 ¿Tú crees que es justo que enseñen a los caballos a bailar?
12 ¿Para qué va la gente a las estaciones termales?

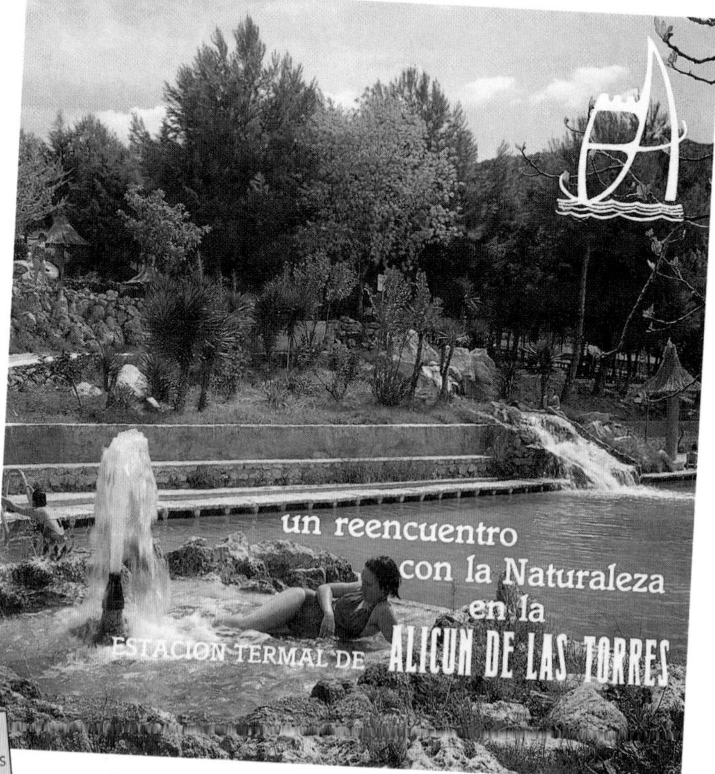

REAL ESCUELA ANDALUZA
DEL ARTE ECUESTRE

C.I.F. G - 11614286

JUEVES 4 ENERO 1996

TRIBUNA

PUERTA 6

FILA 4 N.º 154

1.500 PTAS. (I.V.A. incluido)

REAL PATRONATO DE LA JUNTA DE
ANDALUCIA Y DIPUTACION DE CADIZ

"CÓMO BAILAN LOS CABALLOS ANDALUCES"

VALE POR TRES ATRACCIONES
(Sólo para mayores de 10 años)

PARQUE DE ATRACCIONES

Nº 029148

—Los cupones deberán ser cortados por el encargado de la atracción. Aquéllos que estén sueltos carecen de validez.
—Válidos para tres atracciones mecánicas a elegir.

HOSTAL REINA ISABEL
ALICUN DE LAS TORRES
GRANADA

domingo 11 de agosto

Querida Sofía,

Hace dos días que estoy aquí. Es un paraíso de paz. Quiero quedarme siete días más. Estuve dos semanas en Jerez. Ví los caballos que bailan y fui al Museo Arqueológico. El jueves fui al Pasaje de Terror de Tivoli World por la primera y última vez.

Hasta pronto.
Un beso
Sonia

LIBRO DE EJERCICIOS E F G H I

Aprende 84

a	**Llevo** cinco años **estudiando** español.	*I have been studying Spanish for five years.*
	Llevamos dos meses **viviendo aquí**.	*We have been living here for two months.*
b	**Es preciso** lleg**ar** temprano.	*It is necessary to (we have to) arrive early.*
	Es preciso volv**er** pronto.	*It is necessary to (we must) return soon.*
	Espero empez**ar** mañana.	*I hope to start tomorrow.*
	Esperamos viaj**ar** mucho.	*We hope to travel a lot.*
	Procuro hac**er** mi trabajo.	*I try to do my work/I make sure I do my work.*
	Procuramos no lleg**ar** tarde.	*We try not to be late.*

M EMPAREJA

1 Llevo seis años estudiando francés.
2 Es preciso salir a las nueve.
3 Procuraré ir mañana.
4 Espero ir a Colombia.
5 Llevamos dos días sin ir a la playa.
6 Esperamos trabajar en Barcelona.
7 Procuramos ayudarla.
8 Es preciso llegar pronto.

a Hoy no puedo.
b Tengo novia allí.
c Hace muy mal tiempo.
d Lo hablo bastante bien.
e Ya tiene noventa años.
f El último tren sale a las diez.
g No nos gusta Madrid.
h Siempre hay cola.

CAMPING - BAR
La Viña de Oro
APARTAMENTOS - BUNGALOWS - HABITACIONES
AGUA CALIENTE - SUPERMERCADO - DESAYUNOS
TELEFONO 623280
Ctra. Gral.-Oviedo-La Coruña, Km. 357
BARRES CASTROPOL
ASTURIAS

Rebeca: Dime, Clara, ¿qué tal las vacaciones?
Clara: Pues . . . muy bien. El viaje un poco largo, pero el hotel muy limpio y la comida estupenda.
Rebeca: ¿Y los niños?
Clara: Los niños, todo el día en la piscina, venga a subir y bajar en los ascensores. Así que, gracias a Dios, a las nueve ya estaban en la cama agotados.
Rebeca: ¿Y José?
Clara: José, tú ya sabes cómo es. Se aburre pronto y a los dos días ya está deseando regresar. Da más que hacer que los niños.

Enrique: Hola, Sandra. ¿Qué tal? Mira, te estoy llamando desde una cabina. Es para decirte que mañana sale el vuelo de Sevilla a las siete. Así que llegaré a Londres a eso de las nueve y media.
Sandra: Bueno, Enrique, pero en España es una hora más tarde. Quiere decir que serán las ocho y media en Londres.
Enrique: ¡Vale! Yo iré solo del aeropuerto a la estación de Victoria y de allí en taxi a casa. Y, por favor, prepárame una buena cena porque en los vuelos 'charter' nos dan muy poco de comer.

Leopoldo: Trini, ¿qué planes tienes para el verano?
Trini: La verdad es que quisiera ir un mes a la Costa del Sol pero no tengo dinero para estar tanto tiempo, así que tendría que ir a casa de mis primos en Málaga en vez de a un hotel.
Leopoldo: Bueno y, ¿por qué no vas con ellos?
Trini: Mira, primeramente, que la playa misma de Málaga no me gusta. Luego, mi tía no es nada simpática, a veces es insoportable y también voy a tener problemas para salir de noche. Voy a tener que decir con quién salgo, adónde voy, a qué hora pienso volver y, en fin, no van a ser vacaciones porque voy a estar igual que cuando tenía dieciséis años.

N LEE Y BUSCA LAS FRASES

Now read the conversations which you listened to earlier and find alternative ways of expressing the following phrases.

1 buenа cocina
desde la mañana hasta la noche
menos mal
acostados
cansadísimos
quiere volver a casa
difícil

2 telefoneando
más o menos
de acuerdo
no comemos bastante

3 ¿Qué vas a hacer?
para empezar
creo que voy a regresar
no va a ser diferente

Aprende 85

acabar de + infinitive	*to have just . . .*
acabo de ver a Pepe	*I have just seen Pepe*
acaban de llamar	*they have just called*
volver a + infinitive	*to do something again*
volvió a hablar	*he spoke again*
volví a preguntarle	*I asked him again*

Querida tía:
El hotel es fabuloso, pero mi habitación está en la planta 43 y el ascensor no para en las plantas impares. ¡Muchas escaleras! Bajo para el desayuno y llego a la hora de comer. Ayer compré un paracaídas en caso de emergencia. No me escribas porque ningún cartero va a subir hasta aquí.
Muchos besos de tu sobrino

Don Idiota

O ¿CUÁNDO?

When would you say the following? Choose the correct situation for each phrase.

«Acabo de llegar»	a las siete de la mañana
«Acaban de cenar»	si alguien no está en casa
«Acabo de despertarme»	después de un viaje
«Acaba de salir»	al comenzar
«Acabamos de volver»	a las diez de la noche
«Acabo de empezar»	al llegar a casa

¿POR QUÉ?

Why would you say the following?

«Volví a llamar»	porque alguien te interrumpió
«Volví a empezar»	porque quieres que tu hijo se acueste
«Nunca volveré a verla»	porque estaba comunicando
«¡No vuelvas a salir!»	porque algo no está bien hecho
«¡Vuelve a hacerlo!»	porque no quieres hablar más con ella
«Volví a llorar»	porque estabas muy triste

Oviedo, 11 de agosto

El hotel es bastante bueno aunque no tan lujoso como el Parador, que tenía piscina y donde los desayunos eran estupendos. Creo que estaremos aquí uno, dos o tres días más. Volveré a escribir el lunes.

Ramón

Málaga, 14 de julio

He hecho amistad con una chica inglesa que está aquí estudiando español. Quisiera saber si puedo volver con ella a casa porque le gustaría pasar unos días en Valencia. Como Blanca no está, le podemos dejar su habitación. Llamaré por teléfono para ver qué os parece.

Julio

Huesca, 14 de enero

Tere y los niños están toda la mañana esquiando. Yo no me atrevo después del accidente del año pasado. Vamos a ver si le pierdo el miedo pronto, pero por ahora disfruto mirando a los demás y paso mucho tiempo leyendo.

Un abrazo a todos.

Bernardo

Burgos, 13 de junio

El camping está muy bien. Hay duchas, restaurantes, una tienda y hasta un gimnasio al lado de la piscina. También es bastante barato y es fácil hacer amistades. Los primeros días los abuelos estaban aburridos pero ahora han conocido a gente de su edad y están todo el día jugando a las cartas. La abuela está tan animada que el otro día se puso el bañador y entró un momento en la piscina. Hacía ya cerca de veinte años que no se bañaba.

Jesús

París, 9 de agosto

La familia francesa es muy simpática, pero el único problema es que Jeanine y los padres hablan español y no estoy progresando mucho con el francés. Mañana vamos a pasar quince días en el sur de Francia donde tienen un chalet y espero que, como es un pueblo, nos dejen los padres salir un poco más por las noches, porque aquí en la capital veo yo que son demasiado severos.

Antonia

Queridos padres:

Creo que cuando llegue a Teruel no voy a tener dinero. Hemos gastado más de lo que pensábamos. Si podéis enviar un giro al Banco de Santander, de Teruel, os lo agradecería. Si no es posible, creo que tendré que volver a casa.

Besos

Amparo

AYUDA

lujoso/a	*luxurious*
los/las demás	*the rest, the others*
un giro	*postal order/money transfer*
hacer amistad con	*to make friends with*
la ducha	*shower*
conocer	*to meet/get to know*
animado/a	*lively/excited*

P VERDADERO/FALSO

1 a Ramón está más contento en el hotel que en el Parador.
b El hotel tiene piscina.
c Ramón cree que los desayunos del Parador son buenísimos.
d Van a estar unos días más en el hotel.
e No piensa escribir más.

2 a Bernado dice que su mujer y su hijo están esquiando mucho.
b Bernado tuvo un accidente hace un año.
c Tiene miedo de ver a los demás esquiando.
d Le gusta leer.

3 a Amparo quiere enviar dinero a sus padres.
b Dice que Teruel es muy caro.
c Si no tiene dinero no podrá quedarse en Teruel.
d Gastó más dinero de lo que pensaba antes de llegar a Teruel.

4 a A Julio le gusta la chica inglesa.
b Quiere invitarla a su casa pero no tienen sitio.
c Julio está seguro de que sus padres están de acuerdo con sus planes.
d La chica inglesa quiere visitar Valencia.

Elige:

5 El problema de Antonia es que
a la familia francesa es muy simpática.
b van a pasar dos semanas en la Costa Azul.
c está hablando mucho español.

6 La familia va al sur de Francia
a para salir de noche.
b de vacaciones.
c porque en París son muy severos.

7 Antonia espera
a ver muchos pueblos pequeños.
b pasar dos semanas en el chalet.
c poder tener más libertad en el sur de Francia.

8 Jesús dice que
a no tiene amigas en el camping.
b el camping es muy aburrido.
c está muy contento con el camping.

9 Los abuelos están pasando mucho tiempo
a aburridos.
b jugando con gente de la edad de Jesús.
c con amigos nuevos del camping.

10 La abuela
a está todo el día en la piscina.
b se bañó después de muchos años.
c tiene un bañador más apropiado para una chica de 20 años.

Q Escribe en español con la ayuda de las cartas que acabas de leer:

1 I spend all morning swimming.
2 The only problem is that I am not speaking much English.
3 The rooms are terrific.
4 I will have to go home next week.
5 We have made friends with some French boys.
6 The hotel is quite big.
7 I will write again on Saturday or Sunday.
8 I would like to spend two or three days here.
9 In my hotel there is a restaurant, a bar and even a television room.
10 I enjoy reading the newspapers.

R LEE Y CONTESTA

1 Read the postcard sent to Encarnación by Regina and write a suitable reply. Ensure you answer all the questions asked by her friend.

Querida Encarnación:
¿Cómo estás? ¿Cómo es el hotel? ¿Lo estás pasando bien? ¿Hay chicos y chicas de tu edad? ¿Qué haces por la noche?
Escríbeme diciéndome cómo y cuándo vuelves,
Hasta pronto,
Regina

Querido Fernando:
¿Qué tal las vacaciones?
Cuéntame qué paises has
visto y si has gastado mucho.
Aquí hace mal tiempo; y por
allí ¿Qué tal?
Un abrazo muy fuerte de tu
abuela que te quiere mucho.

2 ¿Qué escribe Fernando?
Write a reply for Fernando that tells his grandmother what she wants to know about his holidays.

3 Contesta
You have just received a long letter of which this is only a short extract. Write a complete letter back which answers all the queries put to you. You may add additional information if you like.

La verdad es que no puedo estar sin
ti. Después de vernos todos los días
durante los tres últimos meses es una
locura dejarte ir de vacaciones con
ellos. Quiero saber todo lo que haces;
a qué hora levantas, qué desayunas, lo
que haces por la mañana, adónde vas
y a qué hora vuelves por la noche.
Por favor, escribe dándome todos los
detalles porque te quiero mucho.

JÓVENES INGLESES VISITARÁN NUESTRA PROVINCIA

Se nos informa que los días 19, 20, y 21 del corriente mes de agosto llegarán a Cádiz diez jóvenes procedentes de la capital dc Gran Bretaña.

Gozarán de un apretado y atractivo programa de visitas y actividades elaborado para mostrarles lo más fundamental de Cádiz y su provincia.

El día 19 visitarán museos de la ciudad. Por la tarde viajará la expedición a Jerez de la Frontera donde, entre otros lugares destacados de interés turístico, harán una visita a las famosas bodegas y después, a la Escuela Ecuestre. Allí presenciarán una exhibición de equitación una vez visitados los establos.

El día 20 marcharán a Tarifa para recorrer las ruinas de Bolonia y el famoso castillo, celebrando un almuerzo con el alcalde tras visitar las oficinas del Ayuntamiento. Esta segunda jornada terminará con una gran fiesta flamenca en honor de estos jóvenes londinenses.

Por último, de la tercera jornada sólo se nos informa de que celebrarán un almuerzo en nuestra ciudad en compañía de estudiantes del Instituto Zorrilla.

En el mes de julio del año pasado se realizó otro de estos intercambios, aquella vez con jóvenes franceses, y presumimos que el programa de este año será tan extenso y tan bien planificado como lo fue en aquella ocasión.

S Las siguientes frases pueden ser **verdaderas**, **falsas** o **posibles**.

1. El grupo de jóvenes ingleses estará en Cádiz cuatro días.
2. Llegarán a principios de agosto.
3. Los chicos son del norte de Inglaterra.
4. Van a ver los caballos que bailan.
5. Van a tener mucho tiempo para aburrirse.
6. En España van a viajar en autocar.
7. No tendrán tiempo para visitar ningún museo.
8. Probarán el famoso vino de Jerez.
9. Tendrán todo el último día libre para ir de compras.
10. Una de las atracciones previstas es una exhibición de la música típica andaluza.
11. El alcalde de Cádiz les invita a comer con él.
12. Es la primera vez que se celebrará uno de estos intercambios en Cádiz.

T DEFINICIONES

Choose the best explanation of the following phrases:

1. Un apretado programa (muchas visitas, nada que hacer, una tarde de descanso)
2. Bien planificado (sin mucho interés, con mucho cuidado, con falta de organización)
3. Una bodega (una casa de campo, una fábrica de vinos, una tienda de ultramarinos)
4. Una escuela ecuestre (escuela primaria, instituto técnico, entrenamiento de caballos)
5. Unas ruinas (derrumbado, bien construido, en las afueras de la ciudad)
6. Por último (para empezar, actualmente, finalmente)

LIBRO DE EJERCICIOS J K L M N

Escucha y anota los detalles más importantes de las entrevistas de Carmen con Bernardo, José, Elena, Milagros y Nick.

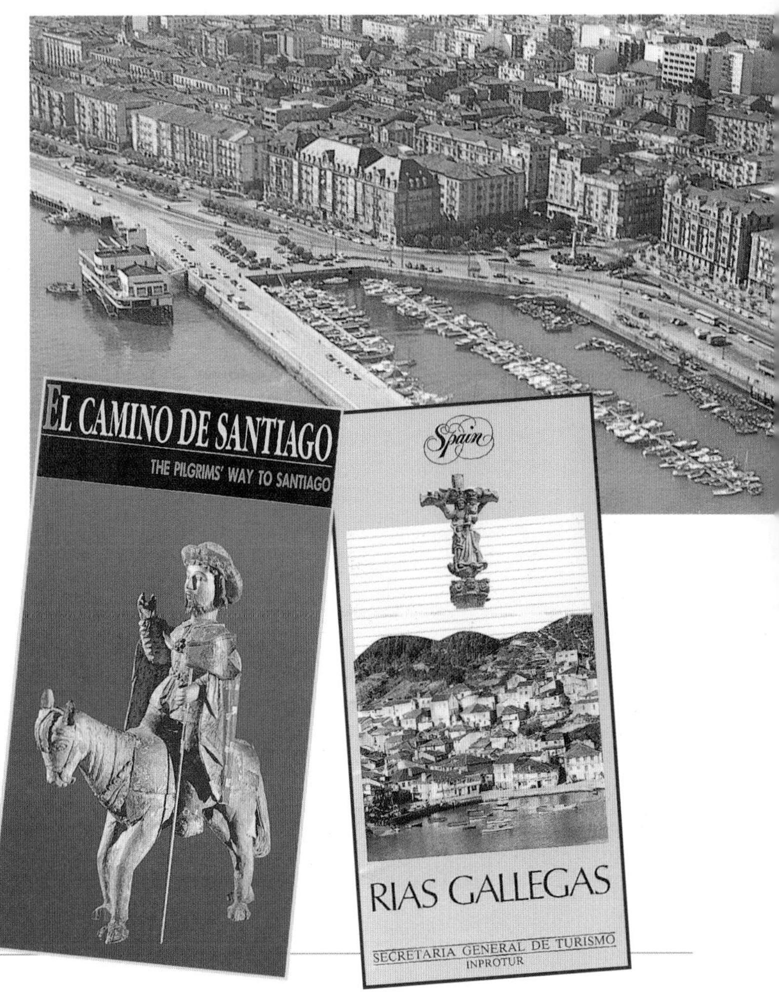

Ahora lee el texto de las entrevistas que acabas de escuchar y haz el ejercicio U.

Radio Infoteca

Presentador	Bienvenidos todos a Mañana Infojoven de Radio Infoteca. Es la hora de Carmen Pelayo. Como todos sabéis, esta semana Carmen está viajando por el norte de España. Hola, Carmen, ¿en qué ciudad del norte de España estás hoy?
Carmen	Buenos días a todos . . . Pues hoy estoy en el puerto de Santander. Acaba de llegar el ferry de Plymouth, y voy a hablar con jóvenes españoles que vuelven de Inglaterra, y con algunos turistas ingleses también.

Carmen	Buenos días, ¿cómo te llamas?
Bernardo	Bernardo Díaz.
Carmen	¿Eres español, Bernardo?
Bernardo	Sí, soy español, soy gallego. Vivo en La Coruña. Estoy en Santander porque mi hermana llega hoy de Inglaterra.
Carmen	Y tú, ¿eres de Santander?
José	Yo sí, soy José, de aquí, de Santander. Vengo al puerto todos los días que puedo porque me encantan los barcos.

Carmen	Muy bien. Y ahora aquí tenemos a Elena y a Milagros.
Elena y Milagros	¡Hola!
Carmen	Milagros, tú primera. ¿Vives en Santander?
Milagros	No, no. Soy de Asturias. Vivo en la capital, en Oviedo. He estado dos semanas en Plymouth.
Carmen	Gracias. Hola, Elena. ¿Te gusta Santander?
Elena	Pues no sé decir. No lo conozco. Vivo en Santiago, en Galicia. El puerto no está mal. Acabo de pasar un mes en Escocia. Allí tengo un medio-novio irlandés.
Carmen	Nick, tú eres inglés, ¿no?
Nick	Sí, de Bristol, y he venido a pasar quince días con unos primos lejanos en Vigo. Voy a alquilar un coche si puedo, y esta tarde salgo para Galicia.

3 Contesta en español.

- **a** ¿Con cuál de las dos chicas habla primero Carmen?
- **b** ¿Qué acaba de hacer la chica de Oviedo?
- **c** ¿Qué dice Elena de Santander?
- **d** ¿Por qué fue Elena a Escocia?
- **e** ¿Qué dice Nick de los primos de Vigo?
- **f** ¿Por qué crees tú que Nick no está seguro de si podrá alquilar un coche?
- **g** ¿Cuánto tiempo va a pasar Nick en Santander?

U ESCUCHA Y CONTESTA

1 Contesta en español.

- **a** ¿Para quién es el programa *Mañana Infojoven?*
- **b** ¿Cómo se llama la presentadora?
- **c** ¿El programa viene del sur de España?
- **d** ¿Está Carmen en un aeropuerto?
- **e** Carmen quiere hablar con jóvenes de dos países, ¿cuáles?

2 Escoge de la lista de palabras y rellena.

puerto español española
recoger puede barcos

- **a** Bernardo tiene nacionalidad ________.
- **b** Vino a Santander a ________ a su hermana.
- **c** José viene al ________ porque le gustan los ________.
- **d** Viene todos los días que ________.

4 Escribe lo que sabemos de Bernardo, Elena y Carmen y, si quieres, inventa algo más de cómo son estas personas.

ESCUCHA

La última entrevista de Carmen en Santander.

'El Val de Loire'

Carmen	Hoy también tenemos la suerte y el honor de poder entrevistar a Madame Dupont, de la compañía Brittany Ferries. Buenos días, Madame Dupont. ¿Brittany Ferries es una compañía inglesa?
Mme Dupont	No, es una compañía francesa. El barco 'Val de Loire' es nuestro número uno.
Carmen	¿En cuántas horas hace la travesía de Plymouth a Santander?
Mme Dupont	Pues, en menos de veinticuatro horas.
Carmen	Y la comida a bordo, ¿qué tal es?
Mme Dupont	La mejor comida francesa. Tenemos nuestros propios panaderos y pasteleros a bordo. Los pasteles y el pan son frescos, del mismo día. También tenemos los mejores vinos franceses en el restaurante.
Carmen	Y viajar de noche ¿es incómodo?
Mme Dupont	En el 'Val de Loire' hay más camas que en el Hotel Savoy de Londres. Todos los camarotes tienen aire acondicionado.
Carmen	Y, ¿qué se puede hacer durante el viaje?
Mme Dupont	Se puede tomar el sol, ver una buena película, ir al café, o a la piscina.
Carmen	Madame Dupont, muchas gracias por la información.
Mme Dupont	De nada. Buenos días.

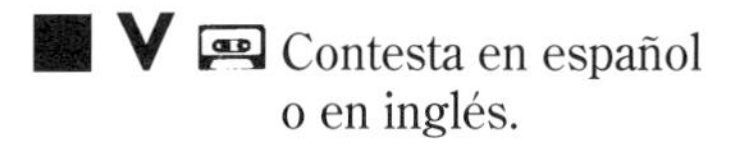

V Contesta en español o en inglés.

1 ¿Por qué piensas tú que Carmen considera a Mme Dupont una persona importante?
2 ¿Por qué crees tú que Carmen pensó que la compañía era inglesa?
3 ¿Cuánto tiempo hay que pasar en alta mar para hacer el viaje?
4 ¿Qué impresión da Mme Dupont de la comida a bordo?
5 ¿Por qué piensa ella que es fácil dormir a bordo?
6 ¿Cómo sabemos que hay cine a bordo?
7 Y, ¿qué opinas tú del barco de Brittany Ferries?

Muchas gracias por brindarnos el placer de su compañía a bordo de este jet de *Aerolíneas Argentinas*. Durante el vuelo contará con nuestro excelente servicio y la atención de nuestra tripulación, siempre dispuesta a tornar su viaje más feliz y agradable.
A continuación se detallan algunas indicaciones que le serán de gran utilidad, relacionadas con su seguridad y confort.

Para su seguridad
No use receptores de radio, T.V., teléfonos celulares, juguetes a control remoto, reproductores de compact disk, etc. a bordo.
No retire el chaleco salvavidas ubicado debajo de su asiento.
Apropiarlo es un delito.

Bebés
En vuelos efectuados con B-747, Ud. podrá solicitar un moisés para su bebé en el momento de hacer su reserva, recuerde, empero, que este último deberá ser tenido en brazos durante el despegue y el aterrizaje. Algunos toilettes del B-747 tienen una mesada especial para el cambio de ropa del bebé.
Las comidas son servidas de acuerdo a los deseos expresados por los padres al efectuar la reserva. Para calentar el biberón solicite la asistencia del auxiliar de a bordo, quien podrá también llenarlo con leche fresca.

6

A

ORAL

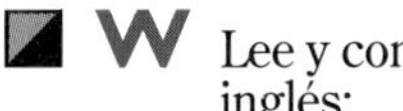

W Lee y contesta en inglés:

1 ¿Qué servicios especiales ofrecen Aerolíneas Argentinas en sus vuelos?
2 ¿Cómo intenta El Tren de la Costa convencer al turista de que viaje con ellos?
3 En el viaje a América del Sur, ¿qué ofrecen de especial en Argentina?
4 ¿Por qué piensas tú que incluyen la visita a Machu Picchu?
5 Escribe brevemente los consejos que te dan para el viaje.

Días 3–4 Buenos Aires (Argentina)

Visita a los puntos de más interés turístico de Buenos Aires, en los que se incluye el Teatro Colón, la Casa Rosada, la Catedral y la Avenida de Nueve de Julio, una de las calles más anchas del mundo. Esa misma tarde se visita el Viejo Almacén, una de las Casas de Tango más visitadas, con cena y espectáculo incluídos. El siguiente día es libre, con un espectáculo de folklore por la noche.

Días 5–6 Bariloche (Argentina)

De Buenos Aires volveremos al suroeste hacia las altas tierras de la Patagonia, a Bariloche, en el corazón mismo de los grandes lagos argentinos. En esta encantadora ciudad junto al lago Nahuel Huapi permaneceremos dos noches.

Tren de aterrizaje.

Arribe con Tren de la Costa a un lugar único.
Lleno de rincones acogedores.
Para comprar de todo.
Disfrutar de los platos más deliciosos.
Ver las mejores películas.
Pasar buenos momentos con amigos o en familia. Y viajar como en primera clase.
En el tren más moderno del país.
Venga a Tren de la Costa.
Y siéntase como en las nubes.

Día 14 Machu Picchu (Perú)

Machu Picchu, la ciudad perdida de los Incas y una de las ruinas más impresionantes del mundo es, sin duda, el punto culminante de este viaje. La excursión comienza con un viaje en tren de 4 horas con una magnífica panorámica. Tras unas horas en Machu Picchu, regresaremos a Cuzco para nuestra última noche allí, con cena en el hotel incluída.

CONSEJOS

Lo más aconsejable es llevar ropa cómoda y lo más ligera posible. Para andar y recorrer lugares se recomienda calzado resistente y cómodo sin tacón. También es importante llevar un protector solar así como una loción contra insectos. No olvide llevar consigo una buena chaqueta y jersey ya que las noches en algunas partes pueden ser bastante frescas. Para los espectáculos nocturnos quizá sería apropiado un vestuario más elegante.

Los servicios de lavado y limpieza en seco pueden obtenerse en los hoteles de las principales ciudades.

Se recomienda cheques de viajero y que se obtengan todos los visados antes de salir del país de partida.

ACCIDENTE EN PANTICOSA, ARAGÓN

A primera hora de la tarde de ayer tuvo lugar un grave accidente en una de las estaciones de esquí más famosas del Pirineo aragonés, Panticosa. Una gran cantidad de nieve se desplomó de repente cubriendo a un grupo de esquiadores que estaba practicando en esos momentos. Una familia que subía entonces a la pista fueron los primeros en dar la alarma e inmediatamente se emprendió la búsqueda de los afectados, que duró cerca de tres horas. Cuarenta y siete personas fueron rescatadas, de las cuales nueve resultaron ilesas, treinta con heridas de diversa consideración e inicios de congelamiento y ocho personas fueron halladas ya cadáver. Las víctimas fueron transportadas en seguida al hospital más cercano, San Carlos, en Jaca. Algunos han podido salir inmediatamente después de ser examinados y fuentes del hospital aseguran que todos los demás evolucionan favorablemente.

AYUDA

la cantidad	*quantity*
desplomarse	*to collapse/tumble down*
de repente	*suddenly*
emprender	*to undertake/begin*
la búsqueda	*search*
rescatar	*to rescue*
ileso/a	*unhurt*
los inicios	*the beginnings*
el congelamiento	*frost-bite/freezing*
evolucionar	*to recover*

X ELIGE

1 El accidente tuvo lugar a eso
- **a** de las ocho
- **b** de la una
- **c** de las diez

2 La nieve cubrió a
- **a** una familia
- **b** personas muy famosas
- **c** gente que estaba esquiando

3 Buscaron a los afectados
- **a** durante más de tres horas
- **b** durante casi tres horas
- **c** durante toda la mañana

4 Murieron
- **a** ocho de los cuarenta y siete rescatados
- **b** treinta de los cuarenta y siete rescatados
- **c** ocho de los treinta rescatados

5
- **a** Hay muchos problemas con los demás
- **b** Los demás están mejorando
- **c** Creen que todos van a morir

6 Las víctimas fueron transportadas
- **a** a un hospital en San Carlos
- **b** por San Carlos a Jaca
- **c** a un hospital en Jaca

7 Busca las siguientes frases:
un accidente muy serio
mucha nieve de pronto
entonces salvadas diferente
fueron heridos encontrados
muertos están mejorando

Don Idiota
VOY A TENER QUE COMPRAR UN PARAGUAS PERO PARAGUAY ESTÁ TAN LEJOS
AVENIDA 9 de JULIO BUENOS AIRES

 **Y** Busca la información y contesta las siguientes preguntas:

1 What is the RENFE ticket valid for and what are you asked to do with it?
2 Hotel San Angel:
   a What facilities does the hotel offer?
   b Where can you go in the surrounding area?
3 What would you expect to happen if you took food from the buffet to your room in Hoteles Sol?

LIBRO DE EJERCICIOS O P

9

CAPÍTULO NUEVE

Comida, compras, y cosas así

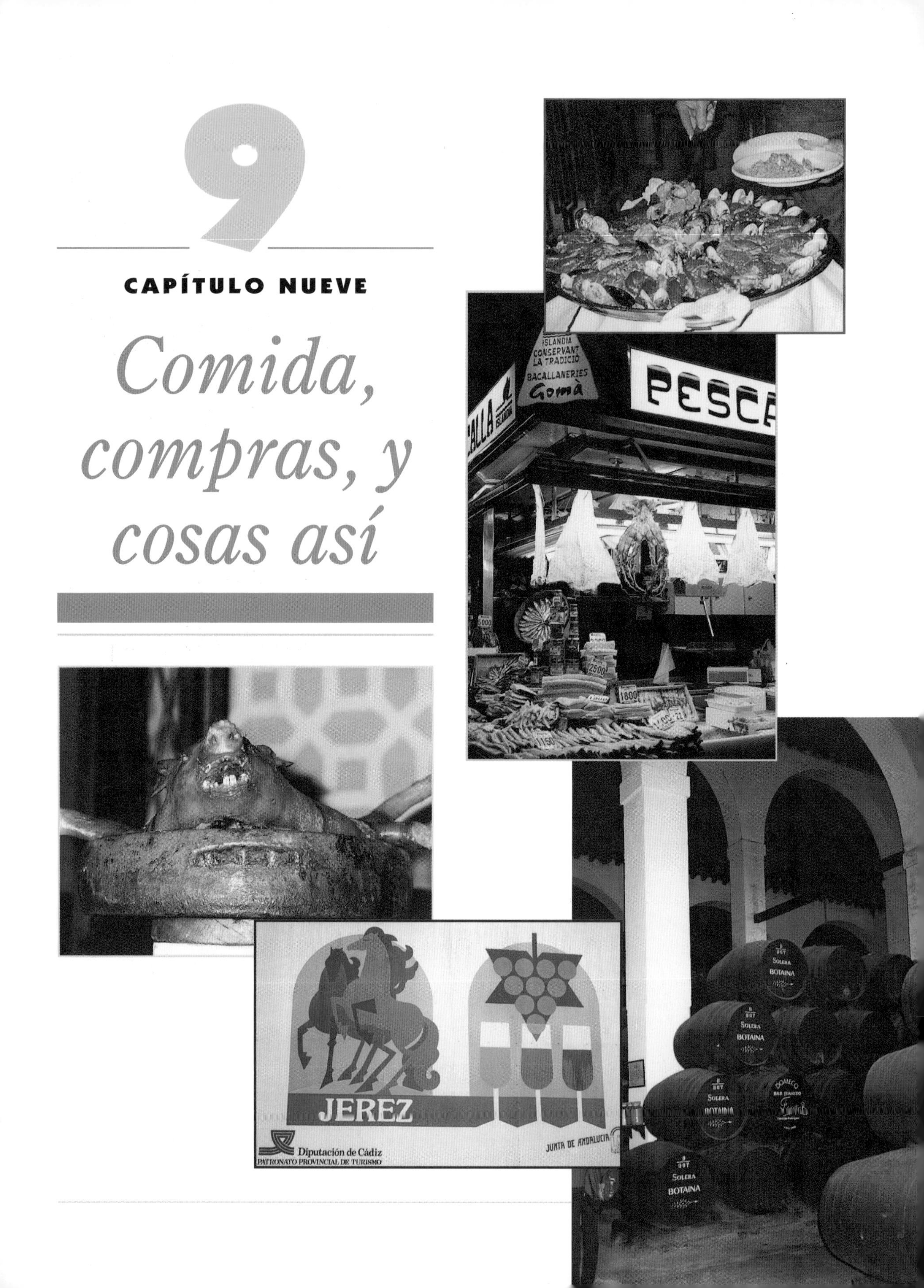

Helena
«Mi madre hace de comer en casa. Cocina muy bien. Yo sé hacer mejor cosas difíciles que cosas fáciles. Los huevos fritos nunca me salen.»

Ana Plans
«A las ocho empiezo en la universidad. Como en la cafetería a eso de las dos. Me tomo un bocadillo o una ensalada, a veces un trozo de carne o un plato caliente cuando hace frío. Ceno tarde, por lo general a las once o a las doce de la noche. A esa hora no me gusta cenar fuerte.»

Eva
«Hay días que llego a la misma hora que mi padre y entonces comemos todos juntos. Otros días han almorzado ellos ya porque ha llegado mi padre antes y entonces como sola, pero ellos me están acompañando, o sea, estamos todos a la mesa siempre.»

Bruce
«Yo llego a las dos y media y como mi madre ha preparado la comida para mi hermano pues normalmente comemos comidas recalentadas o simplemente comidas rápidas: patatas fritas o huevos fritos, arroz. Son comidas sencillas, comidas ligeras. La comida fuerte la realizamos los fines de semana, por las noches no, porque no nos sienta bien.»

☐ A CONTESTA SÍ O NO

Helena
- **a** Su madre es buena cocinera
- **b** Helena sabe hacer huevos fritos muy bien

Eva
- **a** Siempre come con sus padres
- **b** A veces Eva llega a casa después que sus padres

Ana Plans
- **a** En la universidad Ana no come hasta después del mediodía
- **b** Nunca toma un plato caliente
- **c** Cena bastante temprano

Bruce
- **a** Normalmente llega antes de las dos
- **b** Come arroz los fines de semana
- **c** Siempre comen comidas fuertes los domingos por la noche

AYUDA

nunca me sale	*I can never get it right*
almorzar (ue)	*to have lunch*
no nos sienta bien	*it doesn't agree with us*

☐ B ¿QUIÉN? ¿QUIÉNES?

1. ¿Quién no estudia en el instituto?
2. ¿Quién prefiere hacer comidas complicadas?
3. ¿Quién está siempre con sus padres cuando come?
4. ¿Quién come después que su hermano?

Javier

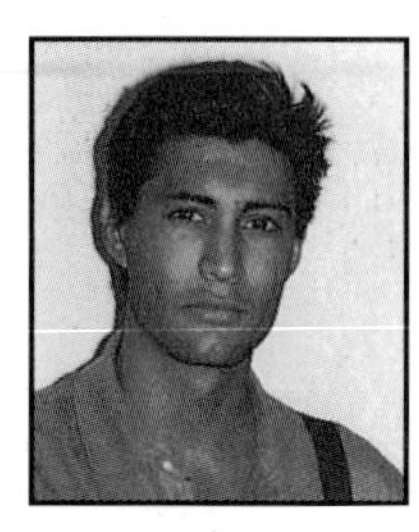

«Hablando de gastronomía, pues si hay algo que en España también llama mucho la atención a los extranjeros es la cantidad de bares y mesones, donde cuando pides un refresco o una caña, es decir, un vaso de cerveza, lo acompañan con un 'aperitivo', con una 'tapa', o a veces, 'raciones' si las pides.

A mí me encanta probar raciones, especialmente el pescado frito, como los chanquetes y los calamares y, cómo no, los boquerones en vinagre, que es mi tapa favorita.»

Marisé

«En términos de comida, en Galicia se come mucha más verdura porque se come el 'caldo gallego' típico, por lo menos dos veces a la semana. Es una especie de sopa fuerte que tiene muchas verduras, carne y patatas. Además en Galicia se come muy variado porque hay mucho pescado que viene de la costa.»

C Lee lo que dicen Javier y Marisé, y decide si lo siguiente es **verdadero** o **falso**:

1 una caña es una cerveza
2 una tapa es un aperitivo
3 los chanquetes, calamares y boquerones son bebidas
4 en Galicia se come mucho pescado y mucha verdura
5 el 'caldo Gallego' lleva pescado
6 Galicia está en el interior de España

AYUDA

la gastronomía	*gastronomy/fine food*
el extranjero	*foreigner/(abroad)*
el mesón	*bar*
el refresco	*cold drink*
el aperitivo	*snack*
probar(ue)	*to try/taste*
los chanquetes	*minute fish, fried*
los boquerones	*anchovies*
la verdura	*green vegetables*
el caldo	*broth*

María José
«La comida típica de Granada es la tortilla de Sacromonte, que es una tortilla con muchas verduras, con chorizo, y con sesos. También las habas con jamón es un plato muy típico. Luego están todos los pescados, frescos o fritos, de la costa, que son de tradición andaluza. Después, como en el sur de Granada hay un microclima tropical, hay mucho fruto exótico como la chirimoya, el aguacate y muchos productos derivados de esos.»

Tina nos habla de cuando vivía en Navarra:
«Como el pueblo más cercano estaba a unos 7 kilómetros, venía una camioneta cargada de cosas. Las señoras esperaban a que viniera y hacían fila y compraban todos los productos básicos: azúcar, pan, leche, vino ... Los niños hacíamos cola y nos hacía ilusión comprar chucherías ... chicle, caramelos, chocolate, chupachuses ...»

AYUDA

el chorizo	*spicy sausage*
los sesos	*brains*
las habas	*broad beans*
tierno/a	*tender*
la chirimoya	*custard apple*
el aguacate	*avocado*
derivar	*to derive/make from*

 **D** Lee lo que dicen María José y Tina, y contesta en español:

1. ¿Qué dos platos típicos de Granada menciona María José?
2. ¿Por qué hay en la provincia de Granada mucho pescado y mucho fruto exótico?
3. ¿Qué vendían en la camioneta para las señoras?
4. ¿Qué compraban los niños?
5. ¿Cómo sabemos que iban muchos niños a comprar a la camioneta?

AYUDA

la camioneta	*van*
hacer fila hacer cola	*to stand in a line/to queue up*
nos hacía ilusión	*we adored*
las chucherías	*junk food*
los chupachuses	*lollipops*

La camioneta era como ésta, pero de alimentación y no de estanterías. Y claro ¡estaba en el campo y no en la capital!

LIBRO DE EJERCICIOS ▷ A B C

¡Come y bebe todo lo que puedas!

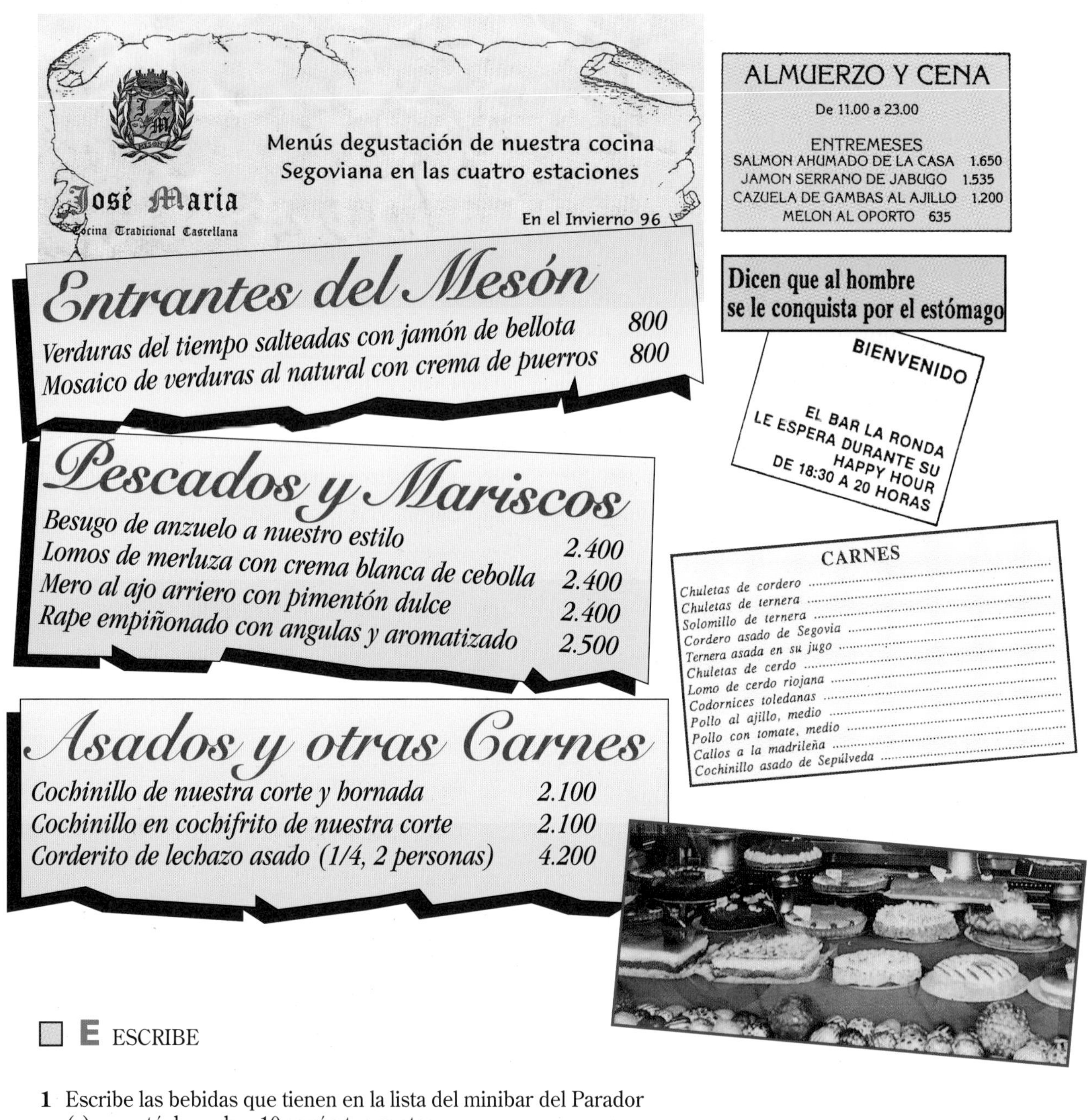

E ESCRIBE

1. Escribe las bebidas que tienen en la lista del minibar del Parador (a) y puntúalas sobre 10 según tus gustos.
   Ejemplo: CocaCola: 9/10; Coñac: 1/10
2. Escoge las cosas que a veces tomas para el desayuno de todo lo que ofrece BOB'S (b).
3. Escribe los postres de la lista (c) en el orden que los prefieres.

F ORAL/ESCRITO

1. ¿A qué hora desayunas?
2. ¿Qué tomas para el desayuno?
3. ¿Dónde almuerzas?
4. ¿Cuál es tu comida preferida?
5. ¿Te gusta el pescado más que la carne?
6. ¿Qué bebida caliente prefieres?
7. ¿Cuántos terrones de azúcar tomas en el café o el té?
8. ¿Sueles ir mucho a restaurantes a comer?
9. ¿Quién cocina en casa?
10. ¿Te gusta cocinar? ¿Qué platos sabes cocinar?

A

PARADOR NACIONAL DE TORDESILLAS

MINIBAR

Por favor indique en esta hoja con una X cada consumición efectuada y désela a recepción. Muchas gracias.

Please indicate with an X each iten you have cosumed an submit this form to the reception. Thank you.

Cocher d'une croix. S. V. P. vos consommations et remettez cette fiche a la reception. Merci beaucoup.

DENOMINACION / DESIGNATION / DESIGNATION	Número de Consumiciones	PRECIO UNIDAD	TOTAL PESETAS
Agua sin gas ½			
Agua con gas ½			
Cerveza			
C. Cola			
Refresco naranja			
Refresco limón			
Tónica			
Soda			
Champagne ½			
Champagne ¼			
Zumos varios de frutas			
Frutos secos			
Brandy (coñac)			
Ron			
Ginebra			
Jerez dulce o seco			
Anís			
Vermut			
Pippermint			
Whisky escocés			
Sangría			

Fecha, ... de .... de 19 .... TOTAL

Nombre .... Habitación / Room / Chambre

Firma / Signature

Cargado en Fra. n.° ....

B

desayunos BOB'S

Hasta las 12 Horas

MESA

CHURROS Con chocolate o café con leche. 245

PIEZA DE BOLLERIA Croissant, caracola o napolitana, servido con café con leche o té o vaso de leche 240

DESAYUNO MADRID Tostada o barrita a la plancha con mantequilla y mermelada, servido con café con leche o té o vaso de leche 245

DESAYUNO BOB'S Dos huevos fritos revueltos o en tortilla con patatas fritas, pan, mantequilla y café con leche o té o copa de vino o copa de cerveza 345

DESAYUNO DE LA GRANJA Dos huevos fritos con bacon y patatas fritas, pan, mantequilla y café con leche o té o copa de vino o copa de cerveza 355

DESAYUNO ESPECIAL Hamburguesa con huevo frito y patatas fritas, pan, mantequilla y café con leche o té o copa de vino o copa de cerveza 390

DESAYUNO CONTINENTAL Croissant a la plancha con jamón de York y café con leche o té o vaso de leche 305

DESAYUNO EJECUTIVO Sandwich de jamón y queso y café con leche o té o copa de vino o copa de cerveza 295

NOTA: Si toma un zumo de naranja natural con cualquier desayuno sólo le costará 220

C

postres

MELOCOTÓN EN ALMÍBAR 200
PIÑA EN ALMÍBAR 200
HELADO 200
FLAN DE LA CASA 200
FLAN CON HELADO 275
ZUMO DE NARANJA 175
FRUTA DEL TIEMPO 175
TARTA PONCHE 300
TARTA DE MANZANA 300

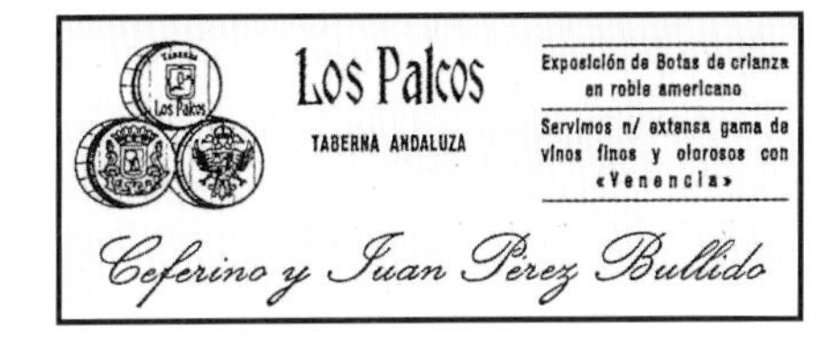

EN EL SUPERMERCADO

Señora	¿Tienen Vds. servicio a domicilio?
Dependiente	¿Dónde vive Vd., señora?
Señora	Aquí mismo, en Leganés, a dos calles.
Dependiente	Entonces no hay problema. Antes de las seis estará todo en casa.
Señora	Bueno, algunas cosas me las voy a llevar yo porque me hacen falta esta mañana.
Dependiente	Sí, señora. Dígame usted lo que quiere y se lo pongo en una bolsa.
Señora	Sí. Tengo que llevarme la leche, los yogures, el pescado, las latas de atún y la coliflor. Las botellas de cerveza, la carne, las demás verduras y la fruta las pueden traer a casa luego.
Dependiente	Muy bien. ¿Me dice usted su domicilo?
Señora	Sí, claro. Es Calle Leganés 32, 3º B
Dependiente	Muy bien. Así que son tres mil doscientas justas.
Señora	Sí, tome. Yo luego le daré una propina al chico. Gracias.
Dependiente	De nada. Adiós.

G Lee *En el supermercado* y escoge sólo lo que es **verdadero**:

la señora vive cerca
está en el supermercado por la mañana
el super tiene servicio a domicilio
la señora desea comprar una bolsa
llevarán las latas de atún a las seis
la señora vive en el tercer piso
paga menos de cinco mil pesetas

SERVICIO A DOMICILIO

AHORA PUEDES DISFRUTAR EN CASA O EN LA OFICINA, CON TODA COMODIDAD Y SIN RECARGO, DE CUALQUIERA DE NUESTROS DELICIOSOS PRODUCTOS.
De 12 a 16 horas y de 20 a 24 horas.
catabocata

La Cocina de las Autonomías

RESTAURANTE CONTINENTAL
C/ OLIVAR Nº 54.
(Junto a la Plaza de Lavapiés)
TLF: 539 00 66.(Reserva de mesas)

PLATOS DEL MES DE MAYO DE 1.996.

Hay diecisiete, uno por cada Autonomía, agrupados en cuatro entrantes, tres de huevos, tres de carne y cuatro postres. Como complemento, hay vinos y licores.

"España se divide en tres Autonomías: en el Norte se guisa, en el Centro se asa, y en el Sur se fríe."

1.395.-ENSALADA DE SAN ISIDRO (MADRID) 600 PTS.
Lechuga, huevo duro, bonito, aceitunas, sal, aceite, vinagre, pimentón.

1.396.-FRITADA DE PIMIENTOS (NAVARRA) 800 PTS.
Pimientos verdes, pimientos morrones, tocineta ahumada, sal, chistorra, aceite, ajo.

LIBRO DE EJERCICIOS D E

Aprende 86

¿Dónde compraste **el** coche?	**Lo** compré en Extremadura.
¿Y **la** moto también?	No, **la** moto **la** compré aquí, pero voy a vender**la** mañana.
¿Por qué?	Porque no **la** utilizo, el coche sí **lo** utilizo mucho.
¿Y **las** bicicletas que hay en el garaje?	Las bicicletas no **las** quiero.
¿Ni **los** patines tampoco?	Sí, claro que **los** quiero, esos no te **los** doy.

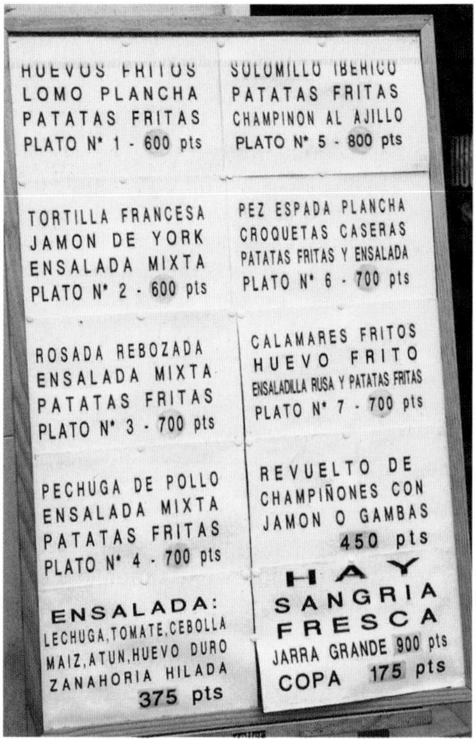

H EMPAREJA

1 ¿Vendió la casa?
2 ¿Compraste el vino?
3 ¿Trajiste la alfombra?
4 ¿Tienes las llaves?
5 ¿Están aquí tus hermanos?
6 ¿Hablaste con María?

a No, no la vi en ninguna tienda.
b No, los vi hace poco en el parque.
c Sí, la vendió ayer.
d No, no lo compré.
e No, las perdí esta mañana.
f Sí, la vi anoche.

HUEVOS FRITOS
LOMO PLANCHA
PATATAS FRITAS
PLATO Nº 1 - 600 pts

TORTILLA FRANCESA
JAMON DE YORK
ENSALADA MIXTA
PLATO Nº 2 - 600 pts

ROSADA REBOZADA
ENSALADA MIXTA
PATATAS FRITAS
PLATO Nº 3 - 700 pts

PECHUGA DE POLLO
ENSALADA MIXTA
PATATAS FRITAS
PLATO Nº 4 - 700 pts

ENSALADA:
LECHUGA, TOMATE, CEBOLLA
MAIZ, ATUN, HUEVO DURO
ZANAHORIA HILADA
375 pts

SOLOMILLO IBERICO
PATATAS FRITAS
CHAMPINON AL AJILLO
PLATO Nº 5 - 800 pts

PEZ ESPADA PLANCHA
CROQUETAS CASERAS
PATATAS FRITAS Y ENSALADA
PLATO Nº 6 - 700 pts

CALAMARES FRITOS
HUEVO FRITO
ENSALADILLA RUSA Y PATATAS FRITAS
PLATO Nº 7 - 700 pts

REVUELTO DE
CHAMPIÑONES CON
JAMON O GAMBAS
450 pts

HAY
SANGRIA
FRESCA
JARRA GRANDE 900 pts
COPA 175 pts

I Estudia los menús aquí arriba y decide qué tienen en común:

1 los platos 1, 2, y ensalada
2 los platos 3, 6 y 7
3 los platos 1, 3, 4, 5, 6 y 7
4 ¿Qué hay para beber?
5 ¿Qué puede cenar un vegetariano en este restaurante?

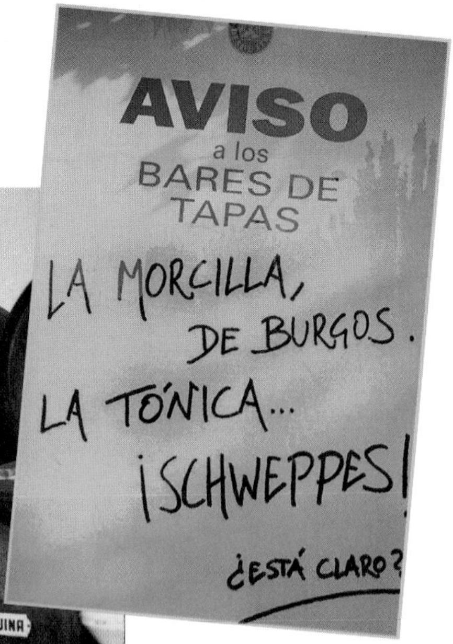

ANTIGUA CASA GUARDIA
FUNDADA EN 1840
VINOS DE MALAGA

AVISO
a los
BARES DE
TAPAS
LA MORCILLA, DE BURGOS.
LA TÓNICA...
¡SCHWEPPES!
¿ESTÁ CLARO?

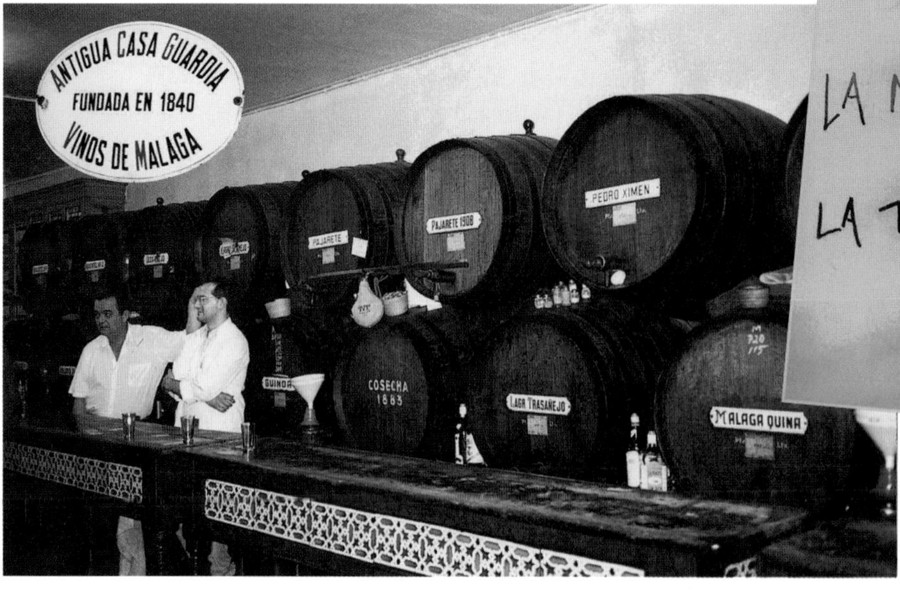

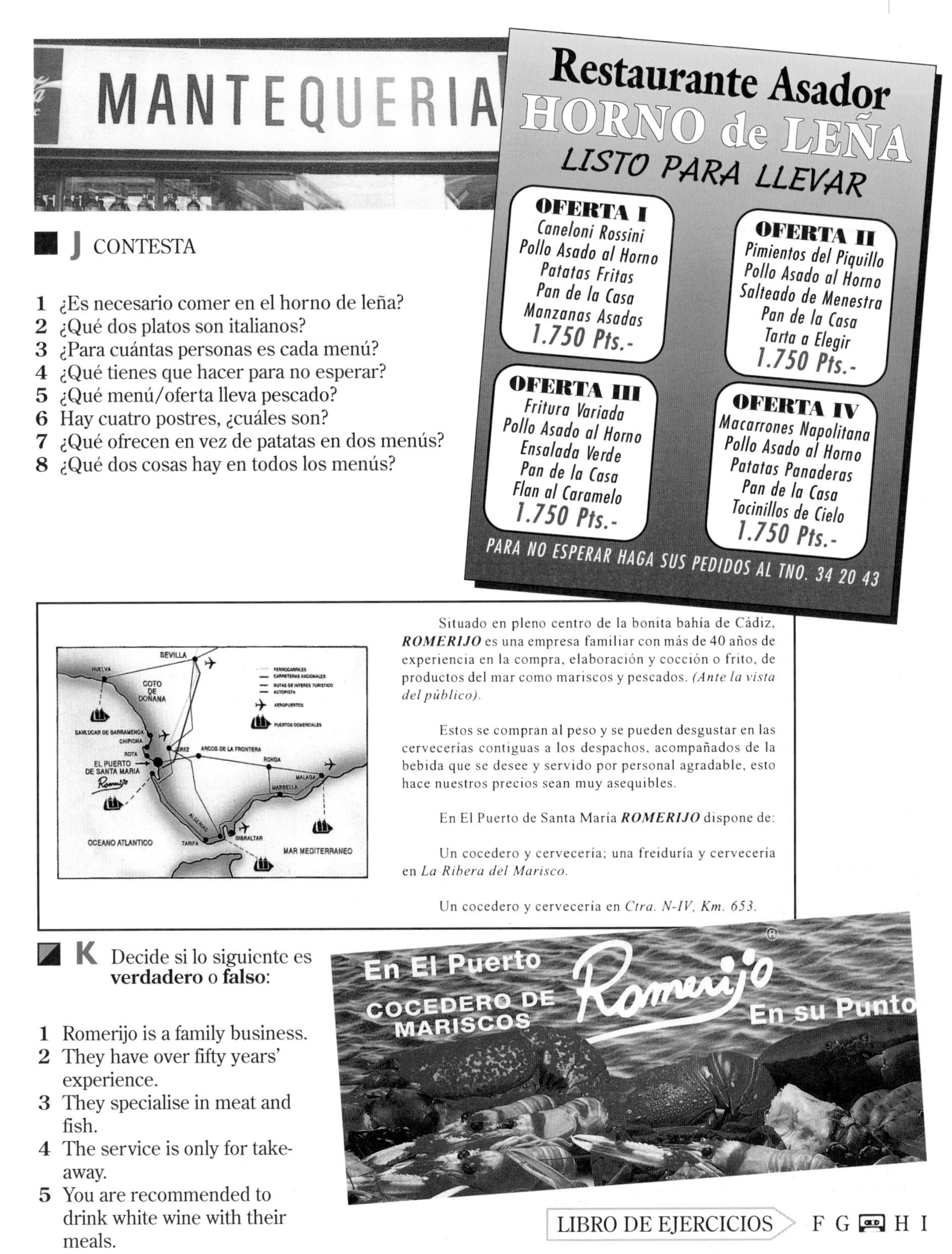

J CONTESTA

1 ¿Es necesario comer en el horno de leña?
2 ¿Qué dos platos son italianos?
3 ¿Para cuántas personas es cada menú?
4 ¿Qué tienes que hacer para no esperar?
5 ¿Qué menú/oferta lleva pescado?
6 Hay cuatro postres, ¿cuáles son?
7 ¿Qué ofrecen en vez de patatas en dos menús?
8 ¿Qué dos cosas hay en todos los menús?

K Decide si lo siguiente es **verdadero** o **falso**:

1 Romerijo is a family business.
2 They have over fifty years' experience.
3 They specialise in meat and fish.
4 The service is only for take-away.
5 You are recommended to drink white wine with their meals.

LIBRO DE EJERCICIOS F G H I

L LEE Y ESCRIBE

You are trying to help El Corte Inglés to write an English version of their Store Guide. Read the Spanish carefully and see how much of it you can do before consulting your teacher or a large dictionary.

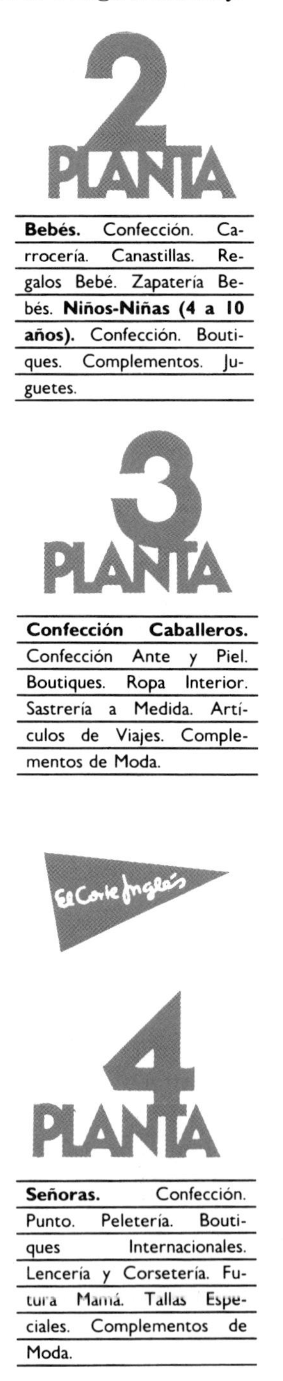

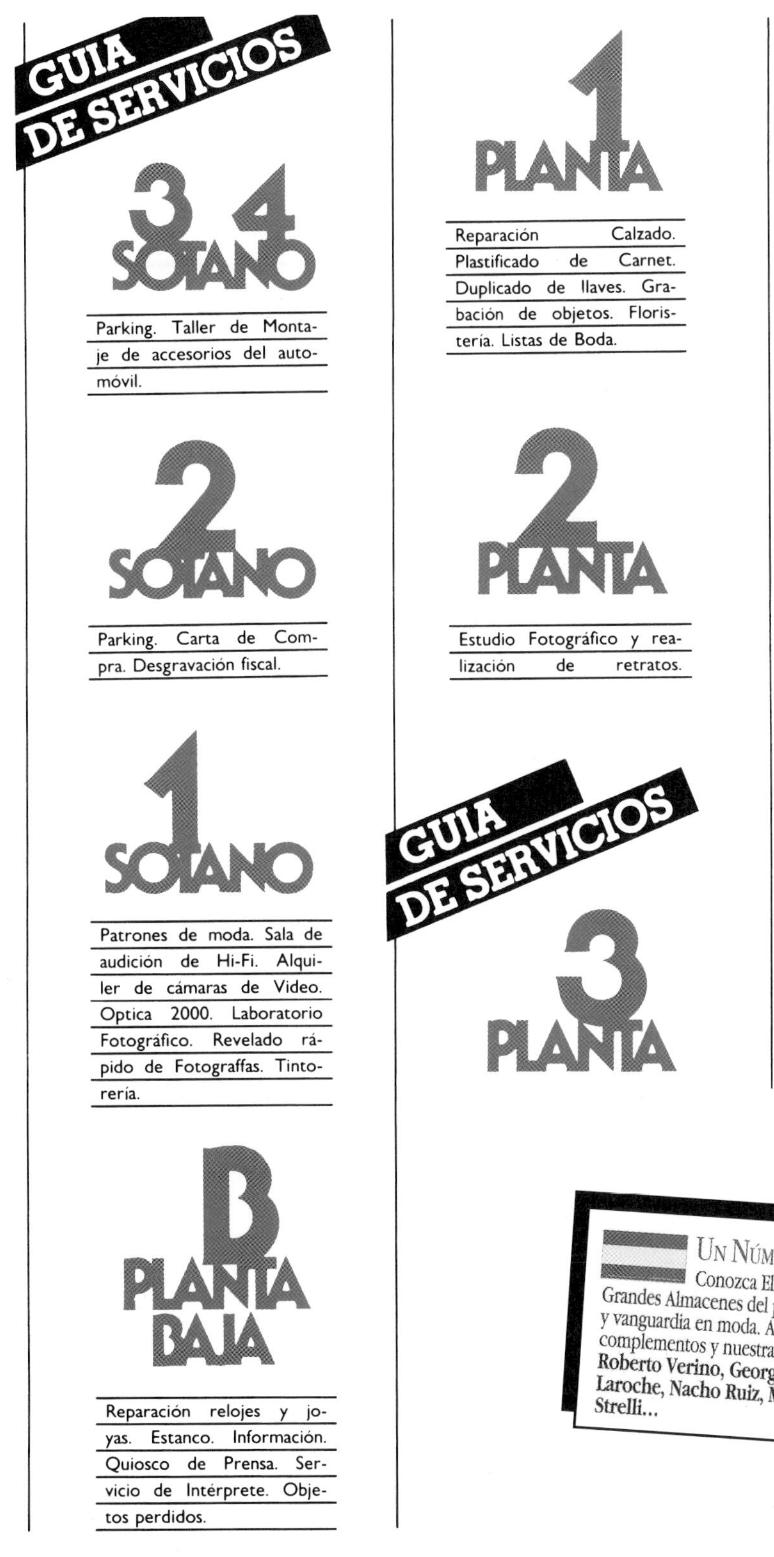

GUIA DE SERVICIOS

3 4 SOTANO

Parking. Taller de Montaje de accesorios del automóvil.

2 SOTANO

Parking. Carta de Compra. Desgravación fiscal.

1 SOTANO

Patrones de moda. Sala de audición de Hi-Fi. Alquiler de cámaras de Video. Optica 2000. Laboratorio Fotográfico. Revelado rápido de Fotograffas. Tintorería.

B PLANTA BAJA

Reparación relojes y joyas. Estanco. Información. Quiosco de Prensa. Servicio de Intérprete. Objetos perdidos.

1 PLANTA

Reparación Calzado. Plastificado de Carnet. Duplicado de llaves. Grabación de objetos. Floristería. Listas de Boda.

2 PLANTA

Estudio Fotográfico y realización de retratos.

GUIA DE SERVICIOS

3 PLANTA

Unidad Administrativa (Tarjeta de compra El Corte Inglés. Venta a plazos. Envio al extranjero y nacionales. Desgravación fiscal. Post-Venta). Peluquería Caballeros y niños. Centro de Seguros. Agencia de Viajes. Cambio libre de moneda extranjera.

4 PLANTA

Desgravación Fiscal. Peluquería Señoras. Conservación de pieles.

6 PLANTA

Enmarque de cuadros. Realización de Retratos. Estudio de decoración.

7 PLANTA

Cafetería. Buffet. Restaurante.

UN NÚMERO UNO EN MODA.
Conozca El Corte Inglés. La Primera Cadena de Grandes Almacenes del país, con la mayor selección, calidad y vanguardia en moda. Alta confección en piel y ante, tejidos, complementos y nuestras Boutiques Internacionales: **Roberto Verino, Georges Rech, Pierre Balmain, Guy Laroche, Nacho Ruiz, Mariella Burani, Polvere, Olivier Strelli...**

Dos Chicas Comparten un Piso

Marisol has just moved in with Antonia and they are planning how they can organise the flat, the cleaning, the shopping.

A Bueno, Marisol, ¿cómo nos vamos a organizar para el piso?

M Pues, por ejemplo, en cuestión de comida, yo creo que lo que podemos hacer es comprar las cosas comunes que vayamos a utilizar las dos juntas.

A Sí, azúcar, harina, sal, aceite . . .

M Y, bueno, artículos de limpieza para la casa.

A Sí, eso también. Pero tú trabajas de una a cinco, entonces . . . ¿cuándo vas a comer?

M Bueno, tengo que organizarme de forma diferente, claro. Lo que haré es que, por la mañana, tomo un desayuno fuerte, tipo inglés, y luego cuando vuelva después de las cinco hago ya una cena más fuerte.

A ¡Vale! Yo, como entro a trabajar a las cuatro, pues comeré a la hora normal, o sea, no vamos a coincidir. Cada una se hace su comida.

M Detergente también es una cosa que, para la lavadora, conviene tener aquí.

A Sí. Después, para bajar la basura, hay que hacerlo a partir de las ocho de la tarde. Pero creo que los domingos no se baja. No recogen. Y para fregar, cuando una se haga algo, que lo friegue.

M Y luego, la aspiradora – cada una su habitación.

A Sí, y yo creo que para el resto de la casa, no hay problema, porque es tan pequeña que en cinco minutos se hace.

M Sí. Un día cuando coincidamos las dos, un sábado o un domingo, podemos hacerlo. ¿Y el baño?

A El baño, pues, quien no tiene que bajar la basura, limpia el baño, dos o tres veces durante la semana. ¿Y el teléfono?

M Sí. ¿Cómo hacemos? Anotamos entonces. ¿Te parece que tengamos un cuaderno? Anotamos las llamadas que hacemos, y luego, como tenemos que pagar cada dos meses, que es cuando llega la factura, pues . . . dividimos en proporción.

A Hay que llamar a la dueña porque tiene que arreglar el televisor, que sólo se ve en blanco y negro.

M Bueno. Otra cosa muy importante: ¿qué tiendas hay por aquí cerca?

A ¿Tiendas? De comestibles, pues mira, en la esquina, saliendo del portal a la derecha, hay una tienda que está abierta hasta muy tarde y tiene casi de todo, pero es un poquito cara. Más barato, entonces, tienes el supermercado, pero está un poco más lejos. Y luego, enfrente de esta tienda que está en la esquina, hay una que abre también los domingos. Está muy bien por si se olvida algo. Pero también es muy cara.

M Ya, ya. ¿Librerías hay por aquí?

A No, librerías no. Hay una papelería. Se puede comprar cuadernos, bolígrafos y hay fotocopiadora.

M ¡Ah! Tiene fotocopiadora . . .

A Tenemos dos bares enfrente, cafeterías, pubs y grandes almacenes. También hay piscinas cerca y pistas de tenis.

AYUDA

la basura	*rubbish*
la mitad	*half*
fregar (ie)	*to wash up*

M Lee la conversación entre Marisol y Antonia y escoge:

1 ¿Cuáles son las cosas comunes?
detergente basura sal azúcar aceite lavadora desayunos fuertes
2 Aspirar la casa dura (poco tiempo/todo el día/toda la semana)
3 Para pagar la cuenta de teléfono (van a anotar las llamadas en un cuaderno/van a dividir la cuenta por la mitad)

Contesta:

4 ¿Por qué es muy conveniente la tienda de comestibles de la esquina?
5 ¿Qué otras ventajas tiene vivir en esta zona?

N Explica y aprende lo siguiente y utilízalo en frases:

por ejemplo en cuestión de
un desayuno tipo inglés vale
está muy bien casi de todo
un poquito cara

LIBRO DE EJERCICIOS J K

O CON TU COMPAÑERO/A

1 One partner should ask questions to find out what their partner did yesterday.
Ejemplo:
Q ¿Qué hiciste ayer a las dos?
A Me peiné/me cepillé el pelo.
Escuché ... Me lavé ... Fui ... Charlé ... Lavé ... Compré ... Entré en ... Pasé ... Toqué ... Fregué ... Miré ... Visité ...
2 ¡Y ahora, tú!
Tell your partner what you did this morning. He/she should take notes.

LEE los anuncios y haz los ejercicios P y Q.

Se vende ROPA NIÑOS, artesanía exclusiva, precio coste. También lencería, ropa de casa, artículos de regalo.
Orense 28, 2º ☎ 593 25 26

BMW 650 90.000 ptas. Buen estado con extras.
Ricardo ☎ 469 32 69

MOBYLETTE, último modelo Liberty, 800 km., duerme en garaje. 70.000 ptas. Llamar Ramón, de 9.30 a 19 horas
☎ 445 40 12

Máquina de escribir de oficina LEXICOM 80. Perfecto estado; 35.000 ptas
☎ 474 01 88

COMPRO coche, particular a particular, en buen uso.
Rodrigo. ☎ 469 31 42

MOTO 250 cc. Seguro 6 meses. Extras. Estado fenomenal 110.000 pesetas discutibles. Llamar de 16 a 20 horas.
Jesús. ☎ 463 93 96

ANTIGÜEDADES IBARRA, por cese de negocio, liquida todas sus existencias. Especialidad muebles para casas de campo, pinturas, mesas, armarios.
☎ 699 45 30

SORTIJA de oro y rubíes, pendientes de oro estilo 1800, collar de oro blanco. Buen precio.
Tel. 403 14 45

EN ATOCHA se vende piso 1 dormitorio, salón, cocina independiente, baño, precio 4.600.00 ptas. Facilidades de pago.
☎ 245 60 78

ORO ¡APROVÉCHESE! Este mes pagamos 200 pesetas más el gramo. Compramos oro incluso trozos. Valoramos monedas, dientes, relojes, cadenas, sortijas, colgantes, broches, pulseras
☎ 411 56 27

VENDO piano, órgano Kawai DX105, guitarra eléctrica. Llamar a Santi a partir de las 19.
☎ 433 92 61

OCASIÓN. Vendo cocina moderna equipada seminueva. Incluída lavavajillas.
☎ 423 06 97

CHAQUETÓN largo con cinturón. Cuero negro y forrado. 30.000 ptas. Juan.
☎ 455 53 86

ASPIRADORA, con accesorios. Perfecto estado. Usado muy poco. 5.500 ptas. Pilar.
☎ 699 96 97

Especialistas superselección- yorkshire, terrier miniatura, padres importados, pedigree campeones.
Elisa ☎ 445 61 07

COMPRO SELLOS
245 75 48

DOS tiendas canadienses, una de 3 plazas. Doble techo, 11.000 ptas. Otra de 2 plazas, doble techo, 6.000 ptas
☎ 463 77 06

Se vende crías de PASTOR ALEMÁN. 6 semanas. Con pedigree.
☎ 463 01 04 llamar a partir de las 7 de la noche.

VENDO cuna pequeña, una silla y un coche de niño, todo por 10.000 ptas.
Tel. 408 59 29

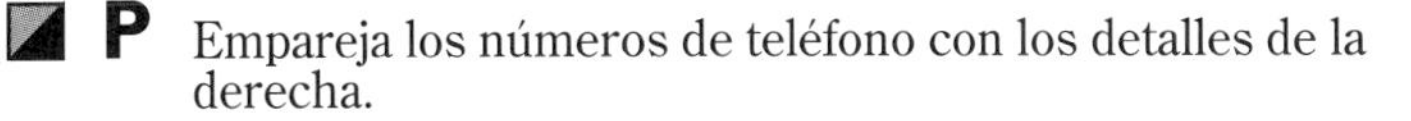

P Empareja los números de teléfono con los detalles de la derecha.

Tfno		
	423 06 97	para el bebé
	593 25 26	para la casa
	403 14 45	para tu novia
	699 96 97	para las vacaciones
	408 59 29	para tu hijo de cinco años
	463 77 06	para la casa

AYUDA

el seguro	*insurance*
el techo	*roof*
la sortija	*ring*
los pendientes	*earrings*
la cuna	*cot*

Q LEE Y ELIGE

Read the newspaper advertisements and answer the questions.

1 Estás buscando un regalo especial para el cumpleaños de tu hermana mayor. Quieres comprarle algo de bisutería y sabes que prefiere las joyas tradicionales pero que no le gusta mucho la plata.
¿Qué le compras?

2 Tienes quince años y vives a seis kilómetros del instituto. No te gusta ir en autobús a causa de los embotellamientos de la hora punta. Buscas un medio de transporte barato y cómodo.
¿A quién llamas?

3 Vas a pasar un mes de vacaciones haciendo montañismo en los Picos de Europa. Tu primo mayor, Carlos, tiene coche y vas con él, con su hermana y tus dos hermanas. Sabes que no vas a encontrar hoteles en esa región.
¿Qué compras?

4 Acabas de instalarte en un piso nuevo con otros dos amigos. Está amueblado pero os falta comprar ciertos electrodomésticos. Los precios en los grandes almacenes te asustan. Sin embargo ¡hay que limpiar la casa!
¿Cuánto os va a costar?

5 Tienes dieciocho años y llevas cuatro meses trabajando en una fábrica de zapatos en las afueras. Quieres comprar una moto media pero no tienes intención de pagar más de 100.000 ptas. Puedes pagar en metálico en seguida.
¿A qué hora vas a llamar?

6 Tu hermana mayor acaba de dar a luz gemelos antes del tiempo previsto. Todavía está en la clínica y te pide un poco de ayuda porque su marido está de viaje de negocios. No tiene todos los muebles que necesita para los recién nacidos.
¿Qué compras?

7 Desde los doce hasta los dieciséis años eras muy aficionada a la filatelia. Ahora dedicas al menos cuatro tardes por semana al atletismo y no tienes tiempo para seguir coleccionando. Tu hermanito no muestra ningún interés por tu colección.
¿A qué número llamas?

AYUDA

la hora punta	*the rush hour*
amueblado/a	*furnished*
asustar	*to frighten*
en metálico	*in cash*
dar a luz	*to give birth to*
los gemelos	*twins*
el/la recién nacido/a	*new-born*
mostrar(ue)	*to show*

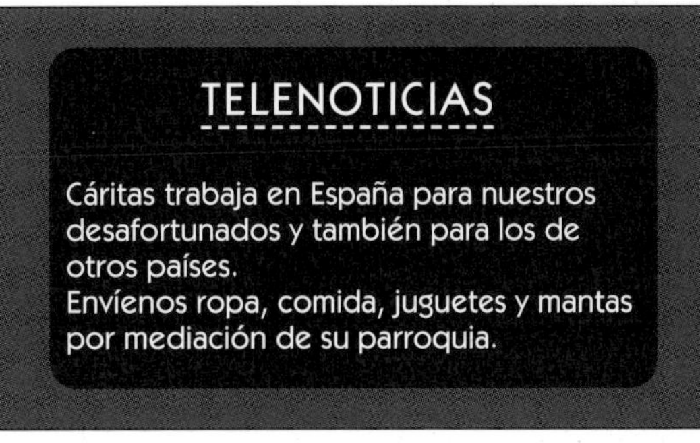

1 ¿De qué forma ayudas tú a los pobres?
2 ¿Por qué es importante la caridad?

¿Te interesa la moda?

Cherino
Nueva colección
Primavera-Verano '85
Novias, madrinas,
fiestas, accesorios
y tallas grandes.

ARAMBOL
BLUSAS, JERSEYS Y COMPLEMENTOS
COMPLEMENTOS
EXCLUSIVOS
DISEÑOS PROPIOS
Príncipe de Vergara, 46
Tel. 431 01 75
MADRID 1

NR
Boutique
Nieves Rodríguez
Tiene a su disposición
la colección Primavera-Verano 85
Serrano, 230 - Tel. 457 92 22
28016 Madrid

Eva
«Por lo general, para la playa o el campo llevo vaqueros o, si hace calor, pantalones cortos, con camiseta o jersey.
Me gusta pintarme como cualquier chica pero no me hace falta una hora para arreglarme ni nada así.»

VAQUEROS
EL DORADO
Gran Vía, 36, 1.er piso

BONAVENTURE JEANS
BONAVENTURE 8.900

LEVI'S
LEVI'S 6.400

EL CHARRO
CHARRO 8.900

MENDOZA'S By Cimarron
MENDOZAS 4.900

PEPE
PEPE 6.400

LIBERTO 7.600
LIBERTO

TENEMOS LOS MEJORES PRECIOS DE MADRID

Miguel
«La moda está bien. Yo creo que es una manera de expresarse. Casi siempre me compro la ropa yo mismo. No gasto mucho pero es ropa buena.»

Trini
«Me interesa como cosa normal. No me preocupa demasiado, pero me gusta estar un poco al día de la moda actual.»

la oca loca
Boutique infantil
Confección a medida
Colec. primav.-verano
Nueva apertura en
Lagasca, 61.
Tel. 435 64 68. Madrid.

Boutique Goro's
Nueva Colección Primavera-Verano
Plaza de la Moraleja. Tel. 650 02 22

Ana
«Uno siempre intenta seguir ciertas tendencias y no ir muy anticuado. No estoy obsesionada con la moda. En España la ropa es cara, sobre todo en las boutiques. No es muy asequible.
Al hombre, al joven español, le gusta vestir bien. Creo que en general tienen buen gusto los hombres en España. Pero no se preocupan excesivamente, desde luego mucho menos que las mujeres.»

R Une las descripciones y los dibujos.

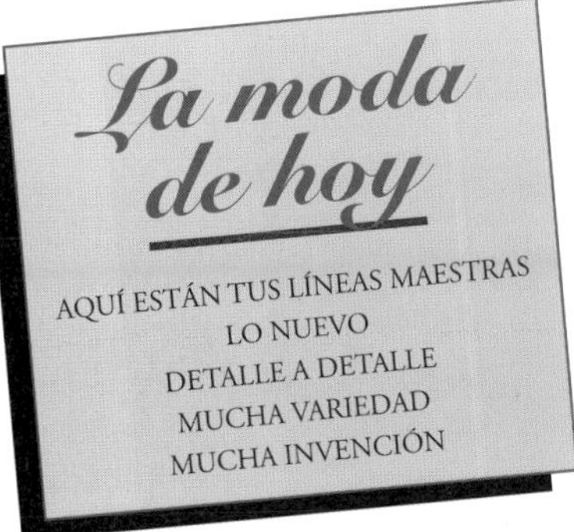

1. Decididamente cómoda. Chaquetas cortas sobre pantalones amplios. Muchos suéteres de pura lana virgen.
2. Faldas larguísimas, con mucho volumen. Botas de tacón alto. Gorras o boinas.
3. Bolsos enormes con diseños de color. Enormes bufandas multicolores. Joyería o bisutería geométricas.
4. Supermangas de muchas formas, japonesas, raglán, murciélago. Bolsillos grandes, cuellos enormes.
5. Falda corta con zapato bajo. Muchos mocasines escolares clásicos. Medias gruesas. Estilo 'niña pequeña'.
6. Abrigos gruesos de color sobrio con cuellos enormes o capuchas que ocultan el pelo. Guantes de rayas. Bufandas de rayas.

AYUDA

buen gusto	*good taste*	el cuello	*neck*	el murciélago	*bat*
te irá bien	*it will suit you*	la capucha	*hood*	el bolsillo	*pocket*
la línea	*style*	ocultar	*to hide*	escolar	*school-like*
la bisutería	*imitation jewellery*	la manga	*sleeve*	las medias	*stockings/tights*
grueso/a	*thick*				

tan corto
tan elegante
tan clásico
tan práctico
tan largo
tan lujoso
tan cómodo
tan deportivo
tan inventivo
tan atrevido

S ORAL/ESCRITO

1 Mira los modelos en la página 181 y descríbelos con la ayuda que te damos aquí.
2 Empareja la ropa con los colores que prefieres. Puedes elegir más de un color:
pantalones (rojos/verdes/negros/azules)
camisas/blusas (blancas/grises/naranja/azules)
faldas (de colores/blancas/marrones/rosa)
zapatos (verdes/negros/marrones/amarillos)
jerseys (amarillos/rojos/negros/verdes)
chaqueta (negra/marrón/azul/morada)
3 Haz una lista de la ropa que tienes y descríbela.

de cuadros	*checked*
de lunares	*polka-dot/spotted*
de colores	*coloured*
de algodón	*cotton*
de rayas	*striped*
de lana	*woollen*
de flores	*flowery*
de seda	*silk*

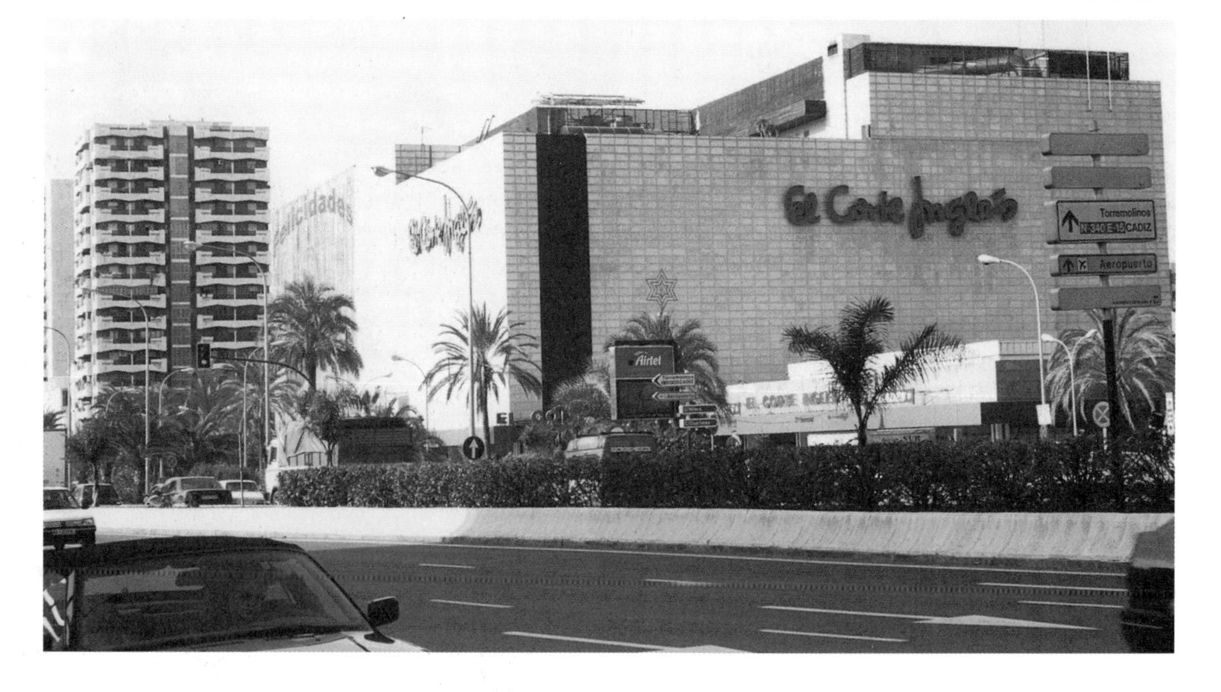

TABLA COMPARATIVA DE TALLAS
SIZE COMPARISON

ARTÍCULO–ARTICLE	ESPAÑA	USA	UK
VESTIDOS, TRAJES Y	40	10	8
CHAQUETAS DE SEÑORA	42	12	10
	44	14	12
	46	16	14
LADIES' DRESSES,	48	18	16
SUITS, COATS	50	20	18
	P	7½	7½
MEDIAS DE SEÑORA	P	8½	8½
	M	9½	9½
LADIES' STOCKINGS/TIGHTS	M	10½	10½
	G	11½	11½
	35	3½	2½
ZAPATOS DE SEÑORA	36	4½	3½
	37	5½	4½
LADIES' SHOES	38	6½	5½
	39	7½	6
	48	46	46
TRAJES DE CABALLERO	50	48	48
	52	50	50
MEN'S SUITS	54	52	52
	56	54	54
	38	24	6
ZAPATOS CABALLERO	39	24½	6½
	40	25	7
	41	25½	7½
MEN'S SHOES	42	26	8
	43	26½	8½

Dependiente	El jersey azul le va muy muy bien.
Señor	Sí, pero es que tengo tantos azules . . . ¿No lo tiene usted en verde o en color crema?
Dependiente	No, en esa talla sólo en azul y en amarillo, pero en una talla más grande sí lo tenemos en verde.
Señor	Bueno, vamos a ver. ¿Puedo probármelo?
Dependiente	Claro. Ahora mismo se lo traigo.
Señor	Me queda un poco grande ¿no?
Dependiente	Sí, pero no importa, ahora se llevan así, un poco sueltos.
Señor	¡Vale! Si usted lo dice . . . pues me lo llevo. ¿Cuánto es?
Dependiente	Cuatro mil trescientas.
Señor	Entonces, voy a tener que volver mañana, porque no tengo bastante conmigo, y he dejado las tarjetas de crédito en otra chaqueta.
Dependiente	Pues, nada. Hasta mañana. Yo se lo guardo. No se preocupe.
Señor	Adiós. Hasta mañana.

AYUDA

la talla	*size*
probar(se) (ue)	*to try (on)*
suelto/a	*loose*
me lo llevo	*I'll take it*

T Lee la conversación y decide si las frases siguientes son **verdaderas** o **falsas**:

1 El dependiente cree que el jersey azul no le va bien al hombre.
2 El hombre ya tiene muchos jerseys azules.
3 Prefiere uno verde y crema.
4 No tienen ninguno crema pero los verdes son un poco más grandes que el azul.
5 El verde le está un poco pequeño.
6 El dependiente dice que está de moda llevar los jerseys sueltos.
7 El hombre decide comprarlo.
8 El jersey cuesta más de lo que pensaba el hombre.
9 Decide comprar una chaqueta.
10 El dependiente dice que mañana puede venir a comprar el jersey azul.

U ORAL/ESCRITO

1 ¿Te gusta ir de compras?
2 ¿Qué te gustan más, los mercados o las tiendas?
3 ¿Te interesa la moda? ¿Dónde compras la ropa?
4 ¿Cuál es tu color preferido?
5 ¿Te gusta llevar vaqueros?
6 ¿Qué compraste la última vez que fuiste de compras?
7 ¿Cuáles son tus tiendas preferidas?
8 En el supermercado, ¿sueles pagar en metálico, con cheque o con tarjeta de crédito?
9 ¿Qué ropa llevas hoy?
10 ¿Cuánto dinero gastas a la semana?
11 ¿Cómo gastas el dinero los fines de semana?
12 ¿Qué compras para Navidad?

ORAL

¡Los españoles cambian sus costumbres!

Puding de Navidad

Consejo: Este tradicional postre navideño inglés puede prepararse con mucha antelación.

INGREDIENTES PARA 4 PERSONAS:

100 g de harina integral
150 g de pan rallado
100 g de azúcar moreno
300 g de pasas
200 g de frutas confitadas
100 g de almendras picadas
100 g de grasa (sebo de riñones o manteca de cerdo)
la corteza y el zumo de 1 limón
½ cucharadita de canela
1 cucharadita de clavo molido
½ cucharadita de sal
3 vasos de leche
3 huevos
1 copita de brandy
aceite para engrasar
Opcional:
1 copita de ron.

Modo de hacerlo: Cortar las frutas confitadas y la corteza de limón en trocitos. Mezclarlas con las almendras en un bol grande. Añadir la grasa. Añadir la harina y las pasas, el pan rallado y el azúcar. Entonces añadir las especias. Regar con el zumo de limón y mezclarlo todo. Batir los huevos con el brandy. Añadir los huevos a la leche y mezclar. Añadir la leche a la masa sin dejar de remover. Tapar el bol y dejarlo reposar. Engrasar el molde con aceite. Llenarlo con la masa. Poner un paño limpio sobre el bol y atarlo firmamente. Poner el molde en una cacerola grande. Poner agua hirviendo en la cacerola hasta que llegue a la mitad del molde. Tapar todo y dejar cocer un mínimo de 4 horas hasta un máximo de 6 horas. ¡Mucho cuidado! Rellenar la cacerola con agua hirviendo a medida que se vaya evaporando.

AYUDA

cortar	*to cut*	bol	*bowl*
mezclar	*to mix*	la harina	*flour*
añadir	*to add*	las pasas	*raisins*
regar	*to sprinkle*	el pan rallado	*breadcrumbs*
batir	*to beat*	las especias	*spices*
remover	*to stir*	el clavo	*cloves*
hervir	*to boil*	la canela	*cinnamon*
tapar	*to cover*	la masa	*dough, mixture*
atar	*to tie*	el paño	*cloth*
cocer	*to cook*	con antelación	*well in advance*
el trocito	*little piece*		

¿Por qué no haces una paella para tu familia?

Usted se encuentra en un establecimiento autorizado **PAELLADOR**, donde puede disfrutar de una variada seleccion de paellas y fideuàs hechas al horno con los ingredientes y receta original de **PAELLADOR**.

Paellador Mixta
Paella de arroz con pollo, costilla, gamba, calamar, mejillones, pimiento y guisantes.
1.075 ptas.

Paellador Valenciana
Paella de arroz con pollo, judías verdes, garrofones, guisantes, pimiento y azafrán.
975 ptas.

Paellador de Marisco
Paella de arroz con cigala, calamar, sepia, gamba langostinera, mejillones, guisantes y pimiento.
1.150 ptas.

Paellador de Verduras
Paella de arroz con alcachofas, judías verdes, guisantes, pimiento, zanahorias y coliflor.
890 ptas.

Paellador Arroz Negro
Arroz con calamar, mejillones, gambas, tinta de calamar, guisantes, pimiento y alcachofas.
990 ptas.

Paellador Fideuà
Paella de fideos con mejillones, gambas, calamar, pimiento, alcachofas y guisantes.
990 ptas.

Paellador Fideguay
Paella de fideos con queso, frankfurt, jamón dulce, aceituna, champiñones, bacon y mozzarella.
890 ptas.

Paellador Fideuà Negra
Paella de fideos con gambas, mejillones, sepia, tinta de calamar, jamón, lomo, guisantes y pimiento
995 ptas.

PAELLADOR®
La paella al horno

V Con tu compañero/a, lee y explica.

1 Work out the ingredients and instructions for the preparation of the puding de Navidad.

2 Could you order your favourite paella from Paellador? Check all the ingredients to make sure you don't get a surprise.

3 Now check the pizza toppings and write down your favourite combination.

4 ¡Y ahora tú!
Can you write down the recipe for a simple dish that you can make at home so that your Spanish friend can understand it? Use the phrases you have learnt to help you.

■ **W** Lee el reportaje y la versión siguiente.

Read both the original notes and the final newspaper report of the following incident. The journalist who wrote up the story seems to have made some factual mistakes. List all those you can find.

Dos camiones quedaron totalmente destruidos y otros cuatro vehículos afectados por varios incendios provocados ayer en el distrito de Fuencarral. Según la Policía Municipal de Madrid los vehículos estaban estacionados a cierta distancia unos de otros. También resultaron dañados una tienda de comestibles, una zapatería y el portal de un bloque de pisos cerca de los dos coches mayormente afectados. La policía no disponía ayer de pistas para identificar al delincuente.

Un incendio afectó esta mañana a la escalera de un bloque de pisos, una tienda de comestibles y una florería. Parece que alguien, enfadado al encontrar tres camiones aparcados delante de su casa, decidió quemarlos echándoles petróleo. Por suerte, el fuego no afectó a otros vehículos y la policía de Bilbao espera arrestar pronto al culpable.

■ **X** VERDADERO/FALSO

Según la encuesta:

1. en Alemania no se bebe cerveza.
2. la bebida preferida en Alemania **era** la cerveza.
3. ahora cada adulto bebe unos 18 litros más de café que de cerveza por año.
4. el noventa por ciento de los alemanes bebe más de un café al día.
5. ahora se bebe más té que cerveza.

LOS ALEMANES Y LA BEBIDA

Según una encuesta importantísima en Alemania la cerveza ha perdido su posición tradicional como bebida favorita. Se consumen 164 litros de café por año y adulto en aquel país, mientras que la cerveza, ahora relegada a segunda posición, no pasa de los 146 litros. Nueve de cada diez adultos toman regularmente café más de una vez al día. El té no se bebe mucho.

DON IDIOTA EN EL BAR

Don Idiota — Camarero, otro litro de cerveza y media ración de calamares antes de la pelea, por favor.
Camarero — Sí, señor . . . Ahora mismo. Ya son tres litros.
[Pasan dos minutos]
Don Idiota — Un vodka doble antes de la pelea.
Camarero — ¿Con hielo o sin hielo?
Don Idiota — Con hielo.
[Pasan dos minutos]
Don Idiota — Ca . . . Ca . . . camarero, otro vodka doble antes de la pelea.
Camarero — ¿Con hielo?
Don Idiota — No, no, con vodka antes de la pelea.
Camarero — Pero, señor, ¿a qué pelea se refiere usted?
Don Idiota — ¿Qué pelea? Pues, la pelea en el momento de pagar po . . . porque no tengo dinero.

LIBRO DE EJERCICIOS L M N O

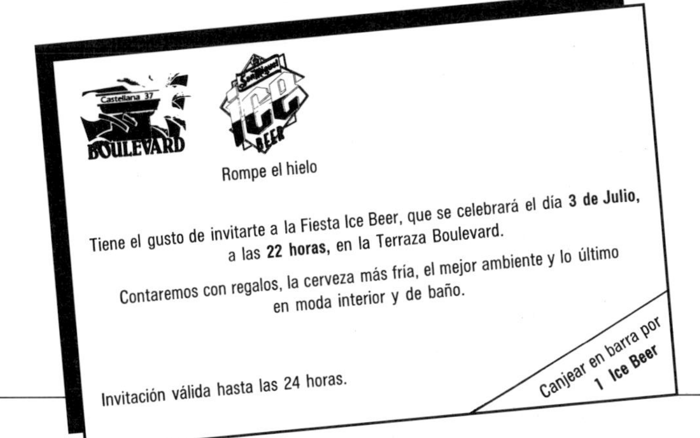

CAPÍTULO DIEZ

Me llevo bien ... no me llevo bien

Sonia
«Yo me llevo bien con todo el mundo. Creo que es muy importante tener amigos de todas las edades.»

Irene
«Yo prefiero mis juguetes. Las personas, sí, me gustan, pero los adultos no mucho. Los niños somos fantásticos.»

CENTRO JUGUETE

GRUPO JUGUETERO DE LA COSTA DEL SOL

Visite la mejor tienda de juguetes de la Costa del Sol. En un marco incomparable de fantasía, le ofrecemos 700 m² de juguetes nacionales y de importación.

Traiga a los más pequeños a pasar un rato de ilusión y alegría envueltos en un ambiente de decoración aladina y un sabor a las mil y una noches.

¡Visitenos! de Lunes a Sábado desde las 10´00 a 13´30 por las mañanas y de 17´00 hasta 21´00 por las tardes. -Domingos cerrado.

Ana
«Para mí, los primeros son mis padres y mi hermano, lo tengo muy claro. Mi madre es mi mejor amiga. Pero hoy día las cosas han cambiado mucho y veo en mis amistades que hay muchos problemas entre padre e hijo. Hay muy poco respeto.»

Eva
«Mis amigos son todos del instituto. Son casi todas amigas más que amigos. Mis amigos son compañeros del instituto, pero al salir, salgo con amigas. Solemos tener los mismos gustos y nos llevamos bien.»

AYUDA

lo tengo muy claro	*I'm very clear about it*
mis amistades	*my friends*
la amistad	*friendship*
el respeto	*respect*
cualquier cosa	*anything, whatever*

Trini
«A los vecinos, sí los conozco. Cuando hay algún problema o necesitamos cualquier cosa nos ayudamos, pero tampoco tenemos mucha amistad.»

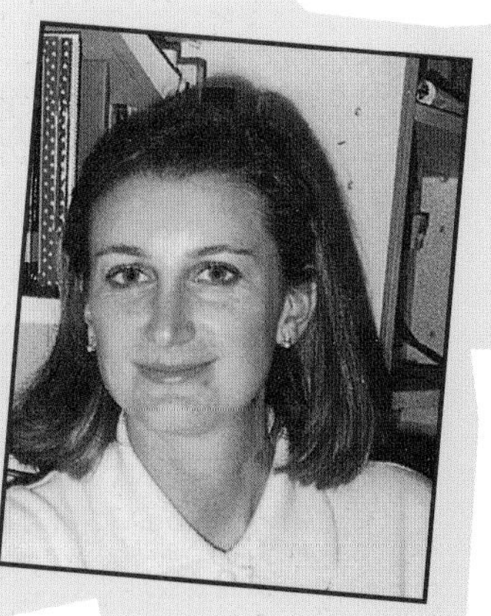

A ¿QUIÉN? ¿QUIÉNES?

Contesta:
¿Quién habla de las relaciones entre
1 vecinos?
2 padres e hijos?
3 mayores y jóvenes?
4 estudiantes?
5 niños, juguetes y adultos?

B CONTESTA

1 ¿Con quién te llevas bien? (Me llevo)
2 ¿Conoces bien a tus profesores?
3 ¿Piensas que hay poco respeto entre hijos y padres?
4 ¿Te llevas bien con las personas mayores?
5 ¿Con quién no te llevas bien?

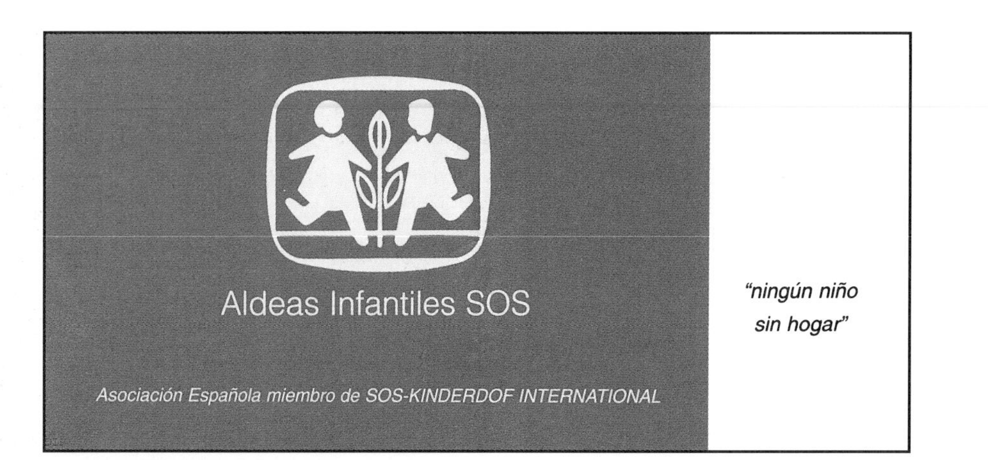

¿Qué es Aldeas Infantiles SOS?

Es la organización privada más importante del mundo dedicada a ofrecer a los niños y niñas desamparados, una familia y un hogar estable, así como una preparación sólida para alcanzar una vida autónoma.

SU LABOR EN EL MUNDO

Fundada en Austria por Hermann Gmeiner en 1949, la primera Aldea en Imst dio paso a las 326 Aldeas Infantiles de hoy y más de 900 unidades de servicio SOS: hospitales, escuelas, guarderías, talleres de formación, residencias de jóvenes...

En la actualidad 200.000 niños y jóvenes en más de 124 países son atendidos por Aldeas Infantiles SOS en todo el mundo.

¿COMO FUNCIONA?

Los niños y niñas son acogidos en el seno de una familia SOS, sin separar a los hermanos biológicos. Una Aldea Infantil SOS está compuesta de 8 a 12 casas. En cada casa viven de 6 a 8 niños, de diferentes edades y sexos, al cuidado y amparo de una madre SOS.

EN ESPAÑA

Sólo en España hay más de 500.000 niños que necesiten apoyo social, 40.000 son hospitalizados anualmente por malos tratos y 1.000 mueren anualmente por dichas causas.

¡MAMÁ!

Es la primera palabra.
Muchos niños en este País no pueden pronunciarla.
En Aldeas Infantiles SOS, estamos haciendo mucho
para darles un hogar. y la madre que no tienen.
Si tú tienes madre, no dudes en colaborar. Y si no la tienes..
Si no la tienes, ya sabes de qué estamos hablando.

AYUDA

aldea	*village*
hogar	*home*
desamparados	*abandoned*
estable	*stable*
alcanzar	*to reach, achieve*
autónomo/a	*independent*
fundado/a	*founded*
guarderías	*nurseries*
talleres de formación	*professional training workshops*
seno	*heart*
amparo	*shelter*
malos tratos	*abuse, ill-treatment*
encargarse	*to be in charge*
apoyo	*help, support*
dichas causas	*the above causes*

C CONTESTA

1 ¿Qué ofrecen las Aldeas Infantiles SOS? ¿A quiénes?
2 ¿Quién fundó las Aldeas Infantiles? ¿Dónde?
3 ¿Cuántos niños y jóvenes son atendidos actualmente? ¿En cuántos países?
4 ¿A quiénes nunca separan las Aldeas Infantiles?
5 ¿Quiénes viven en cada casa?
6 ¿Quién está encargada de cada casa?
7 ¿Cuántos niños necesitan ayuda en España?
8 ¿Cuántos son admitidos en hospitales todos los años?

TELENOTICIAS

En el Tercer Mundo muere un niño cada tres segundos. No hay tiempo que perder para cambiar su futuro. Apoya los proyectos para construir hospitales, escuelas, carreteras, etc.

Miguel
«Tengo dos hermanas y no me llevo muy bien con ellas. Pero están casadas y no viven en casa. Con mis padres, bien, aunque a ellos no les gusta la idea de que tenga moto pero confían en que sea prudente. También me gustaría tener novia porque conozco a una chica que me gusta bastante.»

Bruce

«No tengo hora fija para volver a casa de noche. Puedo llegar a las once, las doce, o a la una, pero bueno, tengo que pedir permiso, claro. Mi padre es muy severo respecto a los estudios. Respecto a otras actividades es mucho más liberal.»

Helena

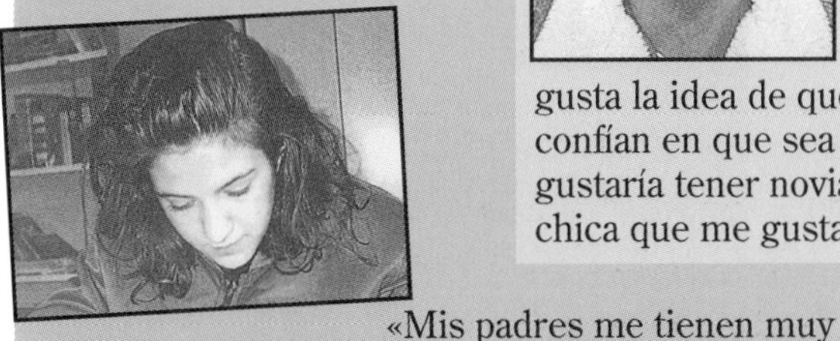

«Mis padres me tienen muy vigilada. Un control típico es la hora a la que tengo que estar en casa, la gente con quien tengo que ir y en los estudios están muy encima de mí. También control sobre la forma de sentarme, la forma de comer en la mesa. En verano me dejan salir hasta las diez y media y en invierno, como oscurece antes, tengo que estar a las diez.

Sé que hay ciudades más peligrosas pero Madrid también es peligrosa, sobre todo por las noches, para chicas de mi edad.»

AYUDA

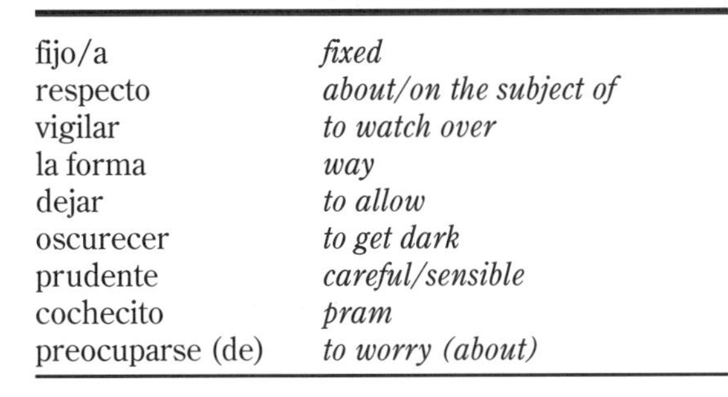

fijo/a	*fixed*
respecto	*about/on the subject of*
vigilar	*to watch over*
la forma	*way*
dejar	*to allow*
oscurecer	*to get dark*
prudente	*careful/sensible*
cochecito	*pram*
preocuparse (de)	*to worry (about)*

D Lee lo que nos cuentan Bruce, Helena y Miguel, y contesta:

1 ¿A qué hora tiene que volver Bruce a casa de noche?
2 ¿Cuál de sus padres es muy severo?
3 ¿Puede llegar tarde sin permiso?
4 ¿Por qué cosas se preocupan los padres de Helena? Escoge:
la ropa que lleva   sus estudios   la hora de salir por la mañana   la hora de volver de noche   dónde se sienta   cómo se sienta   el invierno   Madrid de noche   sus amigos   lo que come   cómo come
5 ¿Por qué no viven las hermanas de Miguel en casa?
6 ¿Qué piensan sus padres que puede ser peligroso? Escoge:
estar casado   vivir en casa   tener una moto   tener novia   las chicas   las carreteras

E Avi, el nieto, y Don Abelardo Pineda, su abuelo

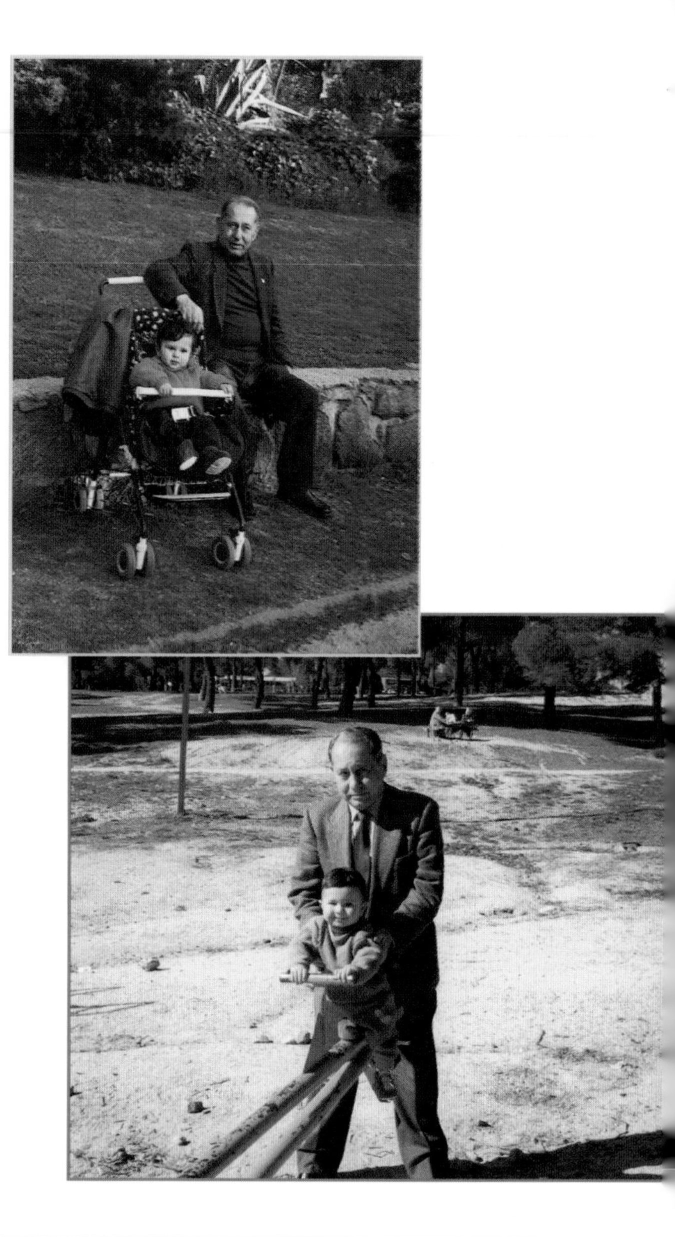

Avi «Bla bla bla, ¡ta ma na li lo!»

¿Qué piensa Avi? Escoge:
me gusta ir al parque con mi abuelo
no me gusta dormir
me gustaría llegar muy muy tarde por la noche
mi abuelo se preocupa mucho por mis estudios
me gusta compartir la cama con mi abuelo
mañana comparto mi cuna con mi abuelo
me gustaría tener un coche y no un cochecito
me gustaría más tener motocicleta

F Y AHORA TÚ

Write a few lines about your relationship with **(i)** your family **(ii)** your friends **(iii)** your 'special' friend and **(iv)** your neighbours. Use the following questions to help you.

¿Te llevas bien con todos en casa?

¿Tus amigos son todos del instituto?

¿Te llevas bien con él/ella?

¿Respetas a tus padres?

¿Conoces bien a tus vecinos?

¿Hablas mucho con ellos?

¿Sales con chicos o con chicas?

¿Tienes novio/a?

¿Tienes un(a) amigo(a) especial?

¿A qué hora tienes que volver a casa de noche?

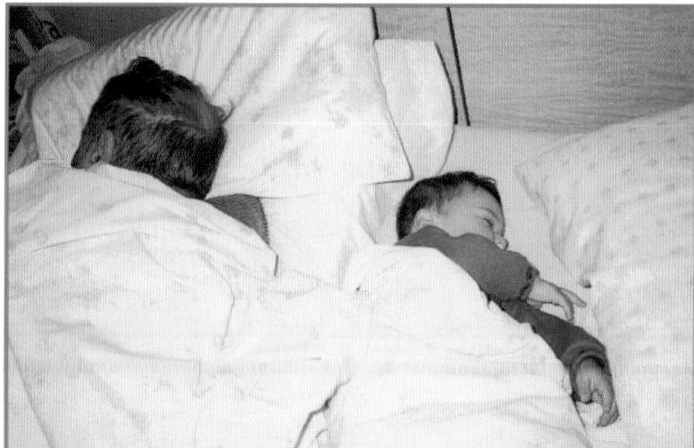

LIBRO DE EJERCICIOS A B C

Aprende 87

DESCRIPCIONES

Por ejemplo:

Tengo (tiene)	16 años ojos azules, claros, verdes, marrones, castaños, negros pelo largo, corto, rizado, liso, negro, rubio nariz pequeña, redonda, larga
Soy (es)	moren**o**/**a**, rubi**o**/**a**, castañ**o**/**a**, pelirroj**o**/**a** alt**o**/**a**, de mediana estatura delgad**o**/**a**, grues**o**/**a**, de peso normal trabajador/**a**, perezos**o**/**a**, nervios**o**/**a**, tranquil**o**/**a** inteligente, interesante, fuerte, educado, maleducado solter**o**/**a**, casad**o**/**a** español/**a**, francés/frances**a**, antillan**o**/**a**, negr**o**/**a**, cristian**o**/**a**, musulmán/musulman**a**

G Con la ayuda de Aprende 87:

1. describete a ti mismo
2. describe a Glen
3. describe a tu compañero/a
4. describe a una persona del sexo contrario

Lee la descripción que nos da **Carmen** de sí misma:

«Me llamo Carmen. Tengo dieciséis años. Soy española y vivo en el centro de Madrid. Soy bastante alta. No soy especialmente delgada. Soy de peso normal. Tengo el pelo castaño y los ojos castaños. Tengo el pelo largo y un poco rizado. No soy nerviosa. No estudio todo el tiempo pero no soy perezosa tampoco. Creo que soy bastante simpática. Tengo muchos amigos y amigas en el instituto y me llevo muy bien con ellos.»

Ahora lee lo que nos cuenta **Glen** de su amiga Carmen:

«Conocí a Carmen cuando estaba yo en Madrid el año pasado estudiando. Es una chica muy simpática y tranquila. Se lleva bien con sus compañeros de clase . . . No es muy alta. Bueno, no es tan alta como yo y yo no soy muy alto. Diría que es de mediana estatura. Tiene grandes ojos castaños, muy bonitos, y pelo castaño. Tiene una nariz bien formada, ni muy larga ni muy redonda. Además es inteligente y trabajadora. Bueno, no estudia de más porque le gusta salir mucho. En suma, es una chica muy agradable, una chica simpatiquísima.»

H LEE Y ESCRIBE

1 Copia el recuadro a continuación en tu cuaderno, rellénalo como el ejemplo de Escorpio y añade los totales.

2 Lee los horóscopos y escribe tres más, cada uno con tu predicción para Salud, Trabajo y Amor.

	SALUD		TRABAJO		AMOR	
	Buenas noticias	Malas noticias	Buenas noticias	Malas noticias	Buenas noticias	Malas noticias
Escorpio		✔		✔		✔
Aries						
Capricornio						
Leo						
Geminis						
Tauro						
TOTALES						

ESCORPIO
Salud: Problemas respiratorios. No fumes.
Trabajo: Tus amigos de clase te pondrán dificultades. Ten paciencia.
Amor: Un día de encuentros y de desilusión.

ARIES
Salud: Un día sin energía. Necesitas reposo.
Trabajo: Mucha responsabilidad y más trabajo que nunca para hoy.
Amor: Separación forzosa que te pone muy triste.

CAPRICORNIO
Salud: Dolores de estómago. No comas mucho.
Trabajo: No tienes muchos deberes pero es aconsejable estudiar un poco.
Amor: La llamada telefónica que esperas no va a llegar.

LEO
Salud: Dolor de muelas.
Trabajo: Muchos deberes. Empieza a hacerlos pronto.
Amor: Estarás totalmente de acuerdo con la persona amada. Muy buenas relaciones familiares también.

GEMINIS
Salud: Dolor de garganta y mucha tos.
Trabajo: Vas a recibir ayuda de alguien que no consideras amigo.
Amor: La mejor noticia del año: la respuesta es positiva.

TAURO
Salud: Tienes mucha energía y estás mejor que nunca.
Trabajo: El domingo no va a ser día de descanso.
Amor: Una carta. Una sorpresa. Se acabaron los problemas.

Aprende 88

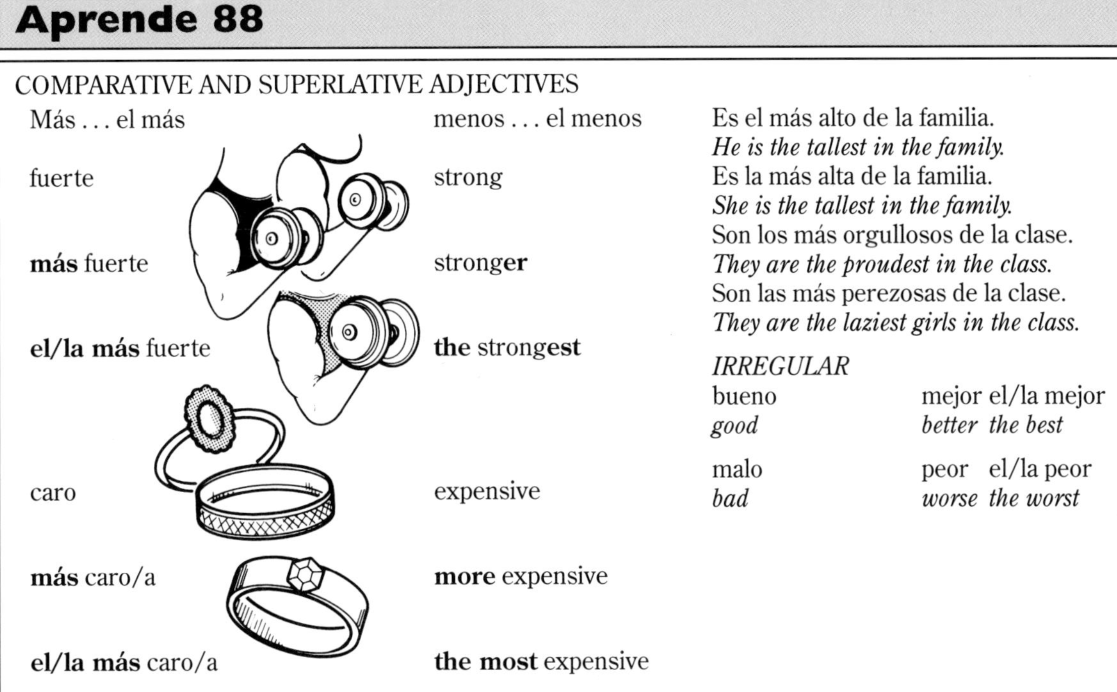

COMPARATIVE AND SUPERLATIVE ADJECTIVES

Más ... el más	menos ... el menos
fuerte	strong
más fuerte	strong**er**
el/la más fuerte	**the** strong**est**
caro	expensive
más caro/a	**more** expensive
el/la más caro/a	**the most** expensive

Es el más alto de la familia.
He is the tallest in the family.
Es la más alta de la familia.
She is the tallest in the family.
Son los más orgullosos de la clase.
They are the proudest in the class.
Son las más perezosas de la clase.
They are the laziest girls in the class.

IRREGULAR

bueno *good*	mejor el/la mejor *better the best*
malo *bad*	peor el/la peor *worse the worst*

For **grande** and **pequeño** consult grammar page 000. Remember that **menos**, meaning less, can be used in the same way as **más**.
Es menos trabajador que su hermana y es el menos inteligente de la familia.
He is less hardworking than his sister and he is the least intelligent person in the family.

I EMPAREJA

1 Es la más severa de las profesoras.
2 Es el programa más interesante.
3 La película es mejor que el libro.
4 Son los menos limpios de todos.
5 Es el mercado más barato de la región.
6 Es más elegante que su marido.
7 Es más simpático que su mujer.
8 Son las más desagradables de mi clase.
9 Es la más ambiciosa de las hijas.
10 Son los peores del barrio.

a Quiere ser presidente del país.
b Ella no tiene amigas.
c A toda la familia le gusta.
d Nunca se lavan.
e Siempre hacemos las compras allí.
f Compra la ropa en las mejores tiendas.
g Nadie se atreve a hablar en sus clases.
h Nadie quiere jugar con ellas.
i Nadie quiere hablar con ellos.
j El cine está lleno todas las noches.

AYUDA

atreverse a — *to dare to*

J CONTESTA

1 ¿Quién es más alto/a, tu profesor(a) de inglés o tu profesor(a) de matemáticas?
2 ¿Quién es menos inteligente, tú o tu compañero/a?
3 ¿Qué es más caro, ir al cine o ir al teatro?
4 ¿Qué es mejor, estudiar o no estudiar?
5 ¿Quién es la persona más perezosa de tu familia?
6 ¿Qué es peor, no hacer los deberes o no tomar el desayuno? (¡Cuidado!)
7 ¿Quién es la persona más fuerte de tu clase?
8 ¿Quién es más inteligente, tú o tu profesor/a? (¡Mucho cuidado!)

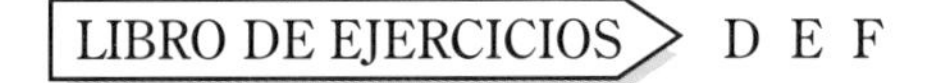
LIBRO DE EJERCICIOS D E F

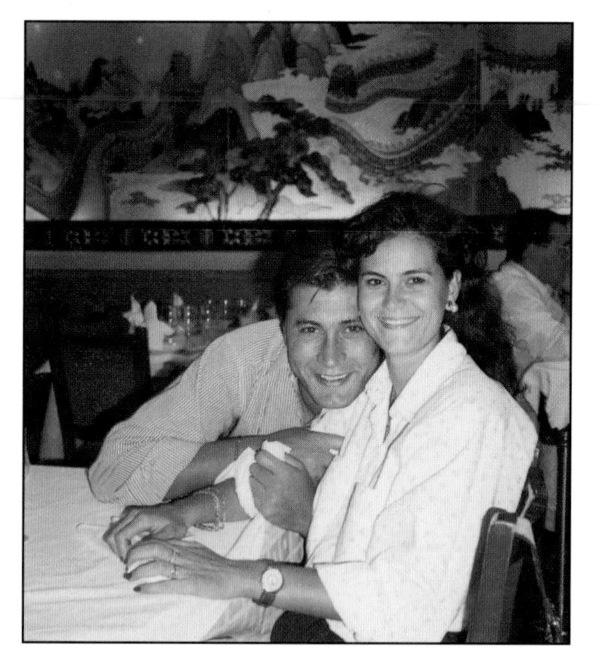

Javier y Mónica

K Estudia las fotos de Mónica y Javier, e intenta adivinar si lo que sigue a continuación es **verdadero** o **falso**. Comprueba las respuestas al final del capítulo.

□

1 Javier tiene 28 años.
2 Mónica tiene 29 años.
3 Están casados.
4 Se llevan mal.
5 Viven en Madrid.
6 Ella habla inglés muy bien.
7 Mónica vivió en Estados Unidos.
8 Javi trabaja con ordenadores.
9 Mónica es ama de casa
10 Les gusta la comida china.

◪

11 Van mucho de excursión.
12 Viajan mucho fuera de España.
13 Les gusta mucho el golf.
14 Javi sabe tocar el piano.
15 Tienen muchos amigos.
16 Javi ayuda mucho en casa.
17 A él le gusta cocinar.
18 No tienen contestador automático en casa.
19 Mónica tiene los ojos claros.
20 Fueron a Méjico de luna de miel.
21 No son muy deportistas.
22 A Javi le gusta sacar fotos.
23 El le regaló unos pendientes muy caros.
24 Ella nunca lleva reloj.
25 Mónica tiene el pelo corto.
26 Javi siempre lleva corbata.
27 A ella le gusta llevar pulseras.
28 Los dos conducen.
29 Ahora comprueba las respuestas y escribe un ensayo sobre Mónica y Javi. Empieza con: Javi, que tiene 30 años, y Mónica, 29, están casados . . .

Mi mujer ideal

Javi
«Mi mujer ideal es comprensiva y debe tener paciencia y buen sentido del humor. Le gustan los deportes y pasar tiempo al aire libre, como a mi.»

Kypros
«Mi chica ideal es cubana, no muy alta, morena y con ojos claros. Es inteligente, trabajadora y sabe solucionar problemas.»

Mi hombre ideal

Sonia
«Mi chico ideal es bondadoso, cariñoso y simpático. Debe aceptar los defectos de otras personas. Me da igual rubio que moreno.»

AYUDA

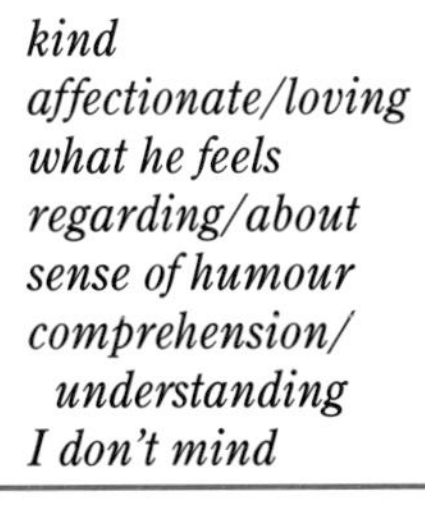

bondadoso/a	*kind*
cariñoso/a	*affectionate/loving*
lo que siente	*what he feels*
en cuanto a	*regarding/about*
el sentido del humor	*sense of humour*
la comprensión	*comprehension/ understanding*
me da igual	*I don't mind*

Morena
«Mi hombre ideal es alto, con ojos castaños. No me importa su raza ni su religión ni su nacionalidad, pero tiene que ser bueno, educado y saber expresar lo que siente. En cuanto a su trabajo, debe gustarle lo que hace. Creo que mi amiga, Alison, es un poco más exigente.»

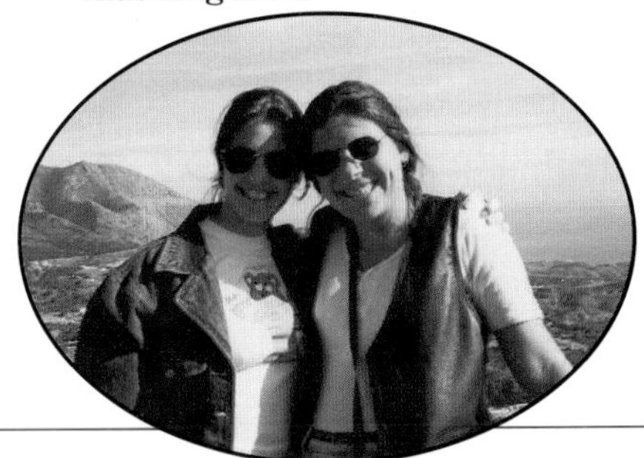

☐ **L** ELIGE

1 Which of the following would you choose to describe yourself? Add other statements with the help of the 'Sopa de adjetivos' (LIBRO DE EJERCICIOS, Unit 10 Ex. D).

soy bondadoso/a	Sé expresar lo que siento
cariñoso/a	Sé reírme de mí mismo/a
simpático/a	Sé solucionar problemas
agradable	Me gusta mi trabajo
alto/a	Me gustan mis estudios
fuerte	Estoy contento/a con lo que hago
	Tengo sentido del humor
	Tengo seguridad en mí mismo/a
	Tengo ojos bonitos
	Acepto los defectos de otras personas

¡No olvides los defectos!
All these points are quite positive. What about the negative side of your character?

2 Describe a un(a) amigo/a, pero concéntrate más bien en sus cualidades/su carácter.

Y TÚ, ¿TE CONSIDERAS UN BUEN AMIGO/UNA BUENA AMIGA?

ORAL

■ **M** How would you answer the following questions about you and your best friend?

Contesta, añade la puntuación y mira el resultado.

1 ¿Qué sabe él/ella de tus secretos más íntimos?
- **a** Nada.
- **b** Si me cuenta sus secretos, le cuento los míos.
- **c** Siempre miento.
- **d** Los sabe todos.

2 Cuando salís a tomar algo, ¿invitas tú a veces?
- **a** Rara vez.
- **b** Tanto como él/ella.
- **c** Nos escapamos sin pagar.
- **d** Muy frecuentemente.

3 Cuando habláis por teléfono, ¿llamas tú?
- **a** Mucho menos que él/ella.
- **b** Más o menos igual que él/ella.
- **c** A cobro revertido siempre.
- **d** Siempre.

4 ¿Qué piensas de su familia?
- **a** No sé mucho de ella.
- **b** Tiene cosas que me gustan y cosas que no.
- **c** No sé si tiene familia o no.
- **d** Que es mejor que la mía.

5 Cuando te enfadas con él/ella, ¿durante cuánto tiempo no le hablas?
- **a** Una semana.
- **b** Se me pasa pronto.
- **c** Dos o tres meses.
- **d** Nunca me enfado con él/ella.

6 Cuando se enfada contigo, ¿qué haces?
- **a** Me enfado con él/ella.
- **b** Intento disculparme.
- **c** Jamás se atrevería.
- **d** Me arrodillo a sus pies.

7 Si salís, ¿quién decide adónde ir?
- **a** Casi siempre yo.
- **b** Entre los/las dos.
- **c** Casi nunca salimos juntos/as.
- **d** Voy donde me lleva.

8 Cuando llegas tarde a una cita con él/ella, ¿qué dices?
- **a** Atraso mi reloj.
- **b** 'Lo siento'.
- **c** '¿Yo tarde? Tú – antes de tiempo.'
- **d** Lloro.

9 ¿Qué haces cuando tu amigo/a está enfermo/a?
- **a** Cuando mejora nos vemos.
- **b** Telefoneo y voy a su casa.
- **c** Le digo que es débil, un/a flojo/a.
- **d** No duermo noche tras noche.

10 ¿Hasta cuándo quieres seguir siendo su amigo/a?
- **a** Por ahora, está bien.
- **b** Es para toda la vida.
- **c** Hasta encontrar otro/a mejor.
- **d** Me muero sin él/ella.

Añade tu puntuación.
Add up your score, using the point system below.

1	a 5 2	b 5 3	c 5 0	d 5 4
2	a 5 1	b 5 3	c 5 0	d 5 4
3	a 5 2	b 5 3	c 5 1	d 5 8
4	a 5 2	b 5 3	c 5 0	d 5 6
5	a 5 2	b 5 3	c 5 1	d 5 5
6	a 5 1	b 5 3	c 5 0	d 5 8
7	a 5 2	b 5 3	c 5 1	d 5 6
8	a 5 1	b 5 3	c 5 1	d 5 6
9	a 5 2	b 5 3	c 5 0	d 5 5
10	a 5 2	b 5 3	c 5 0	d 5 6

Puntuación	Resultado
0–10	Eres hipócrita, orgulloso/a, tacaño/a, egoísta, y vas a acabar sin amigos y en la cárcel.
10–20	La amistad no va a durar mucho. Tienes que cambiar.
21–36	Eres un/a buen/a amigo/a.
361	Eres un/a santo/a. Tu amigo/a está aprovechándose de tu bondad. Debes ser un poco más duro/a.

AYUDA

contarle (ue) algo a alguien	*to tell someone something*
mentir (ie)	*to lie*
enfadarse con	*to get annoyed with*
se me pasa	*I get over it*
intentar	*to try*
disculparse	*to excuse oneself, to say sorry*
arrodillarse	*to kneel down*
atrasar	*to put back*
morir (ue)	*to die*
acabar	*to end up*
durar	*to last*
aprovecharse de	*to take advantage of*
la vida	*life*
la bondad	*goodness*
a cobro revertido	*reverse charges*
igual	*the same*
juntos	*together*
por ahora	*for the moment*
débil	*weak*
un/una flojo/a	*weakling*
orgulloso/a	*proud*
tacaño/a	*mean*
duro/a	*hard*

N CONTESTA

1 ¿Cómo se llama tu mejor amigo/a?
2 ¿Sales mucho con él/ella?
3 ¿Adónde vais?
4 ¿Tienes amigos/as hispanohablantes?
5 ¿Qué cosas compartes con tus buenos amigos?
6 ¿Qué cosas hace un mal amigo/una mala amiga? Escoge:
nunca me llama por teléfono
siempre me invita
siempre quiere decidir lo que hacemos
no me deja hablar
me compra buenos regalos
se enfada mucho conmigo

Los animales y tú

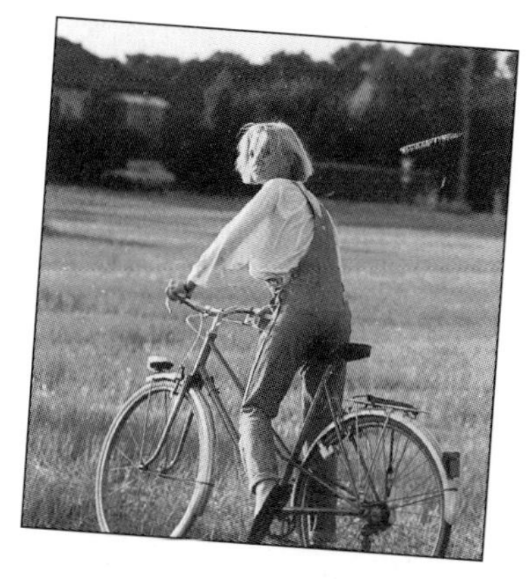

Eva
«Cuando estoy algunos días fuera de casa una de las cosas que más echo de menos, aparte de mi casa, es al perro. En Inglaterra se entiende el amor a los animales y a mí me parece fundamental respetarlos. Mi perro me hace muchísima compañía; nunca me cuenta problemas y siempre está alegre cuando me ve. Pero los animales te exigen mucho tiempo. Necesitas dedicarles al menos tres horas diarias de tu vida normal.

Cuando saco al perro, por ejemplo, después de estar toda la mañana estudiando y le doy un paseo por un parque desconecto un poco de todo. Y claro, en el campo, estamos los dos contentísimos.»

AYUDA

echar de menos	*to miss*
exigir	*to demand*
diarias	*daily, everyday*

CONTESTA

1. Si tienes perro, ¿sientes lo que Ana por tu perro y haces las mismas cosas con él?
2. ¿Por qué es el perro tan importante para Ana?
3. ¿Piensas que los animales deben estar en los parques zoológicos?
4. ¿Te da miedo de algún animal?
5. ¿Te gustan los caballos?
6. De los siguientes animales, ¿cuáles te gustan y cuáles te disgustan?
   el hipopótamo la girafa el rinoceronte la serpiente
   la araña el león la hiena el leopardo el oso polar el elefante el zorro el ratón
7. ¿Tienes algún animal en casa?
8. ¿Qué animales no te gustaría recibir como regalo y cuáles no te importaría?

A mí me gustan los gatos

... pero me da miedo de los tigres

y los caballos blancos me encantan

LIBRO DE EJERCICIOS G H I J

Todos nos llevamos bien

A

B

C

D

 **P** ¿A qué fotos se refieren las siguientes frases? (Puede referirse a más de una.)

Busca las palabras que no conoces en tu diccionario.

1 «Te quiero mucho.»
2 «Hola, profesor.»
3 «La chica de mi derecha es del Sudán, la de tu derecha es inglesa.»
4 «Vamos a pasarlo muy bien.»
5 «Este señor no es mi padre.»
6 «Este señor no es nuestro padre.»
7 «Yo soy de Túnez, y mis amigas, de Angola y Portugal.»
8 «Yo soy española, y mis amigas son una, húngara, y otra, croata.»
9 «Somos muy buenas amigas.»
10 «Conozco al recepcionista muy bien.»
11 «Ya es de noche.»
12 «Bienvenida.»
13 «No, no estamos bailando.»
14 «Me gusta el rojo y el verde.»
15 «¡Qué contentas estamos en Madrid!»
16 «Hace bastante frío.»
17 «Somos dos inglesas, dos antillanas, una marroquí y un español.»
18 «¡Feliz Navidad!»
19 «Dos sonriendo y una seria.»

E

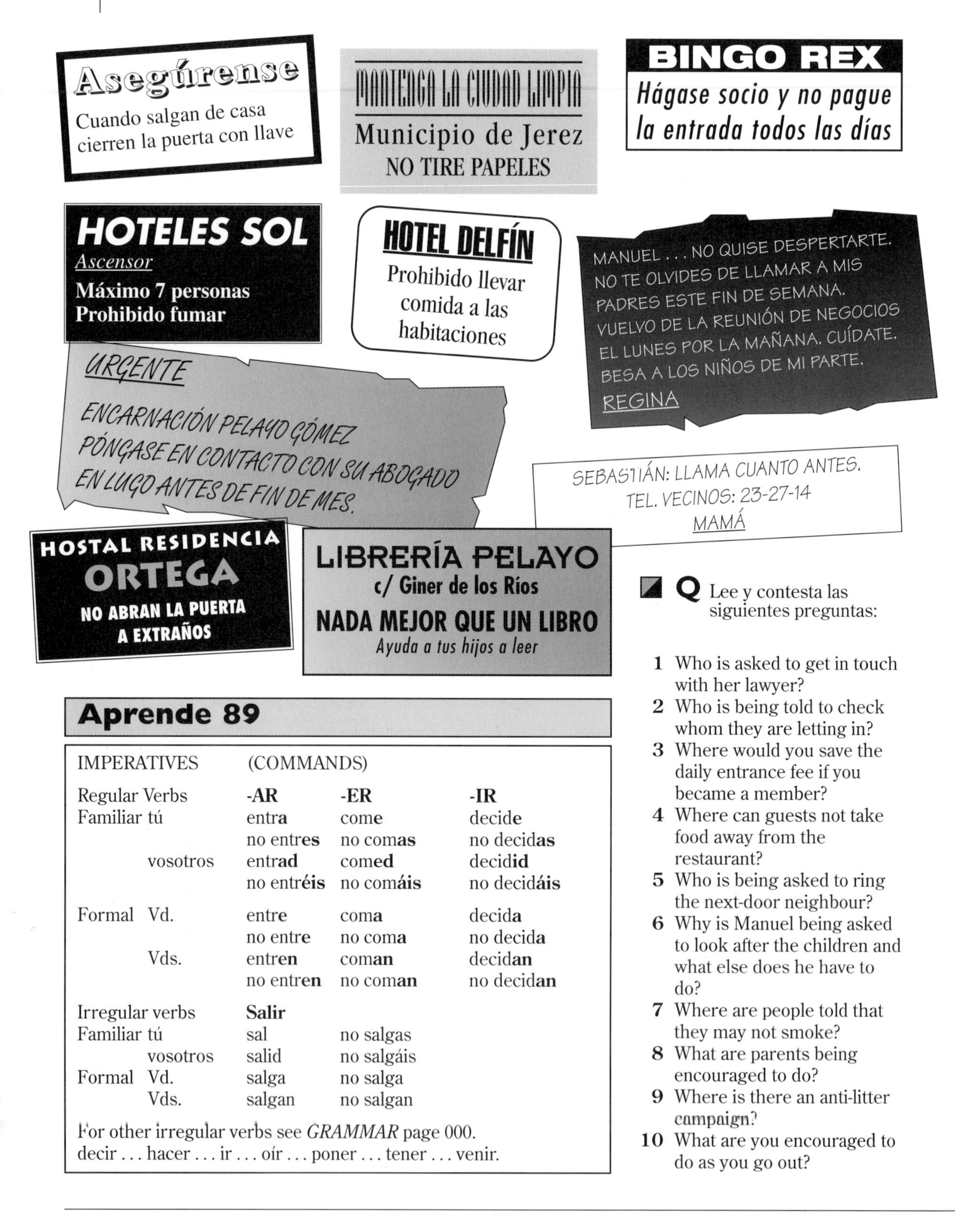

Aprende 89

IMPERATIVES	(COMMANDS)		
Regular Verbs	**-AR**	**-ER**	**-IR**
Familiar tú	entr**a**	com**e**	decid**e**
	no entr**es**	no com**as**	no decid**as**
vosotros	entr**ad**	com**ed**	decid**id**
	no entr**éis**	no com**áis**	no decid**áis**
Formal Vd.	entr**e**	com**a**	decid**a**
	no entr**e**	no com**a**	no decid**a**
Vds.	entr**en**	com**an**	decid**an**
	no entr**en**	no com**an**	no decid**an**
Irregular verbs	**Salir**		
Familiar tú	sal	no salgas	
vosotros	salid	no salgáis	
Formal Vd.	salga	no salga	
Vds.	salgan	no salgan	

For other irregular verbs see *GRAMMAR* page 000.
decir . . . hacer . . . ir . . . oír . . . poner . . . tener . . . venir.

Q Lee y contesta las siguientes preguntas:

1. Who is asked to get in touch with her lawyer?
2. Who is being told to check whom they are letting in?
3. Where would you save the daily entrance fee if you became a member?
4. Where can guests not take food away from the restaurant?
5. Who is being asked to ring the next-door neighbour?
6. Why is Manuel being asked to look after the children and what else does he have to do?
7. Where are people told that they may not smoke?
8. What are parents being encouraged to do?
9. Where is there an anti-litter campaign?
10. What are you encouraged to do as you go out?

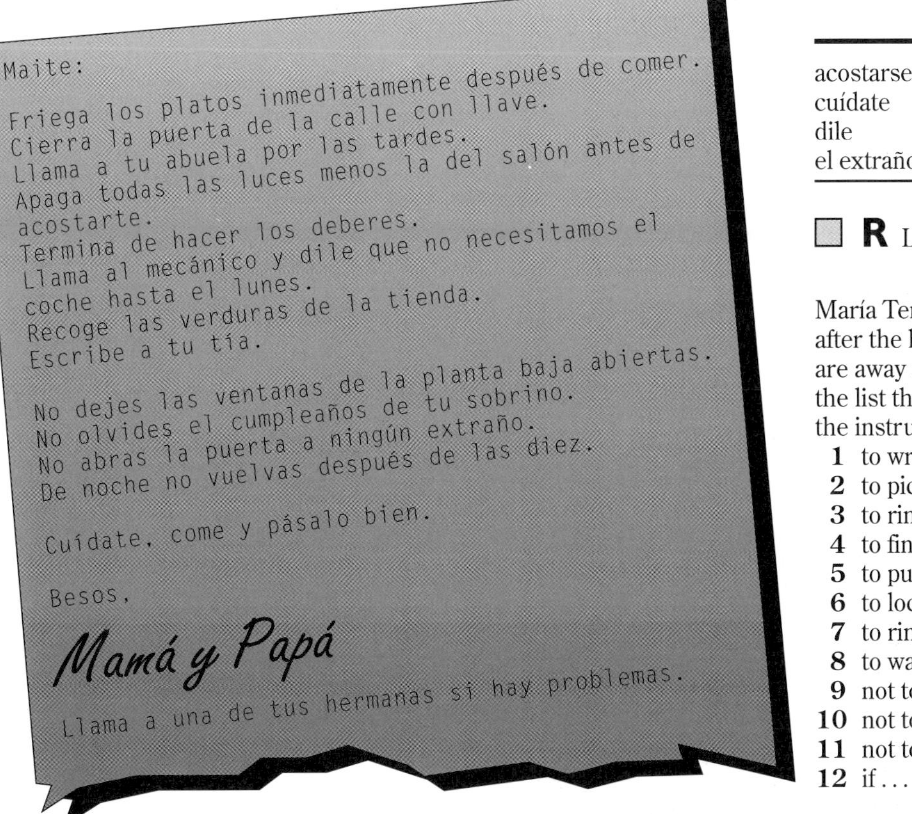

Maite:

Friega los platos inmediatamente después de comer.
Cierra la puerta de la calle con llave.
Llama a tu abuela por las tardes.
Apaga todas las luces menos la del salón antes de acostarte.
Termina de hacer los deberes.
Llama al mecánico y dile que no necesitamos el coche hasta el lunes.
Recoge las verduras de la tienda.
Escribe a tu tía.

No dejes las ventanas de la planta baja abiertas.
No olvides el cumpleaños de tu sobrino.
No abras la puerta a ningún extraño.
De noche no vuelvas después de las diez.

Cuídate, come y pásalo bien.

Besos,

Mamá y Papá

Llama a una de tus hermanas si hay problemas.

AYUDA

acostarse	*to go to bed*
cuídate	*look after yourself*
dile	*tell him*
el extraño	*stranger*

R LEE Y COMPLETA

María Teresa will be looking after the house while her parents are away for the weekend. Read the list they leave and complete the instructions. She is asked

1. to write to ...
2. to pick up ...
3. to ring up ...
4. to finish ...
5. to put out ...
6. to lock ...
7. to ring up ...
8. to wash up ...
9. not to forget ...
10. not to return ...
11. not to open ...
12. if ...

S Y AHORA TÚ

Write a list of instructions to a younger brother or sister. Use the verbs and the pictures given.

Ejemplo: Prepar**ar**

Prepar**a** los bocadillos

escribir	beber
abrir	comer
mirar	terminar
apagar	llamar a

LIBRO DE EJERCICIOS K L M N O P

¿Tienes un buen diccionario?

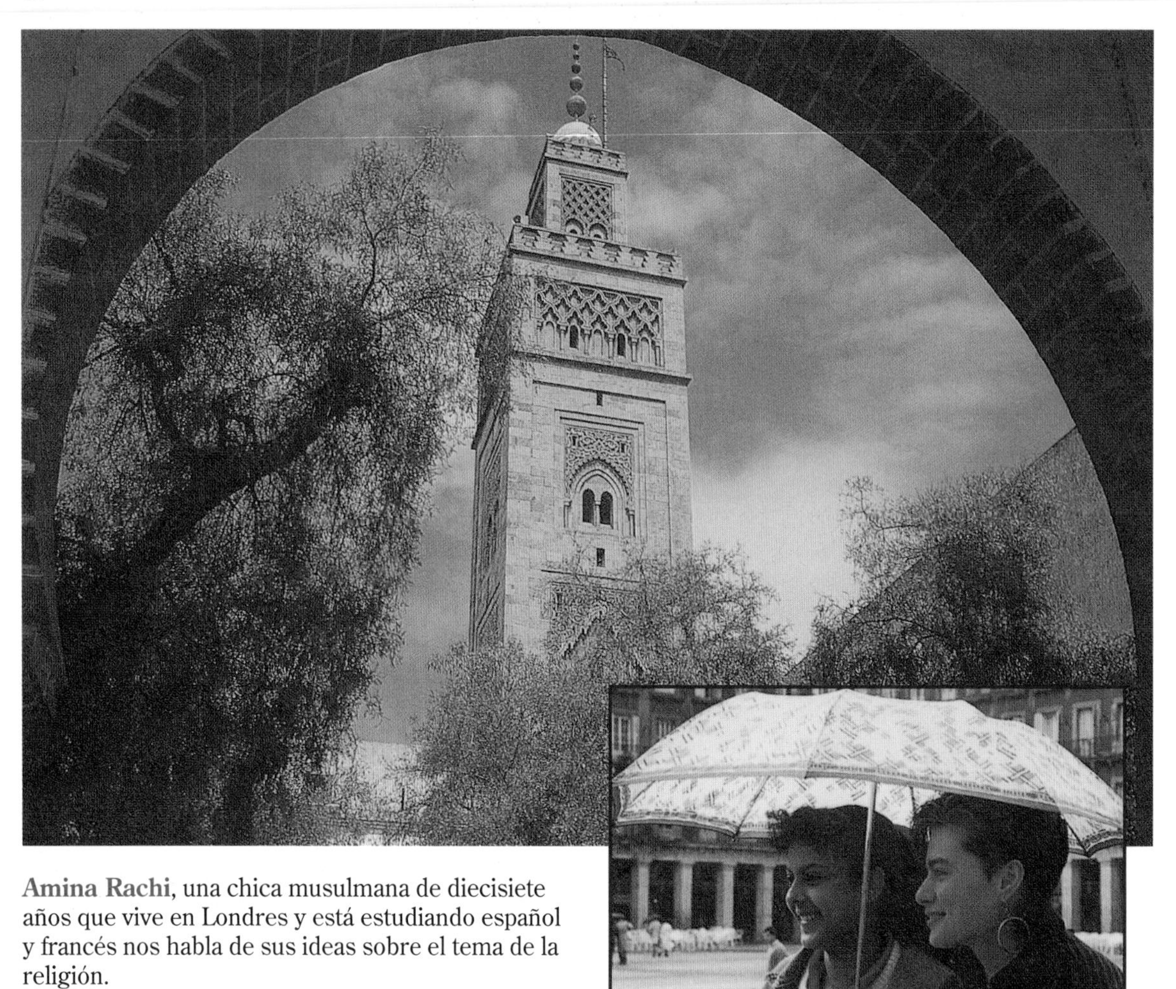

Amina Rachi, una chica musulmana de diecisiete años que vive en Londres y está estudiando español y francés nos habla de sus ideas sobre el tema de la religión.

«La religión es una creencia muy fuerte, que existe entre toda clase de personas en el mundo, en algo superior, poderoso y consciente de todo, que ha creado la tierra y al ser humano.

Muchas religiones son muy parecidas, como el Judaísmo, el Islam y el Cristianismo, pero aunque predican cosas similares, sus practicantes todos declaran creer en la única verdadera religión. Hay gente de unas religiones que odia a la gente que pertenece a otras y condena a las personas que se casan o que se enamoran de gente que no pertenece a la misma religión. Somos todos hijos de Dios y nadie es mejor que el otro porque todos somos iguales ante sus ojos.

Yo creo que no necesitamos ni mezquitas ni iglesias ni sinagogas para apreciar a Dios porque si le quieres tú en el corazón y si tienes confianza en Él, Él lo sabe, y Él está en todas partes, no solamente dentro de un edificio.

Hay mucha gente que reza, que va a la casa de Dios con regularidad, pero que sale de su casa por la mañana y está pecando todo el día. Cuando vuelve a casa por la noche se pone a rezar de nuevo y cree que verdaderamente esto le excusa.

Volvemos ahora a la necesidad de creer en algo. ¿Es porque la gente tiene que pertenecer a algo, o

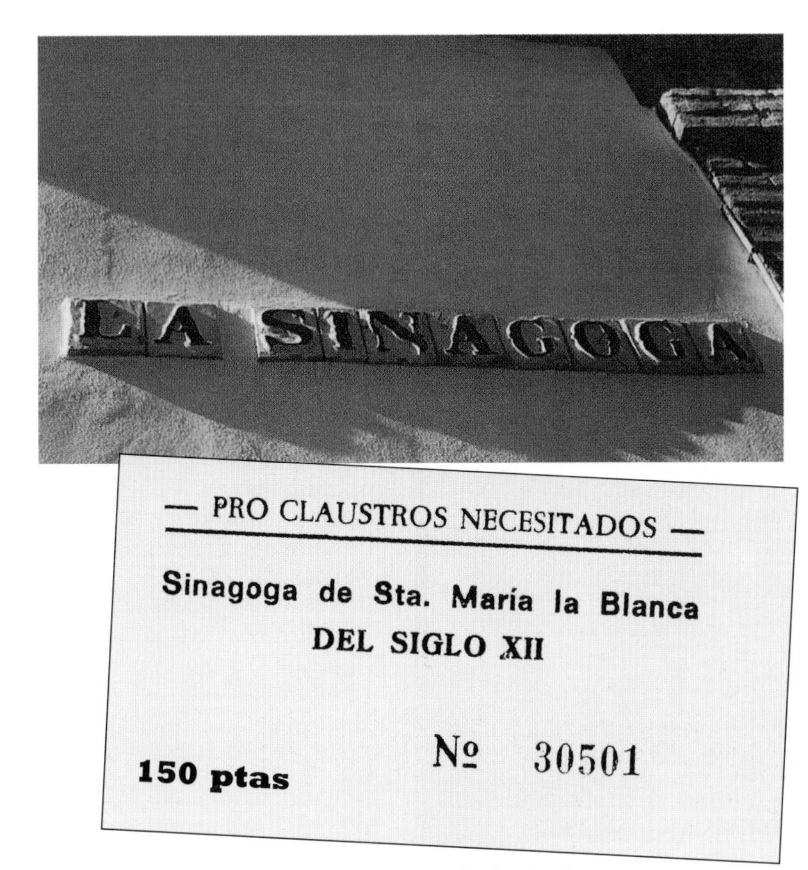

porque necesita una fuerza extraña que le domine? La respuesta no la sabemos, pero la religión debe mostrar la bondad y el amor en un mundo al que el ser humano ha maltratado.

También creo que en muchos casos la gente, y especialmente los hombres, no han interpretado correctamente la religión y malos intérpretes aprovechan las escrituras sagradas para que la mujer esté bajo la autoridad del hombre y muchos nos tratan mal y como personas de segunda clase.

Yo respeto la religión, aunque no soy ortodoxa, y creo que tiene sus ventajas. Por ejemplo, un gran porcentaje del mundo obedece las reglas de la religión y trata de no hacer daño a nadie porque somos todos hermanos y el castigo no sirve siempre para mejorar a las personas que han elegido malos caminos.

Yo estoy totalmente en desacuerdo con la creencia de que las personas de diferentes religiones no deben mezclarse, porque por lo regular el individuo no escoge su religión sino nace en la de sus padres. El amor a Dios debe asegurar el amor entre uno y su prójimo, a pesar de la diferencia de religión.»

■ **T** Amina states that:

1. Religion is a belief in a powerful superior force which has created ...
2. Although different religions preach similar things their adherents ...
3. Some people 'condemn' others for ...
4. God teaches us to ... because ...
5. We do not need places of prayer because ...
6. Some people regularly pray yet ...
7. Men have deliberately misinterpreted religion and ...
8. Religion does have its advantages, ...
9. People who have chosen the wrong paths are not reformed ...
10. She strongly disagrees ...

1

Si eres un chico sencillo, honrado, trabajador y formal; si además piensas, como yo, que debe quedar algúna auténtica persona en quien poder confiar y compartir tu vida social te agradecería que me escribieses. Soy una chica de 17 años. Ref. 212.1

2

Somos un grupo de jóvenes de ambos sexos, edades variadas (18–23); desearíamos conocer más gente, sobre todo chicas, para equilibrar el grupo. No importa edad ni estado civil. Ref. 212.2

3

Señora viuda, católica, sensible, normal, sin problemas excepto el de la soledad desea encontrar a un hombre capaz de dar y recibir entendimiento, comprensión y amor. De edad comprendida entre cincuenta y sesenta años, parecidas características y fines matrimoniales. Ref. 212.3

4

Quisiera hacer amistad con señoritas de 22–25 años que sean sinceras, formales y educadas. Soy un joven de 25 años que no tiene a nadie con quien salir. Espero tus noticias y forma de contacto. Ref. 212.4

5

Si te encuentras un poco sola y quieres dejar de estarlo puedes intentar conocerme. Tengo 19 años, aficionado a la música clásica, al cine, al deporte y a la lectura, etc. No me importa ni la edad ni el físico que tengas; sólo quiero una buena amistad. Ref. 212.5

6

Chico inglés. Nuevo en Barcelona. 16 años y muy guapo, inteligente, honesto. Busco chica de cualquier nacionalidad o religión, no fumadora, para conocer Barcelona y España. Ref. 212.6

U Lee los anuncios en la página del diario, titulada 'Relaciones', y contesta, escribiendo el número de referencia del anuncio:

1 ¿Quién no lleva mucho tiempo en España?
2 ¿Quién necesita un chico con quien salir y hablar?
3 ¿Qué grupo necesita a más chicas?
4 ¿A quién le gusta la ópera, el fútbol y leer?
5 ¿Quién está muy solo?
6 ¿Quién desea casarse por segunda vez?

Y ahora tú:

7 ¿A quién escribirías tú y por qué?
8 Escribe lo que tú pondrías para buscar un(a) amigo/a.

ORAL

Don Idiota

Hola Remedios:

Leí tu anuncio en el periódico y te ofrezco mi amistad. Tengo 35 años, soy soltero y no tengo ni amigos ni dinero. Nunca salgo y no me gusta divertirme. Pronto no tendré apartamento porque no he pagado el alquiler. Soy feísimo, muy egoísta y muy tacaño con el dinero cuando tengo unas pesetas.

Por favor, escríbeme pronto y mándame una foto. Siento no poner un sello pero no tengo dinero.

Hasta pronto,

Don Idiota

¡Por favor, contacta a los que te quieren!

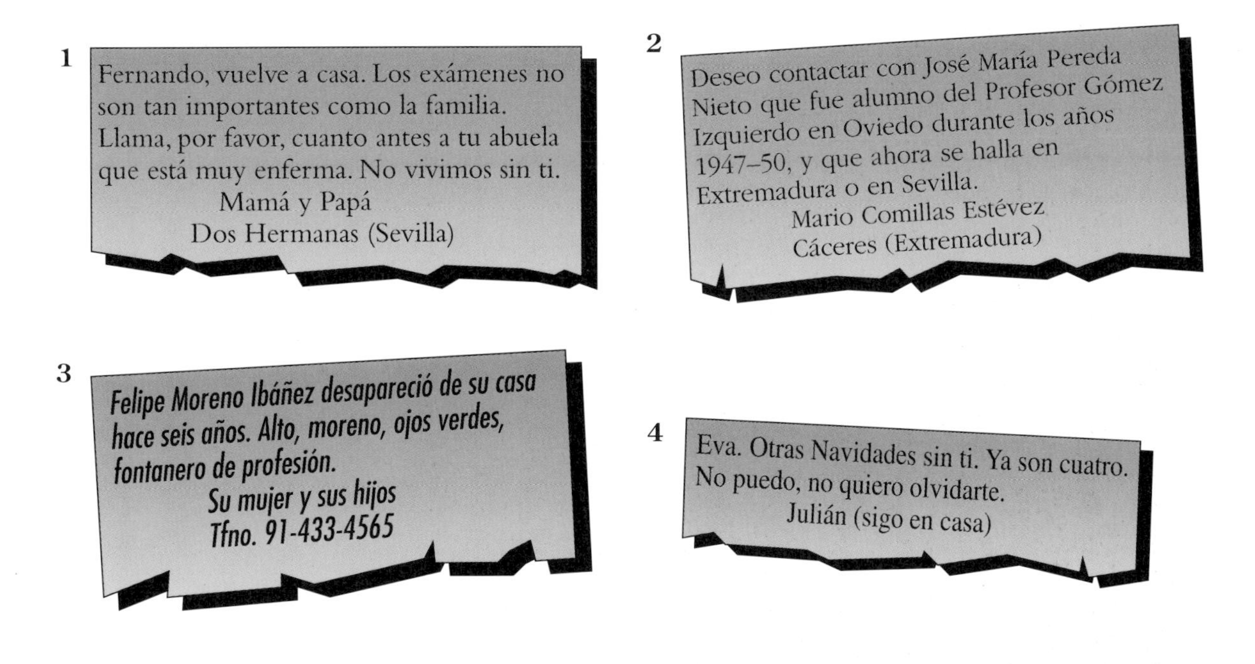

V Lee los anuncios que buscan a gente desaparecida, y escoge:

1 **Fernando** se escapó de casa porque
  a su abuela y sus hermanas estaban enfermas.
  b los exámenes no eran importantes.
  c tuvo problemas con sus estudios.
2 **Mario** está buscando a
  a su antiguo profesor.
  b un ex compañero de clase.
  c un amigo sevillano.
3 **Felipe**
  a es alto y moreno, con ojos verdes, y tiene seis años.
  b desapareció porque es fontanero.
  c debe contactar a su familia.
4 **Julián**
  a A Julián no le gusta pasar las Navidades con Eva.
  b Lleva más de cuatro años sin ver a Eva.
  c Quiere olvidarse de ella pero no puede.
  d Todavía vive en la misma dirección.
5 **a** ¿Quién está muy solo?
  b ¿Quién quiere volver a ver a alguien después de más de cuarenta y cinco años?
  c ¿Quién abandonó a su familia hace ya más de cinco años?
  d ¿Quiénes quieren que vuelva el nieto de una señora que no está bien de salud?

Más para leer. Busca en tu diccionario

Gerona, 16 de agosto 1988

Querida Carmen:

Tengo que confesarte que fue una idea fenomenal por parte de mis padres mandarme aquí a Gerona a casa de mis tíos. Nunca lo hubiera creído cuando me lo propusieron pero ahora te digo que hicieron bien porque lo estoy pasando de lo mejor. ¡Claro que no he escrito todavía a mis padres contándoselo! Y no sé si lo haré aunque, como ves, estoy aprovechando la máquina de escribir de mi tía.

Me llevo muy bien con mis primos y te juro que hacemos algo interesante todos los días. Aparte de pasarlo bien, también descanso mucho. Me parece que duermo mucho mejor aquí que en casa; quizás tiene algo que ver con el aire, o sea, que ya no fumo. Sí, sí señora. ¿No me crees? Es verdad. Yo no lo hubiera creído tampoco. Bueno, duermo bien, me levanto bastante tarde y por lo general desayuno y salgo al jardín con un libro y mi radio-cassette. Allí paso un par de horas leyendo o dormitando tendida al sol o bajo la sombra de los árboles que tienen mis tíos en la huerta. José y María se levantan a las ocho porque los dos tienen exámenes dentro de tres semanas; así que estudian toda la mañana. ¡Pobrecitos!

Antes de comer bajamos al río donde nos encontramos con la pandilla. Son todas simpáticas las amigas de María, aparte de la novia de Rafael. Él es simpatiquísimo y no entiendo por qué sale con una chavala tan orgullosa y 'snob'.

Te voy a contar unas de las cosas que más me han gustado (aparte de Rafael). El martes pasado fuimos a una barbacoa en un pueblecito cercano. La habían organizado unos amigos de José. Rafael vino con su novia. Compramos la comida y todas las bebidas por la mañana y cargamos el coche de José. ¿Te acuerdas de lo viejo que es su coche? Bueno, tuvimos un pinchazo en la carretera y durante todo el trayecto tuve que aguantar la puerta para que no se abriera. Por fin llegamos, preparamos las ensaladas y unas tortillas enormes y empezamos a asar la carne. Después bailamos y charlamos hasta las cuatro de la mañana. No llegamos a casa hasta la hora de desayunar porque José no logró arrancar el coche y tuvo que venir a recogernos mi tío Pedro y ¡no se enfadó!

El sábado los tíos me llevaron a una fiesta aquí cerca. Estuvo muy divertida y nos reímos muchísimo. Empezó con un partido de fútbol entre solteros y casados, y una carrera de bicicletas pero con los participantes disfrazados de personajes de la literatura española: Don Quijote y Sancho Panza, el Cid, etc.

Hubo también el tiro de cuerda de mujeres con muchos premios. Mi prima, la más pequeña, participó y ganó una botella de champán y una cesta de manzanas. Por la noche hubo una procesión con velas y antorchas y repartieron bollos y café alrededor de una hoguera grande.

Bueno, te dejo porque estamos a punto de salir para ir al mercado. Muchos recuerdos a tus padres y a tu hermano.

Un fuerto abrazo,

Mercedes

AYUDA

nunca lo hubiera creído	*I would never have believed it*
proponer	*to propose/suggest*
de lo mejor	*really well*
jurar	*to promise/swear*
dormitar	*to doze*
la huerta	*orchard*
la chavala	*girl (slang)*
cargar	*to load*
el trayecto	*trip*
asar	*to roast*
arrancar	*to start the engine*
disfrazado/a de	*dressed up as*
el tiro de cuerda	*tug-of-war*
la vela	*candle*
la hoguera	*bonfire*

■ **W** Lee la carta de Mercedes a su amiga y contesta las siguientes preguntas con todos los detalles que puedas:

1 Why has Mercedes not written to her parents?
2 Why is it turning out to be in some ways a restful holiday?
3 Who is she really fond of?
4 What does she think of the people she has met?
5 What happened on the day of the barbecue?
6 What was organised for the day of the fiesta?

 **X** Escribe una carta.

You are staying with a Spanish family. Using Mercedes' letter to help you, write a letter to your Spanish teacher giving the following information:

(i) You are having a wonderful time.
(ii) You get on well with your hosts.
(iii) You do something interesting every day. Give some examples.
(iv) You are getting some rest. Explain how.
(v) You have met Spaniards of your own age.
(vi) You have gone with them to different events and places. Explain what and where.

Aprende 90

PLUPERFECT

hab**ía**	compr**ado**		I had bought
hab**ías**		ven**ido**	you had come
hab**ía**	lleg**ado**		he/she had arrived
hab**íamos**		viv**ido**	we had lived
¿hab**íais**		com**ido**?	had you eaten?
hab**ían**	entreg**ado**		they had handed in

■ **Y** EMPAREJA

1 Habían salido todos así que
2 Como no había terminado los deberes
3 Carmen no le había regalado nada
4 Se lo habíamos dicho muchas veces
5 ¿Qué habías hecho?
6 ¿La habíais visto antes?
7 Había estado llorando toda la noche
8 Había prometido ir temprano

a pero no nos hizo caso.
b pero al final no llegué a tiempo.
c se enojó el profesor conmigo.
d Ese día, nada.
e no había nadie en casa.
f porque ella no quería bailar con él.
g Sí, dos veces.
h por eso él no fue.

¡La vida es dura!

¡Cuidado con el alcohol!

Las mujeres también tenemos derecho a vivir.

ES DIFÍCIL DESCANSAR
Cuando Max llegó al hotel ya eran las cuatro de la madrugada. El pobre viejo que estaba de guardia en la recepción estaba durmiendo, pero el toser de Max le despertó. Max cogió la llave, dejó el pasaporte y como no tenía ganas de hablar, subió rápidamente en el ascensor al quinto piso. Le dolía la cabeza, así que lo primero que hizo cuando entró en la habitación fue abrir la maleta y sacar las aspirinas. También tenía hambre. El vuelo había sido terrible y ni siquiera probó la cena que la azafata le había traído, pero a estas horas no iba a conseguir nada para comer.

Cuando se vio en el espejo se horrorizó. Estaba pálido y sin afeitar. Cayó en la cama, medio desmayado, pensando en su mujer y su hijo. Ya llevaba cinco meses buscándolos por toda Europa y esta última carta de su cuñado le decía que los habían visto en Málaga. Pero el sueño pudo más que él y pronto roncaba como alguien que no había dormido en un año. Y así, vestido hasta con corbata y el abrigo puesto pero desabrochado, durmió hasta que la criada le despertó con el desayuno a las nueve y media.

La criada se extrañó de verle completamente vestido en la cama, pero solamente dio los buenos días, dejó el desayuno sobre la mesa y salió. Mientras bebía el café, llamó a la puerta un botones y le entregó un telegrama. Lo leyó. Sólo decía «Hotel Reina Cristina, Algeciras».

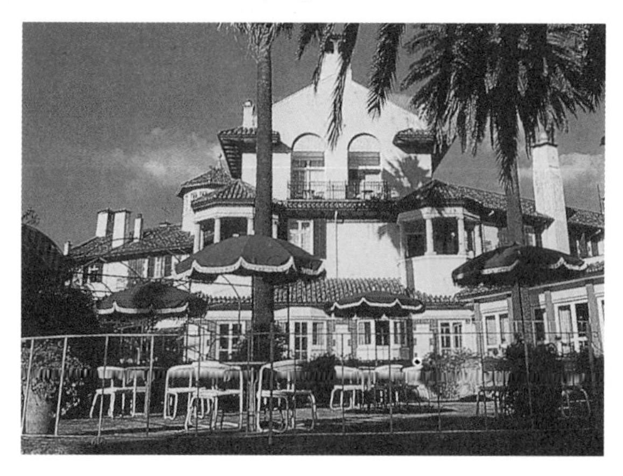

Al mismo tiempo recibió Greta, su mujer, otro telegrama que decía «Max sabe dónde estáis. Acaba de llegar a Málaga.» Greta pensó que lo más lógico sería trasladarse en seguida para Málaga porque sin duda Max se desplazaría hacia Algeciras, así se cruzarían y ella y su hijo podrían perderse de nuevo.

Max hizo lo lógico. Salió del hotel y cogió el primer autobús que salía para Algeciras. Greta y el niño hicieron lo mismo pero en dirección contraria, Algeciras–Málaga. Pero lo que no sabía ninguno de los dos era que los autobuses paraban en San Roque durante unos quince minutos en los que los chóferes solían tomar una copa juntos. A las once y diez los dos 'Portillos' llegaron a San Roque.

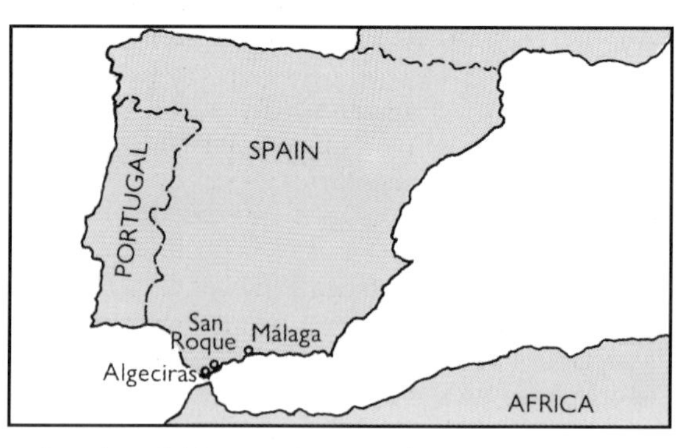

Los dos chóferes avisaron a los pasajeros que estarían solamente un cuarto de hora en San Roque. Los dos autocares aparcaron fuera del café. Max, que ya tenía costumbre de estar siempre alerta, reconoció a su hijo, Hans, en el otro autocar. Greta y Hans no bajaron y no se dieron cuenta de que Max les había visto. Max bajó y se bebió dos copas de coñac. Luego fue a la oficina de 'Portillo' y sacó un billete San Roque–Málaga y cuando subía toda la gente al autobús, subió él detrás de una señora gruesa y se sentó en el primer asiento libre que vio. Greta y Hans estaban sentados detrás del todo. Cuando el autocar se puso en marcha, Max se levantó y anduvo despacio hacia donde estaban su mujer y su hijo. Hans le vio en seguida y gritó «Papá» pero Greta le sujetó del brazo y no dijo nada. Greta cambió de color y se puso muy nerviosa. Hans le preguntó a su padre si tenía una tableta de chocolate. Max se la dio y sin más llegaron a Málaga.

Greta y Hans se bajaron del autobús en la Plaza de España. Max los siguió. Anduvieron hasta el Paseo de España, donde, como ya eran las dos, y era semana de feria, empezaban a llegar los niños con sus padres para pasar la tarde. Había mucho público. Greta se detuvo fuera de un café al aire libre, se volvió hacia Max y le dijo:

«¿Qué quieres de mi vida? ¿No tienes bastante ya? Me has robado los mejores años de mi juventud y aún insistes. Una mujer no puede vivir encerrada en una casa, cuidando de su hijo mientras su marido disfruta de la vida por todo el mundo. El dinero y las comodidades no bastan. Hans necesita un padre y yo necesito un hombre, no una fotografía en mi habitación y dos cartas al mes. Tengo solamente veintiséis años y no soy una monja. Si querías una cocinera y una niñera, no debías haberte casado. Yo tengo mi carrera y no voy a abandonarla completamente sin ningún sacrificio por tu parte.»

«Muy bien» contestó Max. «Reconozco que he cometido grandes errores. Cuando volví a casa y vi que habíais desaparecido, me di cuenta de que aunque me había casado había querido seguir mi vida de soltero. He decidido cambiar. Ahora quiero disfrutar de la vida contigo y con Hans solamente. Mi vida es mi familia. Mi mujer es mi amor. Te pido que volváis conmigo a Alemania. Dame un mes. Si en un mes no cambio y ves que no puedes seguir conmigo, te vas, tú y Hans contigo, y podéis olvidarme. Pero te aseguro que haré todo lo posible para que seas la mujer más feliz del mundo.»

Automóviles PORTILLO, S.A.
Calle Córdoba, 7 — Teléfono 22 73 00 — MALAGA
CONCESIONARIOS DE LAS LINEAS DE:
MALAGA, TORREMOLINOS, FUENGIROLA, MIJAS, MARBELLA, RONDA, ESTEPONA, SAN ROQUE, LA LINEA DE LA CONCEPCION Y ALGECIRAS

Servicio LA LINEA

Billetes de ___ Clase

Nº 048716

De Torremolinos a LA LINEA

Importe del mismo 689 Ptas.
(Incluido el Seguro Obligatorio de Viajeros)

PARA EL DIA	Hora de salida	Asiento N.º
15 AGO. 1986	14,05	12

sólo es valedero para el día y hora señalada.

Greta y Max pasaron dos meses juntos sin ningún problema. Max volvía todas las tardes a las cinco de su trabajo y pasaba una hora jugando con Hans. Después ayudaba a preparar la cena, fregaba los platos y dos días por semana llevaba la ropa a la lavandería. Los sábados por la noche salían los dos juntos a cenar y a veces iban al teatro. Greta continuó practicando su carrera de cirujano. Una noche fueron a un restaurante. Max había bebido un poco y salió a la pista a bailar solo. Greta se levantó en seguida, salió del restaurante y cogió un taxi. Llegó a casa, despertó a Hans, le ayudó a vestirse, cogió el talonario de cheques y tomaron un taxi. Llegaron en seguida al aeropuerto. No tenían equipaje. Compró dos billetes para Málaga y durmieron toda la noche en las butacas de la sala de espera. A las ocho de la mañana salió el avión. Max no llegó a casa hasta las nueve. Estaba borracho y no se dio cuenta de que Greta y Hans no estaban en casa, porque cayó inconsciente en la cocina.

AYUDA

no ... siquiera	*not even*
roncar	*to snore*
desabrochar	*to unbutton*
avisar	*to inform*
ponerse en marcha	*to set off (vehicles)*
sujetar	*to restrain*
al aire libre	*in the open air*
disfrutar	*to enjoy*
bastar	*to be enough*
borracho/a	*drunk*

(Las respuestas del ejercicio **K**: **1**f **2**v **3**v **4**f **5**v **6**v **7**v **8**v **9**f **10**v **11**v **12**v **13**f **14**f **15**v **16**f **17**f **18**f **19**f **20**v **21**f **22**v **23**v **24**f **25**f **26**f **27**v **28**v)

Grammar

1 *Tú y yo*

Aprende 56 *El lunes El 20 de octubre*

El lunes, los lunes *on Monday, on Mondays*
el fin de semana, **los** fines de semana *at the weekend, at weekends*
el 19 de julio *on the 19th of July*
los veranos *every summer*
But
en noviembre *in November*
(see Aprende 12b in Book 1)

Aprende 57 *No Sino*

The usual way of saying 'but' is 'pero'. However, if 'but' is denying or contradicting a previous statement, 'sino' is used. Therefore 'sino' always follows a statement which has a negative.
'Sino' is sometimes translated as 'rather'.

No hablé con mi tía **sino** con mi padre.
I didn't talk to my aunt but to my father.
Nunca llega cinco minutos tarde **sino** media hora.
He never arrives five minutes late, but half an hour.

'Sino' can mean 'except'; in this case it usually follows 'nadie'.

No lo sabe nadie **sino** mi padre.
Nobody knows about it except my father.

Aprende 58 *Mayor Menor*

Soy el(la) mayor	*I am the eldest*
Soy el(la) menor	*I am the youngest*
Soy el segundo / la segunda	*I am the second*
Soy hijo/a único/a	*I am an only son/daughter*
Soy **el/la** único/a hijo/a	*I am the only son/daughter*
Tengo dos hermanas mayores	*I have two older sisters*
Tengo dos hermanos menores	*I have two younger brothers*

NB 'Mayor' can mean bigger or larger as does 'más grande'.
'Menor' can mean lesser or smaller as does 'más pequeñ**o**/**a**'.
Un mayor número de gente asistió hoy.
A larger number of people came today.
Es menor cantidad.
It is a smaller number.

Aprende 59 *Nombre Edad Dirección*

1 Always notice that Spanish forms have 'nombre' and 'apellido**s**'. Two surnames are used, that of one's father followed by that of one's mother. Women do not change surnames with marriage. A letter box in a block of flats may have four names:
Juan Gutiérrez Salinas – father
Adela Ramos Garrido – mother
Elena Gutiérrez Ramos – daughter
Sebastián Gutiérrez Ramos – son
'Nombre' therefore refers to first (Christian) name.
2 'Señas' also means address.
3 D.P. is the Postcode. (Distrito Postal)

Aprende 60 *Dar*

The verb 'dar' is irregular in the present (doy) and the preterite (di, etc).

NB **Le** di un libro *I gave him a book*
but
Le di el regalo a mi madre *I gave my mother the present*

The second sentence keeps the 'le' and you are therefore saying 'to her' twice – 'le' and 'a mi madre'. Similarly with 'decir'.

Le dije a mi madre – I told my mother.

There are many expressions with 'dar'. The following are important.
Dieron las seis *The clock struck six*
¿Ya **dieron** las dos? *Is it two o'clock?*
Nunca **da** los buenos días *He never says good morning*

Me **dio** las gracias *He thanked me*
La ventana **da** a la calle *The window looks out onto the street*

Aprende 61 *Al/de* + infinitive

1 'Al' followed by an infinitive translates several different ways in English:

Al entrar Pepe, salió Timoteo.
As Pepe entered, Timothy left.
Al salir, verás una ventanilla.
On leaving, you will see a small window.

2 If a verb follows 'de' it is always in the infinitive, e.g.
Me ducho antes de desayunar y después de cenar.
I have a shower before breakfast and after dinner.
Al terminar de comer, me baño.
When I finish eating, I have a bath.

2 *Pasándolo bien*

Aprende 62 *Soler*

'Soler' is very commonly used in Spain. It translates as 'usually'.
1 'Soler' is radical changing (ue) and is followed by the infinitive.
Suelo **ir** a Valencia los veranos.
I usually go to Valencia every summer.
Solemos volver tarde.
We usually come back late.
2 'Acostumbrar' (to be accustomed to)
No acostumbro a beber
No suelo beber
I don't usually drink

Aprende 63 -AR -ER -IR Regular verbs

(see verb page at end of grammar section)
There are quite a number of very commonly used **irregular verbs**. It is important to recognise them in the question form and use the proper tense to reply (see table below).

(2nd person sing.) present	past forms	(1st person) present	past forms
¿tienes?	¿tuviste? [have/had]	tengo	tuve/tenía*
¿vas?	¿fuiste? [go/went]	voy	fui
¿sales?	¿saliste? [go/went out]	salgo	salí
¿pones?	¿pusiste? [put/put]	pongo	puse
¿traes?	¿trajiste? [bring/brought]	traigo	traje
¿vienes?	¿viniste? [come/came]	vengo	vine
¿quieres?	¿quisiste? [want/wanted]	quiero	quise
	¿querías?	quisiera (requests)	quería*
¿puedes?	¿pudiste? [can/could]	puedo	pude/podía
¿sabes?	¿supiste? [know/knew]	sé	supe
	¿sabías?		sabía*
¿haces?	¿hiciste? [do/did]	hago	hice

The asterisked* forms are the most common when using past tenses with these verbs and are usually correct. The form advised is the imperfect rather than the preterite, since the implication in their use is that the 'action' took place over an extended period rather than being a completed action, e.g.
¿Tenías frío? *Were you cold?*
Sí, tenía frío. *Yes, I was cold.*
¿Querías salir? *Did you want to go out?*
No, no quería. *No, I didn't (want to go out).*
(See Aprende 67)

NB 'Hacer' is usually answered with another verb, e.g.
¿Qué hiciste ayer? Fui al cine.
but
¿Qué hicise ayer? Hice los deberes.
Hice el trabajo.

Aprende 64 *Desde hace*

'Desde hace' means for a period of time in the past, e.g.
Trabajo aquí desde hace dos años.
I have been working here for two years.
NB The present tense of the verb in Spanish, e.g.
Estudio español desde hace un año.
I have been studying Spanish for a year.
The above statement can also be said thus:
a Hace un año que estudio español.
b Llevo un año estudiando español.
NB 'Desde hace' in the past tense, e.g.
Trabajaba (imperfect) allí desde hacía dos años.
He had been working there for two years.

Aprende 65 *(A mí) me gusta*

'Me gusta' means I like but it is often preceded by 'a mí' to give it emphasis. **I** like. Similarly with 'me interesa, me importa, me encanta'. LEARN the following:

a mí me gusta(n)	a nosotros nos gusta(n)
a ti te gusta(n)	a vosotros os gusta(n)
a él le gusta(n)	a ellos les gusta(n)
a ella le gusta(n)	a ellas les gusta(n)
a Vd. le gusta(n)	a Vds. les gusta(n)

Aprende 66 *Cuyo -a -os -as*

'Cuyo' means whose, but it agrees with the noun it qualifies and not with the person who 'owns', e.g.
El señor cuy**as** hij**as** nunca salen.
The man whose daughters never go out.
La chica cuy**o** herman**o** está en el hospital.
The girl whose brother is in hospital.

Aprende 67 -AR -ER -IR Verbs (preterite)

(See verb page at the end of the grammar section.)
NB Me gustaron, me encantaron, me interesaron – plus plurals, e.g.
Me encantaron las playas. *I loved the beaches.*
No me gustaron los edificios. *I did not like the buildings.*

Aprende 68 Expressions with the past tense

LEARN:
'entonces' and 'luego' *then*
'en ese momento' *at that moment*
'esa mañana/tarde/noche' *that morning/afternoon/night*
'cuando tenía diez años' *when I was ten*
'cuando estaba en Londres' *when I was in London*

Aprende 69 Weather (past)

NB Hubo una tormenta. *There was a storm.*
The expressions 'hace bueno' and 'hizo bueno', it is fine, the weather was good, are also commonly used.
LEARN:
nuboso *cloudy*
nubosidad *cloudiness*
precipitaciones *showers (rain or snow)*
chaparrones, chubascos *showers*
granizo *hail*

3 *De ahora en adelante*

Aprende 70 The future tense

1 See verb sheet (p. **000**)
2 Learn all irregulars: querer = querré, saber = sabré.
3 Remember 'ir' = iré, dar = daré are regular.

Aprende 71 Future actions: *cuando* + subjunctive

This Aprende deals with different ways of stating future actions or intentions. Learn them all and use them regularly.

NB If you want to say 'when I work', suggesting at some time in the future, you

cannot use the present indicative, you need to use the present subjunctive, e.g.
with an AR verb:
cuando trabaj**e** = *when I work (in the future)*
with an ER or IR verb:
cuando com**a** = *when I eat (later on)*

The rest of the present subjunctive is simple with regular verbs.

1 Change AR endings for the rest of the verb to 'e' where there is an 'a'.
Thus: (hable) hables, hable, hablemos, habléis, hablen.

2 Change ER and IR endings to an 'a' where there is an 'e' or an 'i'.
thus: (coma) comas, coma, comamos, comáis, coman.

4 *Problemas*

Aprende 72 The imperfect tense

It is important to remember that the imperfect is used to translate '(*verb*)ing' or 'used to (*verb*)', in other words, a repeated action or an action that took place over an extended period rather than one which was completed immediately, e.g.

The car crashed against the post. (preterite)
I used to go to the pool every day. (imperfect)

NB *I* **played** *basketball for my school team* is the *imperfect* unless you only played once.

1 Learn the endings especially as the 'er/ir' ones will help you later with the conditional tense.

2 Remember that you still have to follow the rules of 'ser' and 'estar', e.g.
Cuando Rodolfo **estaba** en Valladolid **era** piloto.

3 The imperfect continuous (estar + ando/iendo), may be used for 'was ______ing' and not for 'used to'. However, it is better to use it only when something was taking place at a particular moment, e.g.
Cuando entré mi hermano estaba estudiando.
When I went in my brother was studying.

4 Remember 'hay' (present), 'hubo' (preterite) and 'había' (imperfect).
'Había' is more commonly used:
Hubo un accidente. *There was an accident.*
Había mucho público. *There were a lot of people.*

Aprende 73 Present to Imperfect

This Aprende is here as an aid. There are a few verbs that when used in the 'past' tense are nearly always correct if used in the imperfect. These are their 3rd person preterite forms which are used when an action is/has been completed.

hay – hubo	(see last Aprende)	
está – estuvo	Juan estuvo en mi casa ayer.	
es – fue	Fue un día estupendo. (see Aprende 76)	
son – fueron	Fueron ellos quienes robaron la moto.	
hace – hizo	Hizo calor por la tarde.	
tiene – tuvo	Tuvo un niño. (*She had a boy.*)	
puede – pudo	No pudo hacer el crucigrama.	
sabe – supo	No supo venir solo a mi casa.	

The last two examples state that the people were unable to do something and consequently gave up. Had they persevered and been successful, you would use 'podía' and 'sabía'.

Aprende 74 *Mi pueblo* (descriptions)

This Aprende is a list of expressions to help you state opinions of cities or places you have visited or for descriptions of your town. Young Spaniards use the following expressions nowadays, e.g.
Hay mucha marcha/movida.
There are a lot of things going on./It is very lively.

5 *Deportes, fiestas y costumbres*

Aprende 75 Interests and hobbies

LEARN:

(No) dedico mucho tiempo a . . .
I (don't) give a lot of time to . . .
Me encanta el ajedrez. *I love chess.*

Aprende 76 *Ser:* Present + Preterite

The preterite of 'ser' is an important tense, irregular, but identical to the preterite of 'ir', to go, e.g.

Fui el primero en llegar.
I was the first to arrive.
No fuimos nosotros, fueron ellos.
It wasn't us, it was them.
Ayer fue el aniversario de mi boda.
Yesterday was my wedding anniversary.

Aprende 77 Everyone One

The rule here is:

Se come uvas. *One eats grapes.*
Se come**n** (las) uvas. *(The) grapes are eaten.*

Aprende 78 The conditional tense

1 Notice that the endings are identical to 'er/ir' in the imperfect except that here they keep the whole infinitive before the endings are added.
2 Future and conditional irregular 'stems' are identical. The endings are always regular.
3 You are likely to need to use the conditional in reply to a question in which case it is better to avoid the 'if clause' as it needs to be written in the subjunctive, e.g.

–¿Qué **harías** si **hubiera** un incendio en tu colegio?
–Llamaría a los bomberos. (Si hubiera un incendio, me iría a casa.)

6 *El transporte y los viajes*

Aprende 79 *¿A qué distancia?*

A self-explanatory Aprende. 'A' can be followed by distance, time or stops, to express distance away from, e.g.

Estamos a un minuto de casa.
We are a minute away from my house.

NB All the expressions can be used with 'queda', or 'se halla', instead of 'está' for 'it is situated' or 'it is'.
Queda a unos kilómetros de aquí.
Se halla cerca del museo.

7 *Infórmate, entérate*

Aprende 80 *Oír*

NB oír – to hear, or to be able to hear, e.g.
No oigo. *I can't hear.*

LEARN:

oler (irregular) *to smell* huelo *I (can) smell*
probar (ue) *to taste*
ver *to see*
sentir (ie) *to feel*
1st person = oigo, huelo, pruebo, siento, veo
el sabor, el paladar *taste* (noun)

Aprende 81 The perfect tense

The perfect tense in Spanish is used when you say 'I have ______(ed)' in English, e.g.

He hablado *I have spoken/talked*

AR verbs change to – ado – to form their past participle.
IR and ER verbs change to – ido –, e.g.
He decidido *I have decided*
He comido *I have eaten*
Learn all irregular past participles given in the Aprende, e.g.
He ido a España dos veces. *I've gone (been) to Spain twice.*
¿No han llegado? *Haven't they arrived?*

Aprende 82 -IR radical (i) verbs

There are three types of radical-changing verbs.

1 e changes to ie
2 o changes to ue
3 e changes to i

All radical verbs change in the present in the 1st, 2nd and 3rd persons singular and 3rd person plural. All -IR radical verbs change in the 3rd persons of the **Preterite**. The changes *must* be e – i
o – u

e.g.
mentir – **min**tió
dormir – **dur**mió

mentir (e–ie)	*volver (o–ue)*	*vestirse (e–i)*	**Preterite**
miento	vuelvo	me visto	me vestí
mientes	vuelves	te vistes	te vestiste
miente	vuelve	se viste	se vistió
mentimos	volvemos	nos vestimos	nos vestimos
mentís	volvéis	os vestís	os vestisteis
mienten	vuelven	se visten	se vistieron

The present participle also changes e–i, o–u, e.g. vistiendo, durmiendo, mintiendo
Present participle: mintiendo volviendo me estoy vistiendo

8 *De vacaciones*

Aprende 83 *Estar* in the preterite

The use of the preterite of 'estar' has to be studied together with the use of the imperfect (see Aprende 72), and the notes of guidance given in Aprende 73, in which verbs use their imperfect more commonly than their preterite form.
With 'estar' the preterite is used when a specific period of time is defined or implied, e.g.

Estaba en España.
He was in Spain.
Estuvo en España todo el verano.
He was in Spain all summer.
¿Tú también estabas en la discoteca?
Were you at the disco too?
¿Estuviste en casa de tus padres?
Were you at (did you go to) your parents?

Aprende 84 Verbs + gerund; verbs + infinitive

1 To have been doing something for a particular period of time can be expressed by 'llevar' in the present or the imperfect plus the gerund, e.g.
Llevo veinte minutos **esperando** en la cola.
I have been waiting for 20 minutes in the queue.
Llevaba dos años **estudiando** inglés.
He had been studying English for two years.
2 'Es preciso' (it is necessary), 'esperar' (to hope) and 'procurar' (to attempt) are all followed by the infinitive.

Aprende 85 *Acabar de; volver a*

1 'Acabar de' means to have just and is followed by the infinitive, e.g.

Acabo de ver a tu madre.
I have just seen your mother.
Acabábamos de llegar cuando empezó a llover.
We had just arrived when it started to rain.

2 'Volver a' + infinitive means to do something again, e.g.

Volví a entrar.
I went in again.
No volverás a verme.
You will never see me again.

9 *Comida, compras y cosas así*

Aprende 86 Direct object pronouns

1 'Lo/la/los/las' (it/them) always precede the verb although they may be attached to the end of the infinitive and the present participle and must be added to the end of the verb if it is a command, e.g.

Lo vendí. *I sold it.*

Lo voy a vender/voy a vender**lo**. *I am going to sell it.*

¡Vénde**lo** ya! *Sell it once and for all!*

2 The indirect object pronouns are:

to him/to her = 'le'; to them = 'les'; e.g.

Le dije. *I told him/I said to him.*

Les di un beso. *I gave them a kiss.*

The verbs 'ayudar', 'mandar', 'avisar', 'dar', 'prohibir', and 'permitir' all take indirect object pronouns.

10 *Me llevo bien . . . no me llevo bien*

Aprende 87 *Descripciones*

1 Learn the expressions that are used with 'tengo' and 'soy' with their corresponding adjectives. Always make sure the agreements have been made. You may use other parts of the verbs 'tener' and 'ser'.

2 Remember that you have to decide very carefully whether to use 'ser' or 'estar' with an adjective, e.g.

Es guapo. *He is handsome.* (always)

Está guapo. *He is (looks) handsome.* (today)

The latter is not that much of a compliment!

Aprende 88 Comparative and superlative adjectives

1 'Más' means more: el/la más (adj.) means the most (adj.).

'Menos' means less: el/la menos (adj.) means the least (adj.), e.g.

Es la chica **más** inteligente de la clase.
She is the most intelligent girl in the class.

Es el lugar **menos** interesante.
It is the least interesting place.

2 Learn the irregular forms.

3 Refer to Aprende 34 in *Español Mundial 1* for 'más que/más de', 'menos que/de'.

a Hay más de diez. *There are more than 10.*
('Más de' + numbers)

b Sabe más que su hermano. *She knows more than her brother.*
('Más que' + nouns)

c Es más inteligente que su marido.
She is more intelligent than her husband.
('Más (adj.) que' = more . . . than)
(Similarly with 'menos que/de')

Aprende 89 Imperatives

Irregular imperatives are best learnt through usage. Regular imperatives follow an easy rule.

Positive commands

1 The familiar singular form uses the 3rd person singular ending. The plural forms are -ad, -ed, -id e.g.

hablar:	habla	hablad
comer:	come	comed
decidir:	decide	decidid

2 The polite forms in the singular and plural are:

hablar:	hable	hablen
comer:	coma	coman
decidir:	decida	decidan

Negative commands

For negative commands refer back to the Aprende in the text and try to find the rule yourself, but remember to learn the irregulars.

Aprende 90 The pluperfect tense

This tense 'had arrived/had done' is very straightforward. Learn the irregular past participles, 'hecho, puesto', etc. and then use the correct parts of 'haber' with the past participle.

Remember: AR verbs take 'ado'; ER/IR verbs take 'ido' (regular verbs) e.g.

Mi hija había salido, no había apagado las luces y no había hecho el trabajo.

VERB SHEET

Present (I play)

lleg(ar)	*com(er)*	*viv(ir)*		
o	**o**	**o**	I	yo
as	**es**	**es**	you	tú
a	**e**	**e**	he/she/it	él/ella
amos	**emos**	**imos**	we	nosotros/as
áis	**éis**	**ís**	you (pl)	vosotros/as
an	**en**	**en**	they	ellos/as

Present Continuous (I am playing)

ar – ando er, ir – iendo

estoy habl**ando**
estás viv**iendo**
está com**iendo**
estamos lleg**ando**
estáis trabaj**ando**
están decid**iendo**

Future (I will play)

ar, er, ir +

é	I	yo
ás	you	tú
á	he/she/it	él/ella
emos	we	nosotros/as
éis	you (pl)	vosotros/as
án	they	ellos/as

Immediate Future (I am going to play)

ir a + infinitive

voy a comer
vas a cenar
va a beber
vamos a almorzar
vais a merendar
van a desayunar

Preterite (I played)

(ar)	*(er / ir)*		
é	**í**	I	yo
aste	**iste**	you	tú
ó	**ió**	he/she/it	él/ella
amos	**imos**	we	nosotros/as
asteis	**isteis**	you (pl)	vosotros/as
aron	**ieron**	they	ellos/as

Perfect (I have played)

haber + ado (ar) + ido (er, ir)

he habl**ado**
has com**ido**
ha beb**ido**
hemos empez**ado**
habéis decid**ido**
han ped**ido**

Imperfect Continuous

estar + ando (ar) + iendo (er, ir)

estaba habl**ando**	I	yo
estabas com**iendo**	you	tú
estaba beb**iendo**	he/she/it	él/ella
estábamos lleg**ando**	we	nosotros/as
estabais salt**ando**	you (pl)	vosotros/as
estaban compr**ando**	they	ellos/as

Imperfect (I was playing/used to play)

(ar)	*(er, ir)*
...**aba**	...**ía**
...**abas**	...**ías**
...**aba**	...**ía**
...**ábamos**	...**íamos**
...**abais**	...**íais**
...**aban**	...**ían**

Pluperfect (I had played)

haber + ado (ar) + ido (er, ir)

había lleg**ado**	I	yo
habías ido	you	tú
había com**ido**	he/she/it	él/ella
habíamos sent**ido**	we	nosotros/as
habías o**ído**	you (pl)	vosotros/as
habían pens**ado**	they	ellos/as

Conditional (I would play)

ar, er, ir +

...**ía**
...**ías**
...**ía**
...**íamos**
...**íais**
...**ían**

NB See Aprende 71 (Grammar Section) for Present Subjunctive.

Classroom vocabulary

la asignatura/materia *subject*
la cartera/el portafolios/la carpeta *folder*
la bolsa *bag*
el estuche *pencil case*
el bolígrafo *biro, pen*
el lápiz/los lápices *pencil/pencils*
el rotulador *felt-tip pen*
la goma *rubber*
los lápices de colores *coloured pencils*
el cuaderno *exercise book*
la carpeta de anillas *ring binder*
la pizarra *blackboard*
el tablón de anuncios *noticeboard*
el póster *poster*
la estantería/librería *bookcase*
el armario *cupboard*
la percha *coat hook, coat hanger*
la mesa del profesor *teacher's table*
el libro (de texto) *book (coursebook)*
la regla *ruler*
la tiza *chalk*
la silla *chair*
la mesa *table*
el pupitre *pupil's desk*
el ordenador *computer*
los deberes *homework*
el horario de clases *timetable*
el/la director/a *headmaster/headmistress*
el/la delegado/a *class representative*
el/la profesor/a de ... *the (subject) teacher*
ausentarse *to play truant*
las notas *grades*
sobresaliente *excellent*
notable *very good*
bien *good*
suficiente *fairly good*
insuficiente *poor*
muy deficiente *very poor*
correcto/acertado *correct*
muy bien *very good*

Classroom instructions

¡abre/abrid la ventana/la puerta! *open the window/door*
¡cierra/cerrad la ventana/la puerta! *shut the window/door*
¡enciende la luz! *put on the light (singular)*
¡apaga la luz! *switch off the light (singular)*
¡ven aquí/venid aquí! *come here*
¡siéntate/sentaos! *sit down*
¡levántate/levantaos! *stand up*
¡levanta/d la mano! *raise your hand*
¡baja/d la mano! *put your hand down*
¡entra/d! *come in*
¡escucha/d atentamente! *listen carefully*
¡repite/repetid! *repeat*
¡otra vez! *again*
¡todos juntos! *all together*
¡mira/d hacia adelante! *face the front*
¡mira/d la pizarra! *watch the board*
¡quieto/s! *be still*
¡silencio! *be quiet*
¡presta/d atención! *pay attention*
¡no hagas/hagáis ruido! *stop making a noise*
¡cállate/callaos! *shut up*
¿por qué no te/**os** callas/call**áis**? *why don't you shut up?*
¡no hables/habléis con tu/vuestro compañero! *don't speak to the person beside you*
¡saca/d los libros! *take out your books*
¡levanta/d la mano si tienes/tenéis alguna pregunta! *raise your hand if you have a question*
¡levantad la mano los que no tengáis papel! *raise your hands those who have no paper*
¡para mañana tenéis que hacer el ejercicio ... de la página ... ! *for tomorrow you must do exercise ... on page ...*
¡pon/ed el nombre! *put down your first name*

¡escribe/escribid el apellido! *put down your surname*
¡rellenad los datos! *fill in the details*
¡abre/abrid los libros por la página . . . ! *open your books on page . . .*
¡mira/d las instrucciones de la página . . . ! *look at the instructions on page . . .*
¡lee/leed atentamente! *read carefully*
¡haz/haced el ejercicio en silencio! *do the exercise in silence*
¡contesta/d las preguntas! *answer the questions*
¡contesta/d la pregunta nº . . . ! *answer question number . . .*
¡sal/salid a la pizarra! *come up to the blackboard*
¡lee/leed el primer párrafo! *read the first paragraph*

Classroom expressions

pasar lista *to call the register*
¿quién falta? *who is not here?*
falta . . . *. . . is not here*
presente *present*
no está *. . . is not here*
¿por qué has llegado tarde? *why have you arrived late?*
¿por qué no viniste ayer? *why did you not come yesterday?*
¿quién no ha hecho los deberes? *who has not done his/her homework?*
de deberes tenéis que hacer . . . *for homework you must do . . .*
vamos a escuchar la cinta/el cassette *we are going to listen to the tape*
ahora voy a repartir . . . *now I'm going to give out . . .*
en mayúsculas *in capital letters*
podéis hacer el ejercicio/con vuestro compañero/en grupos *you can do the exercise/with your partner/in groups*
vamos a trabajar en grupos de . . . personas *we are going to work in groups of . . .*
de dos en dos/en parejas *in pairs*
de tres en tres *in threes*
hacer el papel de médico *to play the part of a doctor*
hacer de policía *to play the part of a policeman*
los role-plays *role-plays*
tener un examen *to have an examination*
fijar la fecha del examen *to set the date for an examination*
aprobar el examen *to pass the examination*
suspender el examen *to fail the examination*
hacer bien/mal el examen de . . . *to do well/badly in the . . . exam*
examinarse *to take an examination*
portarse bien/mal *to behave well/badly*
¿quién sabe la respuesta? *who knows the answer?*
¿quién quiere contestar? *who wants to answer?*
¿en qué curso estás? *what year are you in?*
estoy en 1º de . . . *I'm in the first year of . . .*
¿dónde tenemos la clase de . . . ? *where is the . . . class?*
en la clase pequeña del 2º piso *in the small room on the second floor*
en el aula 203 *in room 203 (NB las aulas)*
¿qué clase tenemos ahora? *which class do we have now?*
¿qué clase toca ahora? *which class do we have now? (colloquial)*
tenemos . . . *we have . . .*
¿Qué pasa? *what's going on?*

Vocabulary

el abogado *lawyer*
abrazar(se) *to hug (each other)*
el abrazo *hug*
abrigado/a *wrapped up, sheltered*
el abrigo *overcoat*
abrir *to open*
el/la abuelo/a *grandfather/grandmother*
abundar *to abound, be a lot of*
aburrido/a *bored, boring*
aburrirse *to get bored*
acabar *to finish*
acabar de . . . *to have just . . .*
acariciar *to caress, stroke*
accesible *accesible*
la acción *action*
el aceite *oil*
la acera *pavement*
acompañado/a *accompanied*
aconsejar *to advise*
el acontecimiento *happening, event*
acordarse(ue) de *to remember*
acostado/a *lying down*
acostarse(ue) *to go to bed*
acostumbrado/a *accustomed, used (to)*
acostumbrar *to be in the habit of*
activo/a *active*
el actor *actor*
la actriz *actress*
actual *present day (adj.)*
las actualidades *current affairs*
acudir *to turn up (help or witness)*
de acuerdo *in agreement*
¡De acuerdo! *OK!, That's fine!*
en adelante *from now on*
¡adelante! *Come in!*
adelante *ahead, forward, further on*
de adelanto *in advance*
además *moreover*
aderezar *to season*
admitir *to admit, allow*
adquirir(ie) *to acquire, get*
la aduana *customs*
advertir(ie) *to warn*
afeitar(se) *to shave*
la afición a *love, liking for*
aficionado/a *keen on, a fan*
afortunadamente *luckily, fortunately*
las afueras *outskirts*
la agencia *agency*
agotado/a *exhausted*
agradable *pleasant, agreeable*
el agregado militar *military attaché*
el agua (f) *water*
el aguacate *avocado*
aguantar *to hold on, put up with*

ahora *now*
el aire comprimido *compressed air*
al aire libre *in the open air*
aislado/a *isolated*
el ajedrez *chess*
alado/a *winged*
el albañil *bricklayer*
la albóndiga *meatball*
el alcalde *Mayor*
alcanzar *to reach*
las alcaparras *capers*
alegrarse *to be glad*
alerta *alert*
la alfombra *carpet*
algo *something*
el algodón *cotton, cotton wool*
alguien *someone*
algunos/as *some*
la alimentación *nutrition, feeding*
aliviar *alleviate, help, relieve*
allí *there*
el alma (f) *soul*
los almacenes *department store*
el almuerzo *lunch*
el alojamiento *lodging*
alojarse *to board, find lodgings*
alquilar *to hire, rent*
el alquiler *rent*
alrededor *around*
los alrededores *surroundings*
el altiplano *plateau, tableland*
las alubias *beans*
el/la alumno/a *pupil*
el ama de casa (f) *housewife*
el/la amante *lover*
ambicioso/a *ambitious*
el ambiente *atmosphere*
ambos/as *both*
amenazar *to threaten, menace*
el amo/a *owner*
el amor *love*
amplio/a *loose, large, vast*
amueblado/a *furnished*
añadir *to add*
andar (irreg.) *to walk*
las anginas *tonsils*
la angustia *anguish, pang*
la animación *liveliness*
animado/a *lively*
anoche *last night*
el año de excedencia *year's leave*
anotar *to take notes*
el ante *suede*
anteayer *day before yesterday*
de antelación *early*

anterior *previous*
antes (de) *before*
anticuado/a *old-fashioned*
las antigüedades *antiques*
antiguo/a *old*
antillano/a *West Indian*
la antorcha *torch*
anunciar *to announce*
el anuncio *advert*
apagar *to put out, turn off*
el aparato *apparatus, appliance, machine*
aparcar *to park*
la aparición *appearance*
el apartado de correos *PO Box*
apartado/a *apart, further away*
aparte (de) *apart (from)*
apenas *hardly*
la apertura *opening*
me apetece *I fancy*
el apetito *appetite*
aplastar *to flatten, crush*
apoyar *to support*
apreciable *appreciable, significant*
apreciar *to appreciate, value*
aprender *to learn*
el/la aprendiz/a *apprentice*
apretado/a *full, crowded, tight*
aprobar(ue) *to pass (exam)*
apropiado/a *appropriate, fit*
aprovechar *to make good use of*
apuñalar *to stab*
aquí *here*
aragonés/aragonesa *from Aragon*
el arbitraje *refereeing*
el árbitro *referee*
el árbol *tree*
el arca (f) *ark*
el archipiélago *archipelago*
la arena *sand*
el armario ropero *wardrobe*
el arquitecto *architect*
arrancar *to pull out, start engine*
arreglar *to arrange*
arriba *above, upstairs*
arriesgado/a *risky, dangerous*
arrodillarse *to kneel down*
arrojar *to throw (away)*
el arroz *rice*
arrugar *to wrinkle, crumple up, crease*
el arte *art*
el artículo *article*
asaltar *to assault*
asar *to roast*
el ascensor *lift*

asegurar *to assure*
asegurarse (de) *to make sure (of)*
el aseo *toilet*
el asesinato *assassination, murder*
así que *so*
el asiento *seat*
la asignatura *school subject*
asistir a *to be present at*
la aspiradora *vacuum cleaner*
el ataque *attack*
atar *to tie*
atardecer *to get dark (dusk)*
el atasco *traffic hold-up*
el ataúd *coffin*
atender(ie) *to attend to, be attentive*
aterrizar *to land*
el atletismo *athletics*
el/la atracador/a *attacker*
atraer *to attract*
atrasar *to put back*
atravesar(ie) *to cross*
atreverse *to dare*
atrevido/a *daring*
el atún *tuna*
audaz *brave, audacious*
aumentar *to increase*
aunque *although*
la ausencia *absence*
el autocar *coach*
el automóvil *car*
la autopista *motorway*
el/la autor/a *author*
la autoridad *authority*
el/la auxiliar de clínica *clinic assistant*
el auxiliar de vuelo *air steward*
el ave (f) *bird*
la avellana *hazel nut*
la aventura *adventure*
la avería *break-down, malfunction*
el avión *aeroplane*
avisar *to inform, to announce, to warn*
el aviso *notice*
ayer *yesterday*
ayudar *to help*
el ayuntamiento *town hall, council*
la azafata *hostess (on transport)*
de azar *of chance, luck*
el azúcar *sugar*
el azulejo *tile*

el bacalao *salted dried cod*
el bache *pothole*
el baile *dance*
bajar *to go down, to take down*
bajo *under*
el baloncesto *basketball*
el balonmano *handball*
el bañador *swimsuit, trunks*
bañarse *to have a bath, to go swimming*
el banco *bank, bench*
la banda *wavelength, band*
la bandera *flag*
el baño *bath, bathroom*
barato/a *cheap*
la barbacoa *barbecue*
¡Qué barbaridad! *How awful!, incredible!*
la barca *boat*
el barco *ship*
la barra *bar-counter*
el barrio *district*
basado/a *based*
básico/a *basic*
bastante *quite, fairly, enough*
bastar *to be enough*
la basura *rubbish*
la batalla *battle*
la batería *battery, drums*
el batido *(milk) shake*
batir *to beat*
bautizar *to baptise*
el bebé *baby*
beber *to drink*
el béisbol *baseball*
Belén *Bethlehem*
el belén *Christmas crib*
la belleza *beauty*
beneficiar *to benefit*
besar *to kiss*
el besugo *sea bream*
la bici *bike*
el billar *billiards, snooker*
el billete *ticket (transport), banknote*
la biología *biology*
el/la bisnieto/a *great grandson/daughter*
la bisutería *imitation jewellery*
blando/a *soft*
el bloque *block*
el bocadillo *sandwich*
la boda *wedding*
la bodega *wine-vault, cellar*
la boina *beret*
el boleto *coupon*
el bolígrafo *biro*
el bollo *bun*
los bolos *bowls, skittles*
la bolsa *bag*
el bolsillo *pocket*
la bomba *bomb*
la bombardeo *bombardment*
el bombero *fireman*
la bondad *goodness*
bondadoso/a *kind, generous*
el bono *voucher*
los boquerones *anchovies*
borracho/a *drunk*
la botella *bottle*
el botones *page-boy*
el boxeo *boxing*
el brazo *arm*
el bronceador *suntan lotion/oil etc.*
broncearse *to get a tan*
bullicioso/a *noisy, boisterous*
buscar *to look for*
la búsqueda *search*
la butaca *armchair, stalls (theatre)*
el buzón *postbox*

la cabalgata *mounted procession*
el caballo *horse*
la cabeza *head*
la cabina telefónica *telephone box*
los cacahuetes *peanuts*
el cadáver *body (corpse)*
la cadena *chain/channel (TV)*
caer (irreg.) *to fall*
la cafetera *coffee-pot, coffee-maker*
la caja *box, till*
la caja fuerte *safe*
el calamar *squid*
el caldo gallego *stew from Galicia*
la calefacción *heating*
el calentador *heater*
la calidad *quality*
caliente *hot*
callarse *to be silent, quiet*
la calle *street*
la callecita *little street*
el callejón *alleyway*
la calzada *carriage-way*
el calzado *footwear*
la cama *bed*
la cama de matrimonio *double bed*
la cama individual *single bed*
el/la camarero/a *waiter/waitress*
las camas literas *bunk beds*
cambiar *to change*
el cambio *change, loose change*
el camello *camel*
el camino *road, way*
el/la camionero/a *lorry-driver*
la camioneta *van*
la camiseta *T-shirt*
el campamento *camp*
la campana *bell*
la campanada *peal of bells*
el/la campeón/campeona *champion*
el campeonato *championship*
el campo *country, field*
la caña *glass of beer*
el canal *channel*
la cancha de tenis *tennis court*
cansado/a *tired*
cansarse (de) *to get tired (of)*
cantar *to sing*
la cantidad *quantity*
una cantidad de *a lot of*
el capítulo *chapter, episode*
la capucha *hood*
el carácter *character*
el caramelo *sweet*
el carbón *coal*
la cárcel *prison*
cargar *to load, charge*
a cargo suyo *at his expense, in his charge*
la caricatura *caricature*
la caridad *charity*
cariñoso/a *loving, affectionate*
la carne *meat*
el carné(t) *licence*

el/la carnicero/a *butcher*
caro/a *expensive*
el/la carpintero/a *carpenter*
la carrera *career, race*
la carretera *road*
el carril *lane (road, motorway)*
el carrito *little cart, trolley*
la carta *letter*
el cartel *poster*
el/la cartero/a *postman/woman*
casado/a *married*
casarse (con) *to get married (to)*
casi *almost, nearly*
hacer caso *to take notice of*
castaño/a *chestnut, brown*
el castellano *Spanish (language of Spain)*
castigar *to punish*
el catalán *language of Catalonia*
catalán/catalana *from Catalonia*
a causa de *because of, owing to*
la cebolla *onion*
celebrar *to celebrate*
tener celos *to be jealous*
cenar *to have supper/evening meal*
un centenar *hundred*
cepillar(se) *to brush*
la cerámica *china*
cerca *near*
las cercanías *surrounding areas*
cercano/a *nearby*
la ceremonia *ceremony*
el cero *zero*
cerrar(ie) *to close, to shut*
la cerveza *beer*
la cesta *basket*
el chorizo *spicy Spanish sausage*
el ciclismo *cycling*
el cielo *sky*
cierto/a *(a) certain*
la cifra *number, total*
el cigarrillo *cigarette*
la cilindrada *cc. (cars, motorbikes)*
el cinturón *belt*
la circulación *traffic*
el cirujano *surgeon*
la cita *date*
citarse *to make a date*
la ciudad *city*
clandestinamente *secretly*
¡claro! *of course!*
claro/a *clear, light (colour)*
la clase *class, type, kind*
clásico/a *classic*
el clima *climate*
climatizado/a *heated*
el/la cobrador/a *conductor, ticket collector*
a cobro revertido *reversed charges*
cocer *to cook*
el coche *car*
cocinar *to cook*
el/la cocinero/a *cook, chef*
coger (irreg.) *to take, grab, catch (transport)*
coincidir *to coincide*
la cola *queue*
coleccionar *to collect*
colgado/a *hanging*
la coliflor *cauliflower*
el collar *necklace*
colocar *to place*
la colonia *cologne*
la columna *column, pillar*
el combustible *(aircraft) fuel*
el comedor *dining-room*
comer *to eat*
el comerciante *trader*
los comestibles *foodstuffs*
cometer *to commit*
la comida *food*
la comisaría *police station*
las comodidades *comforts*
cómodo/a *comfortable*
el/la compañero/a *companion, partner*
la compañía *company*
comparar *to compare*
compartir *to share*
completar *to complete*
completo/a *full*
complicado/a *complicated*
el comportamiento *behaviour*
comprar *to buy*
ir de compras *to go shopping*
comprender *to understand*
la comprensión *understanding, sympathy*
comprobar(ue) *to prove, to confirm*
la comunicación *telephone call*
estar comunicando *to be engaged (telephone)*
la comunidad *community*
el concierto *concert*
el concurso *competition*
conducir (irreg.) *to drive*
el/la conductor/a *driver*
confiar *to hope, to trust*
el congelamiento *freezing, frost-bite*
el congreso *congress, conference*
en conjunto *as a whole, altogether*
conmigo *with me*
conocer(se) *to know (get to know each other)*
conseguir(i) *to manage, to obtain, to get*
el consejo *advice*
la consigna *left-luggage office*
estar constipado/a *to have a cold*
la construcción *building*
construir *to build*
el consuelo *consolation*
la consulta *consulting room, surgery*
consultar *to consult*
la contabilidad *accounting, accountancy*
el/la contable *accountant*
en contacto *in contact*
contar(ue) *to tell, to count*
contigo *with you*
el continente *continent*
continuar *to continue*
en contra *against, in opposition*
por el contrario *on the contrary/other hand*
el contrato *contract*
contribuir *to contribute*
la contusión *bruise*
convenir(ie) (irreg.) *to agree, suit, be fitting*
convocar *to call together, to assemble*
la copa *cup, drink*
el corazón *heart*
la corbata *tie*
el cordero *lamb*
la corona *crown, top*
correos *Post Office*
correr *to run*
la corrida *bull-fight*
la corriente *draught, current*
corto/a *short*
la cosa *thing*
el costado *side, flank*
la costilla *rib*
la costumbre *custom, habit, fashion*
el coto privado *private hunting-ground*
crear *to create*
crecer *to grow/to grow up*
la creencia *belief*
creer *to believe, to think*
criar *to bring up*
el crimen *serious crime, murder*
el cristal *glass, pane of glass*
criticar *to criticise*
cruzar *to cross*
el cuaderno *exercise-book*
el cuadro *picture, square*
a cual mejor *all outstanding*
cualquier *whichever*
en cuanto a *with regard to*
¿cuánto/a? *how much?*
¿cuántos/as? *how many?*
el cuarto *room*
el cuarto de estar *living-room*
cuarto/a *fourth*
cubrir (irreg.) *to cover*
la cucharadita *tea-spoonful*
el cuello *neck*
por tu cuenta *on your own account*
la cuenta *bill*
el cuero *leather*
el cuerpo *body*
¡cuidado! *careful!, look out!*
en cuidados intensivos *in intensive care*
cuidar *to look after*
culminate *culminating, supreme*
la culpa *fault*
el cumpleaños *birthday*
cumplir ... años *to reach one's birthday*
la cuna *cot*
el/la cuñado/a *brother/sister-in-law*
el cura *priest*
curar *to cure*
el curso *course*
cuyo/a *whose*
el champán *champagne*

los chanquetes *whitebait*
la chaqueta *jacket*
charlar *to chat*
el/la chaval/chavala *boy/girl (slang)*
el cheque *cheque*
el chicle *chewing gum*
la chirimoya *custard apple*
chocar (con) *to bump, to crash (into)*
el chófer *chauffeur*
el choque *shock, crash*
el chubasco *squall, heavy shower*
la chuchería *junk food*
el chupachús *lollipop*
el churro *fritter*
chutar *to kick (ball)*

el dado *cube, dice*
dañado/a *hurt, damaged*
el daño *hurt, damage*
dar a *to look into*
dar a luz *to give birth to*
dar más que hacer *to give more trouble*
dar un paseo *to go for a walk*
dar (irreg.) *to give*
el dardo *dart*
darse cuenta de *to realise*
los datos *facts, details*
los deberes *homework*
débil *weak*
la decena *about ten*
decepcionar *to disappoint, disillusion*
decidir *to decide*
decir (irreg.) *to say, to tell*
declarar *to declare*
dedicarse a *to apply, to devote oneself to*
defenderse en *to get by in (language)*
dejar *to allow, leave (behind)*
deleitar *to delight*
delgado/a *thin*
el/la delincuente *delinquent, wrongdoer*
el delito *crime*
los/las demás *the rest*
demasiado *too, too much*
el/la dentista *dentist*
dentro de *inside, in . . . time*
depende de *(it) depends on*
el/la dependiente/a *shop assistant*
el/la deportista *sportsman/woman*
el depósito *deposit, store, tank*
deprimirse *to get depressed*
la derecha *right*
(el) Derecho *Law*
derivar *to derive, to trace back*
derrotar *to beat, to overthrow*
desabrochar *to unbutton*
desafortunado/a *unlucky/destitute*
desahogado/a *at ease, unencumbered*
el desastre *disaster*
desayunar *to have breakfast*
descansar(se) *to rest*
el descenso *descent, fall*
desconectar *to disconnect*
desconocido/a *unknown*
descorchar *to uncork*
desde *since*
desde hace *since, for*
desde luego *of course*
desembocar (a) *to flow out (into)*
desigual *unequal*
la desigualdad *inequality*
la desilusión *disappointment, disillusion*
desmayar(se) *to faint*
desordenado/a *untidy, disorganised*
el despacho *office, shipment*
despegar *to take off (plane)*
despejado/a *clear, open*
el despertador *alarm clock*
despertar(se) (ie) *to wake (up)*
desplazarse *to move, to set off*
desplomar(se) *to collapse, to fall down*
después (de) *after*
destacar *to stand out*
con destino a *going to*
la destreza *skill*
destrozar *to destroy*
el detalle *detail*
detener (irreg.) *to stop, to detain*
determinar *to determine, to limit, to distinguish*
la deuda *debt*
devolver(ue) *to give back*
el día festivo *public holiday*
el diamante *diamond*
el diario *daily paper*
el/la dibujante *draughtsman/woman*
el dibujo *drawing*
los dibujos animados *cartoons*
la dificultad *difficulty*
dígame *hello (telephone)*
¡No me digas! *You don't say!*
el dinero *money*
Dios *God*
la dirección *address, direction*
en directo *live*
dirigido/a *directed*
dirigir *to direct*
el disco *record*
disculpar *to excuse, to forgive*
disculparse *to excuse oneself, to apologise*
discutible *disputable*
el/la diseñador/a *designer*
diseñar *to design*
el diseño *design, sketch*
disfrazado/a *dressed up, disguised*
disfrutar *to enjoy*
disparar *to shoot*
disponer (irreg.) *to arrange, to lay out*
dispuesto/a *prepared*
disputar *to argue*
el disturbio *disturbance*
divertido/a *amusing, enjoyable*
divertirse(ie) *to have a good time*
doblar *to dub*
la documentación *official papers*
el documental *documentary*
doler(ue) *to hurt*
a domicilio *home (deliveries)*
donde *where*
dorado/a *golden, gilded*
dormir(ue) *to sleep*
dormitar *to doze*
el dormitorio *bedroom*
la droga *drug*
la ducha *shower*
el/la dueño/a *owner*
durante *during*
durar *to last*
el duro *5 pesetas*
duro/a *hard*

la ebriedad *drunkenness*
echar de menos *to miss*
económico/a *economic, cheap*
ecuestre *equestrian*
la edad *age*
el edificio *building*
el edredón *eiderdown, duvet*
educar *to educate*
efectuar *to make*
egoísta *egotistic, selfish*
el ejército *army*
el/la electricista *electrician*
el electrodoméstico *electric appliance (home)*
elegir *to choose*
elevar *to elevate, to lift up*
la embarcación *vessel, boat*
el embarcadero *quay, pier, wharf*
el embotellamiento *hold-up, traffic jam*
la emisora *radio station*
emocionante *touching, thrilling*
el/la empapelador/a *paper hanger, decorator*
el empate *draw*
empeorar *to get worse*
empezar(ie) *to begin*
el/la empleado/a *employee*
el empleo *job, employment*
emprender *to undertake*
la empresa *firm, company*
el empresario *impressario, backer*
enamorarse (de) *to fall in love (with)*
encantado/a *enchanted, pleased (to meet you)*
encantador/a *enchanting, charming*
encantar *to enchant, delight*
encarecidamente *highly, earnestly*
encargarse de *to take charge of*
encargar *to ask someone to do . . .*
encerrar(ie) *to shut up*
enchufe *plug/socket, personal contacts (slang)*
encima de *above, over*
encontrar(ue) *to find, meet*
encontrarse(ue) *to meet*
el encuentro *meeting*
la encuesta *enquiry, poll, survey*

la energía *energy*
enfadarse *to get angry*
la enfermedad *illness*
el/la enfermero/a *nurse*
enfermo/a *ill*
enfrente *opposite*
enmascarado/a *masked*
la ensalada *salad*
la enseñanza *teaching*
entender(ie) *to understand*
entenderse(ie) con *to get on with*
el entendimiento *understanding*
enterarse *to find out, to understand*
entero/a *whole, entire*
la entrada *entrance*
la entrada *ticket (performance)*
entrañable *memorable*
entrar en *to go into, to enter*
entregar *to hand over, to entrust*
el/la entrenador/a *trainer*
entrenarse *to train*
entretenido/a *entertaining, amusing*
la entrevista *interview*
el envase *bottle, cask, packaging*
enviar *to send*
envolver(ue) *to wrap up*
la época *time, era*
equilibrar *to balance*
el equipaje *luggage*
el equipo *team*
la equitación *riding*
equivocarse *to make a mistake*
la escala técnica *refuelling stop*
el/la escalador/a *climber*
las escaleras *stairs*
el escaparate *shop window*
la escena *scene*
escoger *to choose*
esconder *to hide*
escribir *to write*
escuchar *to listen to*
la escuela *school (primary)*
esencial *essential*
el esfuerzo *effort*
a eso de *at about (time)*
el/la especialista *specialist*
especialmente *especially*
la especie *kind*
el/la espectador/a *spectator*
el espejo *mirror*
la esperanza *hope*
espeso/a *thick, dense*
espontáneo/a *spontaneous*
el esquí *skiing*
el esquí acuático *water-skiing*
esquiar *to ski*
la esquina *(outside) corner*
el establo *stable*
estacionar *to park*
el estadio *stadium*
el estado *state*
estadounidense *American (USA)*
la estancia *stay*
el estanco *tobacconists*

la estantería *set of shelves*
estar de pie *to be standing*
el estilo *style*
estimado/a *Dear (in formal letters)*
el estómago *stomach*
estrellarse *to crash*
el/la estudiante *student*
estudiar *to study*
estupendo/a *great, fantastic*
la estupidez *stupidity*
estúpido/a *stupid*
el/la etarra *a member of E.T.A.*
Euskadi *the Basque country*
evitar *to avoid*
evolucionar *to evolve, to change*
evolucionar favorablemente *to recover*
la exhibición *exhibition*
exigir *to demand, to require*
exorbitante *exorbitant, excessive*
explicar *to explain*
la explosión *explosion*
expulsar *to expel, to send off*
extensivo/a *extensive*
en el extranjero *abroad*
el/la extranjero/a *foreigner*
extraño/a *strange*
extremeño/a *from Extremadura*
extremo/a *extreme*

la fábrica *factory*
fabricar *to manufacture*
fabuloso/a *fabulous, terrific*
la factura *bill, invoice*
la falda *skirt*
hacer falta *to need*
el fanatismo *fanaticism*
fantástico/a *fantastic, great*
el farmacéutico *chemist*
la farmacia *chemist*
fascinante *fascinating*
favorito/a *favourite*
la fecha *date*
felicitar *to congratulate, to wish well*
feliz *happy*
la feria *fair*
feroz *fierce, ferocious*
la ferretería *ironmongers*
la fidelidad *faithfulness*
el fideo *vermicelli, thin pasta*
la fiebre *fever, temperature*
la fiesta *party*
figurarse *to fancy, imagine*
fijo/a *fixed*
la fila *row*
la filatelia *stamp collecting*
filipino/a *Philippino*
el fin de semana *weekend*
el final *end*
la final *final (sports)*
la finca *farm, property*
fino/a *refined, delicate, slim*
firmar *to sign*
la física *physics*

el/la flojo/a *weakling*
el folleto *leaflet*
en el fondo *fundamentally*
al fondo *at the back*
los fondos *funds*
el/la fontanero/a *plumber*
en forma *on form, fit*
formal *serious, reliable, steady*
forzoso/a *necessary, obligatory*
la foto *photo*
el/la fotógrafo/a *photographer*
fracasar *to fail, to fall through*
la frecuencia modulada *F.M.*
frecuente *frequent*
fregar(ie) *to wash up, to mop up*
fresco/a *cool*
los fuegos artificiales *fireworks*
la fuente *fountain*
las fuentes *sources*
fuera (de) *outside*
fuerte *strong*
la fuerza *strength, force, energy*
las Fuerzas Armadas *Armed Forces*
fumar *to smoke*
funcionar *to work, to function*
el furgón *goods wagon*
el fusil *gun*
el fútbol *football*

las gafas *glasses*
la gaita *bagpipes*
gallego/a *Galician, from Galicia*
las gambas *prawns*
de mala gana *unwillingly*
ganar *to win, to earn*
tener ganas de *to feel like, to want to*
el garaje *garage*
los garbanzos *chick peas*
la garganta *throat*
la gasolinera *petrol station*
gastar *to spend (money)*
los gastos *expenses*
el gazpacho *cold Spanish soup*
el/la gemelo/a *twin*
de mal genio *in a bad mood*
la gente *people*
el giro *money transfer*
(el/la) gitano/a *gypsy*
el globo *balloon*
la glorieta *roundabout*
el gobierno *government*
el gol *goal*
golear *to beat, to thrash (football)*
de golpe *suddenly*
el gordo *first prize (lottery)*
la gorra *cap*
grabar *to record, to engrave*
gracias *thank you*
el/la granjero/a *farmer*
gratis *free*
grave *serious*
la gripe *flu*
gris *grey*

grueso/a *fat, big*
el grupo *group*
el guante *glove*
guapo/a *beautiful, handsome*
la guerra *war*
el/la guía *guide*
la guía *guidebook*
la guitarra *guitar*
a gusto *at ease, to (your) liking*
el gusto *taste*

las habas *broad beans*
había *there was/were*
la habitación *room, bedroom*
habrá *there will be*
hace (un mes) *(a month) ago*
hacer amistad *to make friends*
hacer (irreg.) *to do, to make*
el hacha (f) *axe*
hallar *to find*
el hambre (f) *hunger*
la harina *flour*
hartarse *to have enough of*
hasta *until*
hay *there is/are*
hay de todo *there's a bit of everything*
no hay manera *there is no way round it*
hay que *one must*
la hectárea *hectare*
el helado *ice cream*
el helicóptero *helicopter*
la hembra *female*
herido/a *wounded, hurt*
hervir(ie) *to boil*
el/la hijo/a *son/daughter*
el hincha *fan*
la hípica *horse riding*
el hipismo *relating to horses*
el hobby *hobby*
la hoguera *bonfire*
el hombre *man*
honesto/a *honest*
honrado/a *honourable, reliable*
la hora punta *rush hour*
el horario *timetable*
el horno *oven*
horrorizado/a *horrified, terrified*
hubo *there was/were*
la huelga *strike*
el hueso *bone*
el/la huésped *guest*
el huevo *egg*
huir *to flee, to run away from*
húmedo/a *damp, wet*
el humo *smoke*
de buen/mal humor *in a good/bad mood*

ideal *ideal, perfect*
el idioma *language*
la iglesia *church*
ignorar *not to know*
igual *same, equal*
ileso/a *unhurt*
ilusionarse *to look forward to, to be keen on*
impar *odd (numbers)*
impedir(i) *to prevent*
importar *to matter*
imprescindible *indispensable*
impresionante *impressive*
improvisar *to improvise*
el impuesto *tax*
inaugurar *to inaugurate, to start*
el incendio *fire*
el incidente *incident, happening*
incluir *to include*
incluso *including*
la incomodidad *inconvenience, nuisance*
incómodo/a *uncomfortable*
incorporar *to add to/incorporate*
increíble *incredible, unbelievable*
infantil *childish, children's*
infernal *hellish*
infligir *to inflict*
informarse *to find out about*
la informática *information technology*
la ingeniería *engineering*
el ingeniero *engineer*
iniciar(se) *to begin*
los inicios *beginnings*
inscribir(se) (en) *to register (for)*
insoportable *unbearable*
instalar(se) *to install, to settle in*
el instrumento *instrument*
intelectual *intellectual*
la intención *intention*
intensivo/a *intensive*
intenso/a *intense*
intentar *to try*
el intercambio *exchange*
el interés *interest*
el/la intérprete *interpreter*
invernal *winter, wintery*
el invierno *winter*
invitar *to invite*
ir(se) (irreg.) *to go (away)*
irrompible *unbreakable*
la izquierda *left*

el jabalí *wild boar*
jamás *never*
el jamón *ham*
el jarabe *syrup*
el jardín *garden*
el/la jardinero/a *gardener*
el jefe *chief, boss*
el/la jinete *horse rider*
la jirafa *giraffe*
la jornada *day*
el/la joven *young person*
joven *young*
la joya *jewel*
el/la joyero/a *jeweller*
jubilado/a *retired*
el/la jugador/a *player*
jugar(ue) *to play (sport, games)*
el jugo *juice*
el juguete *toy*
juntarse *to get together*
jurar *to swear*

el lado *side*
el/la ladrón/ladrona *thief*
lamentable *awful, wretched*
la lancha *launch*
a lo largo *along*
largo/a *long*
de largometraje *full-length feature*
¡Qué lástima! *What a pity!*
la lata *tin*
el lateral *side*
la lavadora *washing machine*
lavar(se) *to wash*
la lección *class, lesson*
la leche *milk*
el lechero *milkman*
la lechuga *lettuce*
la lectura *reading*
leer *to read*
la legumbre *vegetable, pulse*
lejos (de) *far (from)*
la lengua *language, tongue*
las lentillas *(contact) lenses*
lento/a *slow*
la lesión *injury, wound*
levantar(se) *to get up*
leve *light, insignificant*
la ley *law*
la libertad *liberty, freedom*
libre *free*
la librería *bookshop*
el libro *book*
el libro de intriga *detective story*
licenciado/a *with a university degree*
ligero/a *light*
el limón *lemon*
limpiar *to clean*
la limpieza *cleanness, cleanliness*
limpio/a *clean*
la línea aérea *airline*
liso/a *smooth, flat*
lo que *what*
la localidad *place, seat (entertainment)*
localizar *to place, to locate*
loco/a *mad*
la locura *madness*
lograr *to manage, to succeed*
la lombarda *red cabbage*
londinense *from London*
la lotería *lottery*
luego *next, soon, immediately, then*
el lugar *place*
el lujo *luxury*
lujoso/a *luxurious*

la llama *flame*
llamar *to call*

llamativo *striking, attractive*
llano *plain, level, flat*
la llave *key*
la llegada *arrival*
llegar *to arrive*
llenar *to fill (up)*
lleno *full*
llevar *to carry, take, wear*
llevar (se) *to take away*
llorar *to cry*
llover *to rain*
la llovizna *drizzle*
lloviznar *to drizzle*
la lluvia *rain*
lluvioso *rainy*

macerar *to soak, to soften*
el machete *machete, chopping knife*
el machismo *aggressively male behaviour*
la madrugada *early morning*
maduro/a *ripe, mature*
el/la maestro/a *master/mistress*
la majestuosidad *majesty*
maleducado/a *badly brought-up, rude*
la maleta *suitcase*
maltratar *to mistreat*
manejar *to manage, to wield*
la manera *way, manner*
la manifestación *demonstration*
la manga *sleeve*
la mano *hand*
el/la maño/a *person from Aragón*
la manta *blanket*
mantener(se) (irreg.) *to remain*
la mantequilla *butter*
la manzana *apple*
el mapa *map*
el/la mar *sea*
marcar *to score (goals)*
el mareo *faintness, seasickness*
el marido *husband*
los mariscos *seafood*
marroquí *Moroccan*
más *more*
más bien *rather, especially*
la masa *mass, dough*
la máscara *mask*
matar *to kill*
materno/a *maternal*
matinal *(of the) morning*
la matrícula *licence (plate)*
el matrimonio *couple*
el/la mayor *elder, eldest*
la mayor parte *major part*
la mayoría *majority*
el mecánico *mechanic*
mecanografiar *to type*
el/la mecanógrafo/a *typist*
la medalla *medal*
por mediación de *through*
el/la mediano/a *the middle one*
las medias *stockings/tights*
la medicina *medicine*
el médico *doctor*
medio/a *average, medium*
medir(i) *to measure*
los mejillones *mussels*
mejor *better*
a lo mejor *maybe*
mejorar *to get better, to improve*
de memoria *by heart*
el/la menor *younger, youngest*
menor de edad *underage, minor*
menos *less*
¡menos mal! *Thank heavens!*
el mensaje *message*
mensual *monthly*
mentir(ie) *to lie*
el menú gastronómico *gourmet menu*
a menudo *often*
el mercado *market*
el Mercado Común (CEE) *Common Market (EEC)*
merecer *to be worth, to merit, to deserve*
la merienda *picnic, tea, light lunch*
la merluza *hake*
la mermelada *jam*
el mero *type of halibut*
la mesilla de noche *bedside table*
el mesón *inn*
en metálico *in cash*
la meteorología *meteorology*
meter *to put (in)*
el método *method*
la mezcla *mixture*
mezclar *to mix*
el miedo *fear*
la miel *honey*
el miembro *member*
mientras *while*
un millón *million*
la mina *mine*
el minero *miner*
mínimo/a *minimal, least*
el/la Ministro/a (de Hacienda) *Minister (of Finance)*
la Misa *Mass*
mismo/a *same*
a mitad *half-way through*
la mitad *half*
la moda *fashion*
la molestia *nuisance, aggravation*
la monja *nun*
monótono/a *monotonous, boring*
la montaña *mountain*
el/la montañero/a *mountaineer*
el montañismo *mountaineering*
montar *to ride*
montar(se) *to hold/put on (spectacle)*
el monte *forest, wooded land, hill*
morder(ue) *to bite*
moreno/a *dark*
morir(se) (ue) *to die*
el/la moro/a *Moor, Arab*
la mostaza *mustard*
mostrar(ue) *to show*
el mostrador *counter*
el motivo *motive, reason*
con motivo *in order to, owing to*
la moto *motorbike*
mover(ue) *to move*
moverse todo alrededor de *to live for*
hay mucha marcha *there's a great atmosphere (sl.)*
la muchedumbre *crowd*
mucho *a lot*
los muebles *furniture*
el dolor de muelas *toothache*
muerto/a *dead*
la mujer *woman, wife*
el multicine *multiscreen cinema*
mundialmente *worldwide*
todo el mundo *everybody*
el mundo *world*
el murciélago *bat*
el mus *Spanish card game*
la música *music*
la música de ambiente *background music*
el/la músico/a *musician*
musulmán/musulmana *Moslem*

el nabo *turnip*
nacer *to be born*
nacido/a *born*
la nacionalidad *nationality*
nada *nothing*
nadar *to swim*
nadie *nobody*
la naranjada *orangeade*
la nariz *nose*
la natación *swimming*
natal *(place) of birth*
la naturaleza *nature*
la navaja *knife*
la nave *ship, vessel*
las Navidades *Christmas*
necesitar *to need*
el negocio *business deal, transaction*
los negocios *business (in general)*
nevar (ie) *to snow*
la niebla *fog*
el/la nieto/a *grandson/granddaughter*
ningún/o/a *no, any, none*
no ... sino *not ... but*
la Nochebuena *Christmas Eve*
nocturno/a *nocturnal*
el nombre *name*
normalmente *normally, usually*
la nota *grade, mark*
las noticias *news*
la novela *novel*
la novela policiaca *detective story*
el/la novio/a *boy/girlfriend, bride/groom*
la nubosidad *cloudiness*

nuboso *cloudy*
Nueva Gales del Sur *New South Wales*
de nuevo *again*
nuevo/a *new*
la nuez *nut*
la numismática *coin collecting*
nunca *never*

obedecer *to obey*
por obligación *because one has to*
obligar *to force, to make*
la obra *work, play*
el obrero *workman, worker*
no obstante *nevertheless*
obtener(ie) (irreg.) *to obtain, to get*
la ocasión *occasion, opportunity*
octavo/a *eighth*
ocultar *to hide*
ocurrir *to occur, to take place*
odiar *to hate*
la oficina *office*
ofrecer *to offer*
oír *to hear*
el ojo *eye*
el olor *smell*
olvidar *to forget*
la onda *wave (frequency/sea)*
opción *option*
opinar *to think, to have an opinion*
el ordenador *computer*
organizar *to organise*
orgulloso/a *proud*
la orilla *bank*
a la orilla del mar *by the seaside*
el oro *gold*
la orquesta *orchestra, band*
ortodoxo/a *orthodox*
oscurecer *to get dark, darken*
oscuro/a *dark, dim*
la oveja *sheep*

la paciencia *patience*
la paella *Spanish rice and seafood dish*
pagar *to pay*
la página *page*
el país *country*
el País Vasco *the Basque country*
el paisaje *countryside*
el pájaro *bird*
la palabra *word*
el pan *bread*
el/la panadero/a *baker*
la pandilla *band, gang of friends*
la pantalla *screen*
los pantalones *trousers*
la papelería *stationer's*
el par *pair*
para *for, to, in order to*
el parabrisas *windscreen*
el paracaídas *parachute*
la parada *stop (transport)*
el paraguas *umbrella*
parecer *to seem*
parecerse a *to look like*

la pared *wall*
la pareja *pair, couple*
los parientes *relations*
en paro *unemployed*
la parroquia *parish church*
la parte *part*
el/la participante *participant*
participar *to take part*
particular *private*
el/la partido/a *game, match*
a partir de *(starting) from*
pasado mañana *day after tomorrow*
pasado/a *last, past*
el/la pasajero/a *passenger*
pasar *to pass by, to spend (time)*
pasarlo bien *to have a good time*
pasarlo mal *to have a bad time*
las pasas *raisins*
el pasatiempo *hobby*
Pascuas *Easter*
pasear(se) *to go for a walk*
el paseo *walk*
la pastelería *shop selling cakes/pastries*
la pastilla *pill, tablet, pastille*
el/la pastor/a *shepherd/shepherdess*
la patada *kick*
los patines *skates*
el patio *patio, yard*
el pato *duck*
patrón/patrona *patron (saint)*
la paz *peace*
el peatón *pedestrian*
pecar *to sin*
pedir(i) *to ask for*
peinar(se) *to comb*
pelar *to peel*
la película *film*
el peligro *danger*
pelirrojo/a *red-headed*
el pelo *hair*
la peluquería *hairdresser*
una pena *pity, shame*
los pendientes *earrings*
pensar(ie) *to think*
la pensión *small hotel*
pensión completa *full board*
peor *worse*
la pera *pear*
perder(ie) *to lose*
pederse(ie) *to get lost, to miss*
la pérdida *loss*
perecer *perish*
el perejil *parsley*
perezoso/a *lazy*
perfeccionar *to perfect*
perfectamente *perfectly*
el periódico *newspaper*
el/la periodista *reporter*
permanecer *to remain/to continue*
pero *but*
la persona *person*
el personaje *personage, character (theatre)*
a pesar de *in spite of*

la pesca *fishing*
el/la pescador/a *fisherman/woman*
el peso *weight*
de pie *standing*
la piel *skin*
la píldora *pill*
la pimienta *pepper*
el pinar *pine forest*
pinchar *to burst*
el pinchazo *puncture*
los pinchos morunos *small kebabs (tapas)*
pintoresco/a *picturesque*
el pirómano *arsonist*
la piscina *swimming pool*
el piso *flat, floor*
la pista *runway, dance floor*
el plan *plan*
planear *to plan*
planificar *to plan (building)*
la planta *plant*
la planta baja *ground floor*
la plata *silver*
a plazos *in instalments*
en plena mar *in the open sea*
pobre *poor*
un poco *a little*
poderoso/a *powerful*
el podio *podium, rostrum*
la poesía *poetry*
la política *politics*
político/a *political*
la pólvora *gunpowder*
poner (irreg.) *to put*
por *for*
por eso *that's why*
¿por qué? *Why?*
el porcentaje *percentage*
porque *because*
el portal *doorway*
el/la portavoz *spokesman/woman*
poseer *to possess, to own*
el póster *poster*
el postre *dessert*
el potaje *thick soup*
practicar *to practise, to take part in*
práctico/a *practical*
el Prado *Spain's main art gallery*
precario/a *precarious, uncertain*
precipitarse *to dash, to rush*
predicar *to preach*
preferir(ie) *to prefer*
preguntar *to ask*
el premio *prize*
la prensa *Press*
preocuparse *to bother, to worry*
preparar *to prepare*
presenciar *to witness*
prevenir(ie) (irreg.) *to warn*
la previsión *forecast*
previsto/a *foreseen, prepared*
la primavera *spring*
primer/o/a *first*
el/la primo/a *cousin*

principal *main*
el/la principiante *beginner*
al principio *at the beginning*
privado/a *private*
el probador *changing-room*
probar(ue) *to taste, to try*
probarse(ue) *to try on*
procedente de *coming from*
la procesión *procession*
productivo/a *productive*
el/la profesor/a *teacher*
profundo/a *deep, profound*
el programa *programme*
el/la programador/a *computer programmer*
prohibir *to ban, to forbid*
el prójimo *fellow creature, neighbour*
prometer *to promise*
pronto *soon*
el/la propietario/a *owner*
la propina *tip*
propio/a *own*
proponer (irreg.) *to propose, to put forward*
los pros y los contras *pros and cons*
proteger *to protect*
provenir(ie) *to come from*
provocado/a *provoked*
provocar *to provoke*
próximo/a *next*
proyectar *to design, to plan*
el proyecto *plan, project*
prudente *prudent, careful*
psiquiátrico/a *psychiatric*
el público *public, audience, people*
el puente *bridge*
el puerto *port*
puesto que *since*
la pulpa *pulp*
el puñetazo *punch*
en punto *exactly (time)*

quedar *to remain, to stay*
quedar con *to arrange to meet*
los quehaceres *housework*
la queja *complaint*
quejarse *to complain*
quemar(se) *to burn*
querer(ie) (irreg.) *to love, to want*
¿quién/quiénes? *who?*
la química *chemistry*
las quinielas *football pools*
quinientos/as *500*
quinto/a *fifth*
quisiera *I would like*
quitar (la mesa) *to clear away*
quizá(s) *perhaps*

la ración *ration, plateful*
la radio *radio*
el radio-cassette *radio-cassette player*
a raíz de *resulting from*
el ramo *bunch (of flowers)*
el rápido *type of train*
raro/a *rare, strange*
un rato *a while*
de rayas *striped*
el rayo *ray, shaft of lightning*
la razón *reason*
real *real, royal*
realizar *to realise, to make happen*
realmente *really*
el rebaño *flock*
rebelarse *to rebel*
la recepción *reception*
el/la recepcionista *receptionist*
recetar *to prescribe*
recibir *to receive*
recién *recently, newly*
reciente *recent*
la reclamación *claim, complaint*
reclinable *reclining*
recomendar(ie) *to recommend*
recordar(ue) *to remind*
el recorrido *trip, distance*
todo recto *straight on*
recuperable *recoverable*
recuperar(se) *to recuperate, to get better*
la red *net, network*
redondo/a *round*
reducir *to reduce*
el refresco *refreshment, cool drink*
el refugio *refuge*
regalar *to give (presents)*
el regalo *present, gift*
registrar(se) *to enrol*
la regla *rule, ruler*
regresar *to return*
regular *so so, scheduled (flight)*
el reino *realm, kingdom*
reír(se)(i) *to laugh*
relacionar *to relate*
relajar(se) *to relax*
relegar *to relegate, to banish*
la religión *religion*
rellenar *to stuff, to fill in*
el reloj *clock, watch*
no hay remedio *there's no way out of it*
de remo *rowing*
las reparaciones *repairs*
repartir *to share out*
de repente *suddenly*
repetir(i) *to repeat*
el repollo *cabbage*
el reposo *rest*
requerir(ie) (irreg.) *to require, to need*
rescatar *to rescue*
residencial *residential*
con respecto a *as far as . . . is concerned*
respetar *to respect*
el resultado *result*
el resumen *résumé, summing up*
la retención *hold-up (traffic)*
de retraso *late, delayed*
la reunión *meeting, get together*
la revista *magazine*
los Reyes Magos *Three Wise Men, Epiphany*
rezar *to pray*
rico/a *rich*
el riesgo *risk*
el rincón *corner (inside)*
la riqueza *riches*
el rito *rite, ceremony*
rizado/a *curly*
el robo *robbery, theft*
rociar *to sprinkle*
rogar(ue) *to ask*
romper *to break*
roncar *to snore*
la ropa *clothes*
rubio/a *blond(e)*
el ruido *noise*
la ruta *route*

saber (irreg.) *to know how to*
sacar *to take out, to take (photos)*
sacar *to buy tickets (entertainment)*
sacar buenas notas *to get good marks*
el saco *bag, sack*
sagrado/a *sacred, holy*
la sal *salt*
la sala *hall, sitting-room*
la sala de espera *waiting-room*
la sala de estar *living-room*
la salida *exit*
salir *to leave, to go out*
salir con *to go out with*
el salón *sitting-room*
la salsa *sauce*
la salud *health*
saludar *to greet*
salvaje *wild*
salvar *to save*
salvo *apart from*
la sangre *blood*
el/la santo/a *saint*
seco/a *dry*
el/la secretario/a *secretary*
el secreto *secret*
en seguida *straight away, immediately*
seguir(i) *to follow, to continue*
(de) segunda mano *second hand*
segundo/a *second*
la seguridad *security*
el seguro *insurance*
seguro/a *sure*
el sello *stamp*
el semáforo *traffic light*
la semana *week*
Semana Santa *Easter Week*
la señal *signal, sign*
sencillo/a *simple, easy, single*
sensible *sensitive*
el sentido *sense*
sentir(ie) *to feel, to be sorry*
el ser *being*
ser de *to be, to come from*
ser (irreg.) *to be*

el sereno *night watchman*
la serie *series, serial*
serio/a *serious, steady, dependable*
servir(ie) *to be used for, to serve*
los sesos *brains (food)*
severo/a *severe, strict*
sexto/a *sixth*
siempre *always*
la sierra *mountain range*
siguiente *following*
simpático/a *nice, pleasant*
simultáneo/a *simultaneous, at the same time*
sin *without*
sin embargo *however*
sino *but, except, besides*
el síntoma *symptom*
sintonizar *to tune (into)*
ni siquiera *not even*
el sistema *system*
por sistema *as a matter of policy*
el sitio *place*
sobre *on, about (time)*
el sobre *envelope*
sobre todo *above all*
el/la sobrino/a *nephew, niece*
el/la socio/a *member*
el sol *sun*
el soldado *soldier*
la soledad *solitude, loneliness*
soler(ue) + inf. *to usually + verb*
solicitar *to apply for*
sólo *only, just*
solo/a *alone*
soltero/a *bachelor, spinster, unmarried*
solucionar *solve, resolve*
la sombra *shade*
soñar(ue) *to dream*
el sonido *sound*
sonreír(i) *to smile*
soportar *to bear, to put up with*
sorprender *to surprise*
la sortija *ring*
subir *to go up, to get into (transport)*
subvencionado/a *subsidised*
sucio/a *dirty*
sueco/a *Swedish*
el/la suegro/a *father/mother-in-law*
sueldo *salary, pay*
suelto/a *loose*
el sueño *dream*
la suerte *luck*
el suéter *sweater*
sufrir *to suffer*
en suma *in short*
el/la superviviente *survivor*
suponer (irreg.) *to suppose*
susodicho/a *aforementioned*
la sustracción *removal, extraction*

tablas *a draw (chess or draughts)*
el tablón de anuncios *notice board*
tacaño/a *mean, miserly*
el tacón *heel*
el talgo *fast Spanish train*
la talla *size (clothes)*
el taller *workshop*
el talonario *cheque book*
también *also*
tampoco *neither, nor*
tanto/a *so much*
tantos/as *so many*
las tantas *early hours of the morning (coll.)*
las tapas *bar snacks*
la taquilla *ticket office*
tardar *to be long/late, to take time*
la tarjeta de crédito *credit card*
la tasca *pub, bar*
el/la taxista *taxi driver*
el teatro *theatre*
el tejado *roof*
el Telediario *television news*
la telefónica *telephone exchange*
el/la telespectador/a *television viewer*
el televisor *television set*
el tema *theme, subject*
temido/a *feared*
la temporada *while, short time, season*
temporal *temporary*
el temporal *storm*
temprano *early*
tener (irreg.) *to have*
tener gracia *to be amusing/funny*
tener hambre *to be hungry*
tener lugar *to take place*
tener miedo *to be frightened*
tener prisa *to be in a hurry*
tener que *to have to*
tener razón *to be right*
tener suerte *to be lucky*
el tenis *tennis*
tercer/o/a *third*
terminar *to finish*
la ternera *veal*
la terraza *terrace, balcony*
el terreno *land, ground, soil*
el terrón de azúcar *sugarlump*
el testimonio *testimony*
tibio/a *tepid, lukewarm*
el tiempo *time, weather*
a tiempo *on time*
la tienda *shop*
la tienda de campaña *tent*
la tienda de ultramarinos *grocers*
tierno/a *tender*
la tierra *earth, world*
tímido/a *timid, shy*
el/la tío/a *uncle/aunt*
típico/a *typical*
el tipo *type*
tirar *to throw (away)*
el tiro *shot*
el tiro al arco *archery*
el tiro de cuerda *tug of war*
el título *title, degree*
la toalla *towel*
el tobillo *ankle*
si me toca *if I win*
el tocadiscos *record player*
tocar *to play (instruments)*
todavía *still*
todavía no *not yet*
todo el día *all day*
todo recto *straight on*
todos los días *every day*
tomar algo *to have a drink*
tomar el sol *to sunbathe*
una tontería *nonsense, stupidity*
el tope *limit, 'ceiling'*
torcer(ue) *to twist*
el torero *bull-fighter*
la tormenta *storm*
el torneo *tournament*
el toro *bull*
los toros *bull-fighting*
la torre *tower*
la tortilla *omelette (Spanish)*
toser *to cough*
trabajar *to work*
el trabajo *work*
tradicional *traditional*
la traducción *translation*
el/la traductor/a *translator*
traer (irreg.) *to bring, to carry, to fetch*
tranquilo/a *quiet, peaceful*
transcurrir *to pass, to elapse, to happen*
el/la transeúnte *passer-by*
el tránsito *transit, passage*
transmitir *to broadcast*
el transporte *transport*
tras *after*
trasladar *to move, to transport, to translate*
el trasplante *transplant*
el trayecto *trip*
el tren *train*
la tripulación *crew*
triste *sad*
la tristeza *sadness*
la trompeta *trumpet*
el trozo *piece, slice*
el turrón *Spanish nougat*

único/a *only, unique*
hijo/a único/a *only child*
universitario/a *of the/at the university*
unos/as *some, about (number)*
la urbanización *housing development*
usted(es) *you (formal)*
el/la usuario/a *user*
utilizar *to use*
la uva *grape*

(de) vacaciones *(on) holiday*
vacío/a *empty, vacant*
¡vale! *fine, great, OK*
válido/a *valid*
al vapor *steamed*

los vaqueros *jeans*
la variedad *variety*
el varón *male*
el vaso *glass*
a veces *sometimes*
el/la vecino/a *neighbour*
el/la vegetariano/a *vegetarian*
el vehículo *vehicle*
la vela *sail, candle*
la velocidad *speed*
vencer *to beat, to overcome, to conquer*
el/la vendedor/a *seller, salesperson*
venir (irreg.) *to come*
en venta *on sale*
la ventaja *advantage*
la ventana *window*
ver *to see*
veranear *to spend the summer*
el verano *summer*
la verdad *truth*
¡verdad! *really!*
el/la verdulero/a *greengrocer*
las verduras *green vegetables*
la vergüenza *shame*
dar vergüenza *to be ashamed*
vertebral *vertebral, of the back*
el vestíbulo *hall*
vestirse (i) *to get dressed*
de vez en cuando *from time to time*
viajar *to travel*
el viaje *trip, journey*
la víctima *victim*
la vida *life*
viejo/a *old*
el viento *wind*
vigésimo/a *20th*
vigilar *to watch (over), to keep guard*
el vinagre *vinegar*
el (vino de) Jerez *sherry*
la violencia *violence*
la visita *visit*
la víspera *eve*
el/la viudo/a *widower/widow*
la vivienda *housing, homes*
vivir *to live*
vivo/a *alive, lively*
el vóleibol *volley ball*
el volumen *volume*
volver a . . . *to do . . . again*
volver (ue) *to return*
volverse loco/a por *to be mad about*
vomitar *to vomit, to be sick*
el vuelo *flight*

ya *already*
¡ya está! *that's all!, enough!*
ya que *since, because*
el yate *yacht*
yendo *going*
el yogur *yoghurt*

la zanahoria *carrot*
la zapatería *shoe shop*
el/la zapatero/a *shoemaker, mender*
el zapato *shoe*
la zona *zone, area*